Streissler, Friedr

Das Recht fuer Urheber, Buchhandel und Presse

Streissler, Friedrich

Das Recht fuer Urheber, Buchhandel und Presse

Inktank publishing, 2018

www.inktank-publishing.com

ISBN/EAN: 9783750106901

Das Recht

für

Urheber, Buchhandel und Presse.

Von

Friedrich Streißler.

II.

Die internationalen Urheberrechts-Gesetzgebungen und Konventionen.

Leipzig.
F. W. v. Biedermann.
1890.

Die internationalen

Urheberrechts-Gesetzgebungen

und

Konventionen.

Von

Friedrich Streißler.

Leipzig.
F. W. v. Biedermann.
1890.

Vorwort.

Kaum drei Monate sind verflossen seit der erste Band dieses Werkes erschienen ist; die günstige Aufnahme desselben zeigt mir, daß sein Erscheinen nicht überflüssig war. Dieser zweite Band, obwohl als selbständiges Werk angelegt, erhält doch erst in Verbindung mit dem erst erschienenen seinen vollen Wert. Wenn auch die Grenzen des Rechtsgebietes, welches der erste Teil behandelt, ziemlich weit gerückt sind, so wird doch so mancher Autor oder Buchhändler infolge der kosmopolitischen Natur des Urheberrechts in die Lage kommen, auch diesen zweiten Band konsultieren zu müssen.

Da dieses Werk nur dem praktischen Gebrauche dienen soll, so ist alles weggelassen worden, was nur theoretischen oder historischen Wert hat. Für die Autoren und Buchhändler in Deutschland, Österreich, Ungarn und der Schweiz bestimmt, ist die Urheberrechts-Gesetzgebung dieser Länder sehr ausführlich im ersten Bande mitgeteilt und kommentiert, während für die in diesem Bande mitgeteilte Gesetzgebung der übrigen Länder der Erde eine solche Ausführlichkeit nicht nur überflüssig, sondern sogar störend wäre. Dem Autor oder Buchhändler in einem der Länder deutscher Zunge genügt es zu wissen, ob er in einem beliebigen anderen Lande das Urheberrecht an einem Werke besitzt, oder ob er es durch Erfüllung irgend einer Formalität erwerben kann. Die Verfolgung einer im Auslande begangenen Rechtsverletzung wird man stets einem Rechtsanwalte in dem betreffenden Lande überlassen müssen. Es ist deshalb bei Bearbeitung der hier veröffentlichten Landesgesetze im Interesse der Brauchbarkeit des Werkes die möglichste Kürze mit der größten Übersichtlichkeit vereinigt worden, und sind gesetzliche Bestimmungen, welche aus irgend einem Grunde gegenstandslos sind (wie z. B. Übergangsbestimmungen, wenn die Übergangszeit bereits verflossen ist) außer Acht gelassen. Hingegen sind die für die internationalen Beziehungen wichtigen Konventionen, die Berner Konvention, die Konvention der südamerikanischen Staaten und die von Deutschland, Österreich, Ungarn und der Schweiz geschlossenen Verträge wörtlich mitgeteilt und kommentiert.

Die Bearbeitungen der Landesgesetze geschah nach französischen Quellen, teilweise dienten auch deutsche Quellen*) und direkt erhaltene Auskünfte zur Grundlage. Ich wiederhole hier eine Bitte, die ich bereits im Vorwort des ersten Bandes ausdrückte: Alle Benützer dieses Werkes sind gebeten, ihnen wünschenswert erscheinende Berichtigungen oder sonst bemerkte Mängel oder Lücken mir gütigst mitteilen zu wollen, um eine hoffentlich bald nötig werdende zweite Auflage von der jedem Produkte des menschlichen Geistes anhaftenden Unvollkommenheit nach Möglichkeit befreien zu können.

Leipzig, im Oktober 1890.

Friedrich Streißler.

*) Die Artikel „Großbritannien" und „Nordamerika" sind zum Teil aus dem „Export-Journal" (Leipzig, G. Hedeler) mit gütiger Erlaubnis des Verlegers desselben abgedruckt worden. Die Bestimmungen einiger Länder (Rumänien, Rußland, Türkei, Venezuela) über die Abgabe der Pflichtexemplare sind entnommen aus „Franke, die Abgabe der Pflichtexemplare von Druckerzeugnissen". Berlin 1889.

Inhalt.

Konventionen.

Einleitung.

„Die blos negative aber allererste Beförderung der Wissenschaften und Künste ist, diejenigen, die darin arbeiten, gegen Diebstahl zu sichern und ihnen den Schutz ihres Eigentums angedeihen zu lassen."

Dieser von Hegel*) ausgesprochene Grundsatz ist noch lange nicht in seiner ganzen Bedeutung anerkannt, denn sonst würde es nicht so vieler Anstrengung gebraucht haben, um das Urheberrecht durch Gesetze zu regeln, welche in fast allen Ländern den von Girardin gefundenen sehr treffenden Titel führen könnten: „Über das Expropriationsrecht des Staates in bezug auf das geistige Eigentum."**)

Freilich kann für das Urheberrecht auch nicht das von Alphons Karr aufgestellte Axiom „la propriété littéraire est une propriété" ohne Einschränkung gelten. Jedes geistige Erzeugnis, möge ein noch so großes Genie der Schöpfer desselben sein, findet seine Wurzel in dem Geistesschatze der Gesamtheit. Wir könnten dieses Werk nicht schreiben, wenn uns nicht die Möglichkeit geboten wäre, die Vorarbeiten auf diesem Gebiete zu benützen. Selbst Geisteswerke, welche sich nicht auf bereits veröffentlichte Vorarbeiten stützen, können nur auf Grund von Beobachtungen erzeugt werden. In jedem Falle muß das Leben, die Gesamtheit den Stoff bieten und muß auch dem Autor Lehrer und Berater sein.

Das Gesetz soll also nicht dazu dienen erst ein Urheberrecht

*) Grundlinien des Rechts. § 69.

**) Siehe Verhandlungen des Reichstages des Nordd. Bundes. Sitzung vom 24. März 1870. Rede des Abgeordneten Dr. Stephani.

zu schaffen. Durch die Erzeugung eines Werkes der Litteratur oder Kunst ist dem Autor auch schon das Urheberrecht gegeben.*) Die Gesetze dienen nur dazu, dieses natürliche Recht im Interesse der Gesamtheit zu beschränken. Die Gesetzgebung hat aber darauf zu achten, daß diese Expropriation im Interesse des Gemeinwohls nicht zu weit gehe, daß der Autor nicht um seinen Lohn komme, auf den er mindestens ebensosehr Anspruch hat wie ein Droschkenkutscher, dem die Natur zufälligerweise eine schöne Stimme gab, der er es verdankt, wenn er eines Tages als Sänger in die glückliche Lage kommt, statt der wenig nahrhaften Lorbeeren den für des Leibes Notdurft viel wichtigeren Mammon einzuheimsen.

Wenn man also als Zweck der Urheberrechts-Gesetzgebung annimmt, daß sie nur dazu diene, die Interessen der Gesamtheit dem natürlichen Rechte des Urhebers gegenüber zu wahren, so müssen stets folgende Expropriationen dieses natürlichen Rechtes gesetzlich geregelt werden.

a) die Freiheit des Nachdruckes in beschränktem Maße, soweit dieser Nachdruck zur Erhaltung der Tagespresse, zu pädagogischen Zwecken und zum Zwecke der Kritik nötig erscheint;

b) die Feststellung einer bestimmten Zeit, nach welcher die Gesamtheit wieder in den uneingeschränkten Besitz des Werkes gelangt, zu welchem sie doch ursprünglich den Stoff geboten hat.

Die Notwendigkeit von Punkt a ist von allen Gesetzgebungen anerkannt, nur bezüglich des Umfanges dieser der Allgemeinheit gemachten Konzession gehen die Meinungen auseinander. Eugène Pouillet äußert sich darüber im Namen der Association littéraire et artistique internationale folgendermaßen:**)

„Wie soll man kritisieren ohne zu zitieren? Dasselbe gilt

*) Siehe den Artikel „Verlagsrecht" in diesem Werke 1. Band, Seite 118.

**) Siehe Association littéraire et artistique internationale. Son histoire — ses travaux. Paris 1889. Seite 353. Mehr über dieses Thema siehe daselbst Seite 286. Rede von Lyon-Caen beim Kongreß zu Madrid im Jahre 1887.

vom Unterrichte, welcher in Wahrheit nur eine besondere Form der Kritik ist; kann sich ein Autor beklagen, wenn einzelne Stellen seiner Werke zitiert werden um entweder als Muster für Styl oder Ausdrucksweise oder als Typus zu dienen dafür, was dem oder jenem Grammatiker zufolge vermieden werden soll. Die Zitierung wird nur dann strafbar, wenn sie das Werk selbst ersetzt, es infolgedessen entbehrlich macht. Es ist also kaum zulässig, daß man, wie dies manche Gesetzgebungen gestatten, ungestraft und im Widerspruche mit dem ausschließlichen Rechte des Urhebers einige seiner Werke in einer Anthologie oder Chrestomathie abdrucken darf. In diesem Falle hat man es nicht mehr mit dem Unterrichte zu thun; eine Chrestomathie, die nicht unterrichtet, nichts erörtert und sich blos aufs Zitieren beschränkt, ist nur eine Sammlung, welche die verschiedenen Werke, aus welchen sie zusammengestellt ist, mehr oder weniger ersetzt. Wer eine Sammlung ausgewählter Stücke liest, weiß nichts von den eigenen Ideen desjenigen, der diese Sammlung zusammengestellt hat; er tritt nur zu den zitierten Autoren in geistige Beziehungen."

Den Bedürfnissen der Presse hat die herrschende Gesetzgebung auf folgende Weise Rechnung getragen. In Zeitungen und Revüen veröffentlichte Artikel dürfen nachgedruckt werden, ausgenommen solche Artikel, deren Nachdruck vom Autor speziell verboten ist; für Artikel über Tagespolitik ist aber ein solches Verbot ohne Wirkung. Dies gilt für Deutschland, Schweiz, Ungarn und Italien. Der Nachdruck eines jeden Zeitungsartikels kann vom Autor verboten werden in Spanien, Niederlande, Südafrikanische Republik, Kolumbia, Ecuadòr und Venezuela. Die übrigen Staaten verbieten durch das Gesetz selbst den Nachdruck größerer wissenschaftlicher oder litterarischer Artikel.

Die im Punkte b aufgestellte Forderung ist im Prinzipe fast allgemein durchgeführt; nur Guatemala, Mexiko und Venezuela machen eine Ausnahme, da diese drei Staaten das „ewige Urheberrecht" (wenn auch nicht an Werken jeder Art und im ganzen Umfange) anerkannt haben. Wie lange jedoch ein Werk zu gunsten des Autors geschützt sein soll, um sowohl dem Autor wie auch der

Gesamtheit gerecht zu werden, ist eine schwer zu beantwortende Frage. Unserer Meinung nach muß, um hier ein die richtige Mitte treffendes Urteil fällen zu können, ein Gesetz mindestens doppelt so lange in Kraft sein, als die darin angesetzte Schutzfrist beträgt. Nun ist aber fast die gesamte gegenwärtig rechtskräftige Urheberrechts-Gesetzgebung ziemlich neuen Datums. Am ältesten ist das englische Gesetz, welches im Jahre 1842 eine zweiundvierzigjährige Schutzfrist festsetzte. Sodann folgt Österreich, welches durch Gesetz vom Jahre 1846 Werke der Litteratur und Kunst bis dreißig Jahre nach dem Tode des Autors schützt. Wenn wir noch mehrere größere Länder*) mit ebenso alter Urheberrechts-Gesetzgebung hätten und diese Gesetze noch mehrere Jahrzehnte in Kraft blieben, so ließe sich dann durch eine Statistik, welche sich auch mit den materiellen Verhältnissen von Autoren und Verleger befassen müßte, ermitteln, ob die angesetzte Schutzfrist den beteiligten Interessen gerecht wird oder nicht. Der Streit über die gerechteste Schutzfrist kann aber gegenwärtig nur ein akademischer sein, weil Erfahrungen darüber mangeln; einzelne Beweise zu gunsten eines bestimmten Zeitraumes sind nicht maßgebend, da bei jeder wie immer bemessenen Schutzfrist es stets Fälle geben kann, wo entweder der Autor oder der Verleger zu kurz kommt. Der Umstand, daß z. B. Sheakespeare erst Jahrhunderte nach seinem Tode berühmt wurde, kann nicht dazu dienen, um für eine Jahrhunderte währende Schutzfrist zu plaidieren.

Es walten also bezüglich der Schutzfristen die verschiedenartigsten Auffassungen vor. Wie schon erwähnt, gewähren Guatemala, Mexiko und Venezuela ewiges Urheberrecht. Spanien und Kolumbia gewähren die längste begrenzte Schutzfrist, d. i. 80 Jahre nach dem Tode des Urhebers. Sonderbarerweise hat der Verleger von der 80jährigen Schutzfrist in Spanien und der ewigen Schutzfrist in Venezuela nicht immer den Nutzen. Ist das Verlagsrecht

*) Bei dieser Frage können nur solche Staaten in Betracht kommen, welche eine ausgebildete Urheberrechts-Gesetzgebung und bedeuten den littera rischen Verkehr aufweisen. Deshalb sind Länder wie Griechenland (Strafgese- vom Jahre 1833, Schutzfrist 15 Jahre) oder Peru (Gesetz vom Jahre 1849, Schutzfrist 20 Jahre nach dem Tode des Autors) u. a. m. außer Acht gelassen.

einem Verleger überlassen worden, und sind 25 Jahre nach dem Tode des Autors noch Erben am Leben, so erlischt das Recht des Verlegers zu gunsten der Erben des Autors. Eine Schutzfrist von fünfzig Jahren nach dem Tode des Autors bestimmen die Gesetze von Frankreich, Belgien, Dänemark, Ungarn, Monaco, Schweden, Norwegen, Portugal, Rußland, Finnland, Tunis und Bolivia. Deutschland, Österreich und die Schweiz haben dreißigjährige Schutzfrist, Peru zwanzig Jahre, Brasilien zehn Jahre und Chili fünf Jahre nach dem Tode des Autors.

Die Republik Haïti hat ein besonderes System zur Berechnung der Schutzfrist; diese währt so lange, als der Autor oder dessen Witwe lebt, sowie zwanzig Jahre zu gunsten der hinterbliebenen Kinder, jedoch nur zehn Jahre zu gunsten anderer Erben. Griechenland schützt ein Werk fünfzehn Jahre vom ersten Erscheinen an gerechnet. Italien steht gleichfalls einzig da mit seiner Schutzfrist; diese dauert während der Lebenszeit des Autors resp. vierzig Jahre, wenn der Autor vor Ablauf dieses Zeitraumes stirbt. Sodann folgt eine zweite Periode von vierzig Jahren, während welcher der Nachdruck jedem erlaubt ist, wofür jedoch den Erben des Autors von jedem Nachdrucker eine vom Gesetze festgestellte Entschädigung zu zahlen ist. Erst nach Ablauf dieser achtzig Jahre wird das Werk Gemeingut. In Holland dauert die Schutzfrist fünfzig Jahre vom Tage der Eintragung an gerechnet. Lebt der Autor dann noch, so währt die Schutzfrist bis zu dessen Tode. Die südafrikanische Republik hat denselben Modus. Nordamerika hat achtundzwanzigjährige Schutzfrist vom Tage der Eintragung an gerechnet, welche auf weitere vierzehn Jahre verlängert werden kann, wenn der Autor nach Ablauf der achtundzwanzigjährigen Periode noch am Leben ist, oder wenn eine Witwe oder Kinder von ihm da sind. Großbritannien schützt während der Lebenszeit des Autors und noch sieben Jahre nach dessen Tode ein Werk, oder zweiundvierzig Jahre vom ersten Erscheinen an gerechnet. Die nach dem jeweiligen Falle längere aus diesen beiden Berechnungsweisen erzielte Zeit gilt als Schutzfrist. Die Türkei erteilt Privilegien mit vierzigjähriger Schutzfrist, Japan hat Privilegien auf Lebenszeit und fünf

Jahre nach dem Tode des Autors, jedenfalls aber währt die Schutzfrist fünfunddreißig Jahre vom ersten Erscheinen an gerechnet, wenn der erste Berechnungsmodus diesen Zeitraum nicht erreichen sollte.

Bei dieser Aufstellung, welche so recht anschaulich zeigt, daß sich die Gesetzgebung in bezug auf die Schutzfristen nur aufs Probieren verlegt, hatten wir nur selbständige litterarische Werke im Auge. Das Aufführungsrecht dramatischer Werke, das Übersetzungsrecht, die Mitarbeiterschaft an Sammelwerken, das Urheberrecht juristischer Personen, das Vervielfältigungsrecht an Werken der Kunst, anonyme, pseudonyme oder posthume Werke, alle diese Unterschiede bedingen in den meisten Ländern eine andere Schutzfrist, und besondere Formalitäten.

Man sollte meinen, daß die in der Schutzfrist ausgedrückte Beschränkung des natürlichen Rechtes der Urheber einen genügenden Schutz für die Gesamtheit darstelle und es eines besonderen Expropriationsrechtes des Staates nicht mehr bedürfe, da doch Expropriation nur solchen Rechten gegenüber eintreten soll, welche nicht enden. Mit Recht ist behauptet worden,*) daß alles, was ein Ende nimmt, nur kurze Zeit währt, was besonders wahr ist in Fragen, die das Leben der Völker berühren. Die Notwendigkeit einer Expropriation kann doch nicht vorliegen, wenn das Recht nach Ablauf einer gewissen Zeit unwiderruflich Gemeingut werden muß. Wo „ewiges Urheberrecht“ gewährt wird, wie z. B. in Mexiko, da läßt sich gegen das im Interesse des Gemeinwohles dem Staate zustehende Expropriationsrecht nicht viel einwenden, anders jedoch ist es in Großbritannien, Italien, Portugal, Bolivia, wo trotz der durch die Schutzfrist gegebene Expropriation dem Staate noch während der Schutzfrist ein besonderes Expropriationsrecht zusteht. In Spanien und Venezuela verfällt das Urheberrecht an einem Werke, welches während zwanzig Jahren vergriffen ist. Es ist also dem Autor mit dem Urheberrechte auch die Pflicht auferlegt, davon Gebrauch zu machen.

*) Siehe Association littéraire etc. Seite 343.

Es sind also nur Gründe der Utilität, welche das natürliche Recht des Urhebers beschränken. Wenn der Autor auch theoretisch sagen kann, daß ihn der Staat seines natürlichen Rechtes, seines Eigentumes beraube, so ist die Schutzfrist in den meisten Kulturstaaten doch so lange, um dem Autor die Früchte seiner Arbeit genießen zu lassen. Daß manche Werke erst sehr spät ihre Anerkennung finden, das kann die Gesetzgebung nicht ändern. Alle Werte sind Veränderungen unterworfen und diese Veränderungen sind unberechenbar. Manches seinerzeit kaum beachtete Objekt wird heute von Museen hoch bezahlt, während auch noch öfter wertvolle Gegenstände im Preise sinken. Kein Gesetz ist im stande, dem Besitzer eines Objektes oder eines Rechtes den Wert desselben sicher zu stellen. Indem wir anerkennen müssen, daß die willkürliche Festsetzung einer Schutzfrist theoretisch eine Beraubung des Autors sei, wollen wir doch nachstehend zeigen, daß in der Praxis der Autor bei dieser „Beraubung" mehr Vorteile findet, als das sogenannte „ewige Eigentumsrecht" an materiellen Gütern bietet.

Soweit Länder in Betracht kommen, die eine eigene Litteratur besitzen, kann man sagen, daß die Werke der Litteratur und Kunst durchschnittlich 50 Jahre lang geschützt sind.*) Von der vollen Schutzfrist können aber nur belletristische Werke Nutzen ziehen. Fachwerke veralten so rasch, daß wenige Jahre nach Erscheinen derselben es keinem einfallen wird, sie in der alten Form neudrucken oder gar nachdrucken zu wollen. Belletristische Werke aber werden vom Autor nur einmal geschaffen und bilden dann eine fünfzig Jahre lang fließende Geldquelle. Weder der Autor noch seine Erben brauchen mehr Hand oder Fuß zu rühren, um die Früchte der einzelnen Arbeit während eines relativ langen Zeitraumes zu pflücken. Man sehe dagegen, wie es mit den materiellen Gütern, deren Inhaber „ewiges" Eigentumsrecht besitzen, bestellt ist.

Es gibt wohl keinen Gebrauchsgegenstand, der fünfzig Jahre lang ohne weitere Aufwendung dafür, benützt werden kann; fast

*) Einige Goethesche Jugendwerke sind 80—90 Jahre geschützt gewesen. Mehrere Schriften von Viktor Hugo sind 100 Jahre und darüber geschützt.

alle materiellen Güter, besonders die Gegenstände des täglichen Gebrauches, gehen innerhalb des ersten Jahrzehnts zu Grunde. Das „ewige“ Eigentumsrecht ist also nur theoretisch, denn irdische Güter vertragen keine Ewigkeit. Grundstücke, welche wohl längere Zeit als materieller Besitz gelten können, sind dadurch, daß man sie besitzt, nicht auch schon ertragsfähig. Sie müssen mit jedem Jahre neu bewirtschaftet werden was stets neue Ausgaben in Geld und Arbeit erfordert; auch müssen Abgaben davon bezahlt werden; irrationelle Bewirtschaftung, Mißernten, können das größte Vermögen zu Grunde richten. Selbst Häuser bieten dem Besitzer selten mehr als eine normale Verzinsung des angelegten Kapitals. Man kann also behaupten:

> d a ß e s i n d e r m a t e r i e l l e n G ü t e r w e l t e i n f r u c h t b r i n g e n d e s **e w i g e s** E i g e n t u m i n W i r k l i c h k e i t n i c h t g i b t , u n d d a ß d e r E r t r a g e i n e s m a t e r i e l l e n G u t e s s t e t s d i e F r u c h t e r n e u e r t e r A u f w e n d u n g e n v o n K a p i t a l u n d A r b e i t i s t , w o b e i s i c h a b e r d a s E i g e n t u m s e l b s t i m m e r a u f z e h r t .

Nur der in Theorie thatsächlich beraubte Urheber ist in der Lage, während einer Zeit, welche die wenigsten materiellen Güter überdauern aus dem einmal geschaffenen Werke fortlaufend Früchte zu ziehen, ohne daß er einen neuen Aufwand an Kapital oder Arbeit nötig hat. Der Urheber hat aber noch einen andern Vorteil gegenüber dem Besitzer eines materiellen Gutes. Wie oft kommt es vor, daß ein Gut (besonders industrielle Unternehmungen) Jahr um Jahr neue Kapitalien verschlingt, eine bedeutende geistige Kraft zur Leitung erfordert; am Ende erweist sich die Hoffnung auf den Gewinn doch trügerisch und alle gemachten Aufwendungen gehen verloren. Ein Urheber kann, wenn er ein Werk der Litteratur oder Kunst geschaffen hat, nie mehr verlieren, als den Lohn für die bereits fertige Arbeit. Die Erben materieller Güter müssen stets eingedenk sein des Goetheschen Wortes:

> Was du ererbt von deinen Vätern hast,
> Erwirb es, um es zu besitzen.

Gar manches von Vätern erworbene in materiellen Gütern angelegte Vermögen haben Kinder mangels geistiger Fähigkeiten zu Grunde gerichtet. Die Erben eines Urhebers brauchen keinen Geist; wenn sie nur den Theaterdirektoren und Verlegern die Quittungen über die empfangenen Summen unterschreiben können, und selbst dieses ist nicht absolut nötig.

Wir sind keineswegs Anhänger von Proudhon;*) Apostel müssen für ihre Mühen heutzutage ebenso bezahlt werden, wie die übrige materialistischer denkende Menschheit. Wir wollten nur zeigen, daß die Autoren Unrecht haben, wenn sie sich gegenüber den Besitzern materieller Güter in ihrem Eigentume verkürzt fühlen.

Zum Beweise, daß der Autor der „Beraubte“ sei, liebt man auch den Hinweis auf arme Autoren im Gegensatze zu ihren reich gewordenen Verlegern. Man übersieht aber dabei diejenigen Verleger, welche ihr Vermögen zugesetzt haben. Viktor Hugo hat durch seine Schriften Millionen erworben, während manche seiner Verleger zu Grunde gingen. Die Klage, daß von einer langen Schutzfrist meistens nur die Verleger den Nutzen haben, ist nicht stichhaltig; kein Autor ist gezwungen, gegen ein einmaliges Honorar auf alle seine Rechte Verzicht zu leisten. Wenn er es dennoch infolge seiner gedrückten materiellen Lage thut, so liegt die Schuld daran nicht an der Urheberrechts-Gesetzgebung, sondern in der Gesellschaft überhaupt. Arme und Reiche stehen sich stets gegenüber, und befindet sich auf allen Gebieten des sozialen Lebens immer derjenige, der über Kapital verfügt, im Vorteil. Die Thatsache, daß man nicht von der Arbeit selbst leben kann, sondern nur von dem Gelde, das man für die Arbeit erhält, kann nicht für Autoren allein geändert werden, sondern kann, wenn eine solche Änderung

---

*) „Die Kunst, der Kultus des Schönen, hat etwas Heiliges an sich wie die Religion. Die Künstler erfüllen zwischen ihren Mitbürgern eine Art Apostelamt. Sie haben die Aufgabe, uns der niederdrückenden Wirklichkeit zu entreißen und unsere Blicke auf das unerreichbare Ideal zu lenken. Wie könnten sie uns mit fortreißen, wenn ihre Aufrichtigkeit nicht vor jedem Argwohne geschützt wäre und ihre Unparteilichkeit in Zweifel gezogen werden könnte. Die Begeisterung, die sich verbreiten will, erwartet nicht das Angebot des Spekulanten; sie verkauft sich nicht, weil sie dann nicht mehr frei wäre. Sie malt, übersetzt, dichtet, ohne zu wissen für wen und für welchen Lohn. Sie ist unschätzbar, weil sie mit Gold nicht bezahlt werden kann.“

B

überhaupt möglich ist, nur durch eine radikale Umgestaltung von Staat und Gesellschaft erzielt werden.

Wenn wir also nachgewiesen haben, daß sich die Autoren über einen mangelhaften Schutz ihrer Rechte im allgemeinen nicht zu beklagen haben, so ist dies noch keine Anerkennung der philosophischen Behauptung „was ist, ist vernünftig". Im Gegenteil, wir finden die gegenwärtige Lage des Urheberrechtes vielfach nicht nur unvernünftig, sondern sogar ungerecht. Die Ungerechtigkeiten sind aber hauptsächlich im internationalen Verkehr fühlbar; hier ist der Hebel anzusetzen, um weitgreifende Reformen anzustreben, und hier ist es, wo das Urheberrecht dem Eigentumsrechte an materiellen Gütern gegenüber sehr im Nachteile ist.

Jeder Besitzer einer Sache wird in jedem Kulturstaate in seinem Eigentumsrechte nach den bestehenden einheimischen Gesetzesbestimmungen geschützt. Das Urheberrecht ist noch weit davon entfernt sich einer solchen internationalen Anerkennung zu erfreuen. Der internationale Schutz wird in den meisten Fällen nur auf Grund von Verträgen gewährt,*) deren Abschluß aber durch die zu große Verschiedenheit der bezüglichen Landesgesetzgebungen sehr erschwert wird.

Der Egoismus beherrscht nicht nur das Individuum, sondern auch die Völker. Wenn internationale Beziehungen angeknüpft werden, will immer der eine Staat mehr empfangen als er giebt und der andere will weniger geben als er empfängt. Die allzugroße Verschiedenheit der Urheberrechts-Gesetzgebung der verschiedenen Staaten, welche sich hauptsächlich in der Schutzfrist und in den Objekten des Rechtes ausdrückt, ist schwer mit dem falschen Egoismus der Regierungen zu vereinbaren. 'Lieber Unrecht thun als Unrecht leiden, scheint der leitende Grundsatz zu sein. Zwei Nationen plündern sich litterarisch gegenseitig oft nur deshalb, weil

*) Immer ist dies nicht der Fall. Der Schutz des internationalen Urheberrechtes ist in einigen Fällen auch in den Landesgesetzen ausgesprochen. So herrscht z. B. zwischen Deutschland und Österreich, zwischen diesen beiden Ländern und Luxemburg, zwischen Frankreich und Dänemark reziproker Schutz, obwohl die genannten Staaten unter sich keine bezügliche Konvention abgeschlossen haben.

eine der beiden Nationen eine längere Schutzfrist hat als die andere und sie deshalb in einer Konvention für ihre Autoren keinen solchen Schutz erlangen kann als sie selbst gewährt.

Diesen Punkt berührte Lamartine in einer am 23. März 1841 in der französischen Kammer gehaltenen Rede, in welcher er für einen fünfzigjährigen Schutz des geistigen Eigentums eintrat, und Berville dagegen einwandte, daß der in den Nachbarstaaten gewährte dreißigjährige Schutz den Abschluß von Konventionen verhindere. Lamartine erwiderte:*)

„Hierauf muß geantwortet werden, denn selbst für die wohlwollendste Kammer wäre dies ein unerschütterlicher Vorwand um die fünfzigjährige Schutzfrist zu verweigern. In meiner Unwissenheit hatte ich mich anfänglich auch mit diesem Gedanken befaßt. Ich sah einen zwischen den Völkern und uns abgeschlossenen Handelsvertrag, wonach wir Rechte beanspruchen und auch ein Äquivalent dafür gewähren; also eine Art Reziprozität in gleichartigen Ziffern ausgedrückt. Dies ist wohl der Gedanke des Herrn Berville. In dieser Hinsicht gestatte ich mir ihm zu erwidern, daß er sich vollständig irrt, was ich gleich durch Thatsachen beweisen werde. Meine Herren! Es handelt sich keineswegs weder für Frankreich noch für die andern europäischen Nationen bei Proklamierung dieses internationalen Eigentums um Schaffung einer neuen in gleichwertigen Ziffern ausgedrückten Reziprozität! Es handelt sich hier um Anerkennung und Geltendmachung eines Prinzips. Glücklicherweise sind die Nationen noch nicht auf einen solchen tiefen Grad des geistigen Industrialismus herabgesunken, um sich die Einführung eines heiligen Prinzipes des Eigentums durch schnödes Geld oder durch Waren bezahlen zu lassen! Sie haben die Moral und die Kultur noch nicht zum Ausverkauf oder zur Versteigerung ausgeboten! Worum handelt es sich nun hier? Nicht etwa darum, das Gleichgewicht herzustellen zwischen Gewinn und Verlust, der sich für uns oder für unsere Nachbarn aus der Ungleichheit der Schutzfristen oder der Zahl der von den Regierungen geschützten

*) Chambre des Députés. Discussion sur la propriété littéraire. Macon. Seite 11.

Werke ergibt, sondern der Zweck ist, zwischen zivilisierten Nationen ein Prinzip mehr zu erkennen, zu bilden und sicher zu stellen. Dies ist das einzige edle Motiv, das sowohl die auswärtigen Regierungen wie auch uns leitet. Wie könnte es aber auch anders sein? Jedes andere Motiv ist einfach undenkbar und unmöglich. Kommen denn von Italien, Spanien, Deutschland, Rußland genau soviel Bücher nach Frankreich, als französische Bücher nach Italien, Spanien, Rußland gehen? Eine Million französischer Bände werden in diesen Ländern jährlich verbreitet, und kaum fünfzig spanische und hundert italienische Bände kommen jährlich nach Frankreich. Wann ist überhaupt eine nummerische Gleichheit möglich? Hieran ist nie gedacht worden.

Die Völker, welche von unsern Ideen leben, haben niemals die Differenz aus der Zahl der uns verkauften Zeilen, und der Zahl der von uns ihnen verkauften Zeilen herausgerechnet. Sie denken ebensowenig an die Differenz, welche sich aus den verschiedenen Schutzfristen für das geistige Eigentum ergibt. Wozu würde übrigens eine gleiche Schutzfrist dienen, da ihnen die Natur und die Sprache doch nicht auch die gleiche Anzahl von Autoren und Werken zusichern kann. Kommen wir darum zur Wahrheit. Es handelt sich hier nicht um den Handel, sondern um Grundsätze; hier gilt es zu thun oder nicht zu thun, was sie auf so edle und nützliche Weise für das Heimfallrecht*) gethan haben, denn dieses hier ist das Heimfallrecht der Gedanken. Was haben sie nun für dieses niedrige, wilde, barbarische Recht, welches das Eigentum der in Frankreich verstorbenen Ausländer beschlagnahmte, gethan? Sie haben ohne zu rechnen erklärt, daß es der alten Gastfreundschaft widerspreche, daß es eine Plünderung der Fremden auf französischem Boden und eine Schande für die Nation und für Europa sei. Man hat sich nicht, wie der Herr Minister annimmt, erkundigt, ob mehr Franzosen im Auslande sterben als Ausländer in Frankreich, ob hier ein Gewinn oder Verlust herauskommt. Man hat es als unmoralisch und schändlich erkannt und strich es gratis ohne jede Reziprozität. Wo wäre die Welt, wenn die Gerechtigkeit

*) Das Recht des Landesherrn auf die Verlassenschaft eines Ausländers.

Reziprozität erwarten wollte. Die Gerechtigkeit beginnt und dadurch wird erst die Reziprozität geschaffen.

Hat man sich in einer anderen Frage der Moral, bei der Abschaffung des Sklavenhandels, vorher erkundigt, ob England 100000, Spanien 80000, Frankreich 60000, Portugal 10000 Schwarze einführt, und ob diese Nationen mehr oder weniger dabei verlieren, wenn sie auf diesen niederträchtigen Handel verzichten? Nein; man sah, daß es eine Verhöhnung Gottes, eine Schande für die Nation, eine Demütigung und Herabwürdigung für die Menschen sei und bestrebte sich, dieser Niedertracht, ohne zu rechnen und ohne Reziprozität ein Ende zu machen."

Wir gaben diesen Auslassungen hier Raum, da wir hoffen, durch deren Verbreitung auch ein Scherflein zur Propaganda für das internationale Urheberrecht beizutragen. Was Lamartine im Jahre 1841 sagte, kann heute noch nicht oft genug wiederholt werden. Wenn auch seitdem eine große Zahl von Litterarkonventionen abgeschlossen worden sind, so wird der internationale Raub des litterarischen Eigentums doch noch von vielen Nationen betrieben, wenn auch nicht immer aus denselben Gründen, welche Lamartine bekämpft.

Die immer weitere Ausbreitung des internationalen Urheberrechtes muß zur Folge haben, daß die Landesgesetzgebungen sich immer mehr nähern, bis eine einheitliche Grundlage (gemeinsame Schutzfristen und gleiche Rechtsobjekte) erreicht ist, und daß Länder, deren interne Urheberrechts-Gesetzgebung noch mangelhaft ist, zu einem Ausbau derselben genötigt werden.

Die auf Seite XXVII—XXIX abgedruckte Tabelle gibt eine Übersicht der bisher abgeschlossenen einzelnen Litterarkonventionen, der Verbindungen, welche durch die Berner Konvention geschaffen wurden, sowie auch der durch landesgesetzliche Bestimmungen bewirkten Anerkennung des internationalen Urheberrechtes.

Die fortwährende Agitation zu gunsten des Urheberrechtes zeitigt fast alljährlich in irgend einem Lande ein neues Gesetz zum Schutze des Urheberrechtes oder eine neue Konvention. Diese Gesetze oder Konventionen stellen nicht nur den Tag fest, an dem sie in Kraft treten, sondern es ist in den meisten Fällen auch noch eine rückwirkende Kraft sanktioniert. Dies hat nun die oft wiederkehrende Streitfrage hervorgerufen, ob für den Fall, daß die Schutzfrist durch ein neues Gesetz oder eine Konvention verlängert wird, diese verlängerte Schutzfrist dem Autor (resp. dem Rechtsnachfolger desselben) zu gute kommt, oder ob der Verleger, Theaterdirektor oder sonstige Erwerber des Urheberrechts darauf Anspruch hat. Deutsche Gerichtsentscheidungen haben diese Frage der Retroaktivität zu gunsten der Verleger entschieden, während die französische Gerichtspraxis die Vorteile, welche eine zukünftige günstigere Gesetzgebung bietet, dem Autor zuspricht, auch wenn ein Verleger das Werk zu alleinigem unbeschränkten Eigentume erworben hat. Solche Streitfragen erheben sich beim Abschlusse einer jeden Konvention; v. Orelli schreibt darüber:*)

„Der Entscheid solcher Fragen, wenn sie überhaupt streitig werden, muß der Gesetzgebung bezw. dem richterlichen Urteil in den einzelnen Ländern überlassen bleiben. Das Zustandekommen einer Union verschiedener Staaten zur gegenseitigen Anerkennung und zum Schutz des Urheberrechts wäre von vornherein unmöglich gemacht, wenn in dem betreffenden Vertrag alle solche Fragen gelöst werden müßten. Dagegen hat allerdings die französisch-spanische Litterarkonvention vom 16. Juni 1880 diesen Punkt ausdrücklich geregelt und zwar im Sinne der französischen Rechtsauffassung. Er lautet: „le benefice des dispositions insérées au paragraphe précédent, pour les ouvrages publiés sous le régime de la Convention de 1853 profitera exclusivement aux auteurs de ses ouvrages ou à leurs héritiers et non pas aux cessionnaires, dont la cession serait antérieure à la mise en vigueur de la présente Convention."

Die deutsch-französische Litterarkonvention von 1883 hat dagegen diese Kontroverse absichtlich unentschieden gelassen.

Ob Werke, welche nach den früheren Gesetzgebungen oder Verträgen einen längern Schutz gegen Nachdruck ꝛc. genossen haben,

---

*) Der internationale Schutz des Urheberrechts. Hamburg 1887. Seite 55.

als das neue Übereinkommen statuiert, diesen längern Schutz vom Momente des Inkrafttretens der neuen Konvention an verlieren und fortan lediglich nach den Bestimmungen des neuen Vertrages beurteilt werden sollen, kann namentlich bei posthumen Werken in Frage stehen. Indessen wird es jeweilen auf das einzelne Landesrecht ankommen. Die Berner Konvention hat diese Frage offen gelassen und über die nachgelassenen Werke überhaupt gar keine Bestimmungen getroffen."

Am besten ist es, wenn man solchen Fragen durch den Vertrag vorbeugt. Ein bedeutender internationaler Musikalienverlag schließt mit den Komponisten Verträge nach einem Formulare, welches wir hier als Muster eines Vertrages mitteilen, an dem wohl alle zukünftigen Gesetze und Konventionen nichts ändern können; der Vertrag lautet:

Herrn N. N. in X, Y und Z.

Hiermit bestätige ich, daß ich Ihnen, für Sie selbst und für Ihre Erben oder Rechtsnachfolger das ausschließliche, alleinige rechtmäßige und unbeschränkte Verlags-, Vertriebs- und Aufführungsrecht, mit einem Worte das gesamte Urheberrecht im weitesten Sinne für alle Länder und Staaten der Erde, für alle Auflagen und Veröffentlichungen und für immerwährende Zeiten an meine nachbenannten Werke (. . . . Titel der Werke . . . . .) im Original sowohl, als auch für alle beliebigen Bearbeitungen überlassen habe. Ich bestätige ferner, daß ich alle Vorteile, welche etwa in bezug auf das Urheberrecht an vorstehend genannte Werke durch Veränderungen in bestehenden Landesgesetzgebungen, und bereits abgeschlossenen internationalen Verträgen, oder durch mit Ländern oder Staaten in Zukunft noch abzuschließenden internationalen Verträgen erwachsen dürften, ohne weiteres und ausdrücklich auf Sie für sich, Ihre Erben oder Rechtsnachfolger übertragen habe, und daß ich in bezug auf Honorar ein für allemal und vollständig befriedigt worden bin. Auch erkläre ich mich bereit, die geschehene, die obenerwähnten Werke betreffende Urheberrechtsübertragung auf Anforderung jederzeit notariell legalisieren zu lassen.

Datum. Unterschrift des Autors.

Eine der wichtigsten Fragen des internationalen Urheberrechts ist das Übersetzungsrecht. Der internationale Schutz hat erst dann Wert, wenn das Recht der Übersetzung dem Autor des Originalwerkes gewährt wird. Es bedurfte vieler Mühe das Übersetzungsrecht als integrierenden Teil des Urheberrechtes zur Anerkennung zu bringen, da es nicht an kompetenten Stimmen fehlt, welche eine gute Übersetzung als ein Werk ansehen, das der besonderen Fähigkeit und individuellen Leistung des Übersetzers entspringt, und dem Autor des Originals nur neue Lorbeeren bringt, da durch die Übersetzung das Werk in Gegenden verbreitet wird, wo der Autor des Originals sonst unbekannt geblieben wäre. Blackstone äußert sich aber in seinem Kommentar der englischen Gesetze (zitiert von Darras) folgendermaßen: „Eine litterarische Schöpfung besteht aus Gefühl und Sprache; wenn nun dieselben Empfindungen in denselben Ausdrücken eingekleidet ist, so muß dies notwendigerweise dieselbe litterarische Schöpfung sein.“ Die Übersetzung ist also nur als Vervielfältigung des Originals zu betrachten. Wenn auch die Schwierigkeit einer guten Übersetzung nicht zu verkennen ist, so ist dies gerade ein Grund, die Übersetzung von der Genehmigung des Autors abhängig zu machen. Ebenso wie eine gute Übersetzung den guten Ruf des Autors weiter verbreitet, ebenso sehr schädigt ihn eine schlechte Übersetzung.*) Übrigens ist ja auch nicht nötig dem Autor das Übersetzungsrecht abzusprechen, weil der gute Übersetzer eine Arbeit liefert, welche das Resultat einer besonderen geistigen Fähigkeit ist. Letzterer wird ja in seinem geistigen Eigentum ebenso geschützt wie der Autor des Originals, er bekommt ja seine Arbeit auch honoriert; er kann als Übersetzer auch seinen Namen am Titelblatt nennen und einen seiner Arbeit entsprechenden litterarischen Ruf erringen. Dies läßt sich alles ganz gut vereinbaren mit der Forderung, daß eine Übersetzung nur mit Genehmigung des Autors des Originalwerkes hergestellt werden darf.

Die Gesetzgebung ist mit einigen Ausnahmen bisher noch

*) Siehe Darras, du droit des auteurs et des artistes dans les rapports internationaux. Paris 1887. Seite 99 und Folge. (§§ 68, 69.)

nicht soweit gelangt, die Schutzfrist des Originalwerkes einfach auch auf das Übersetzungsrecht auszudehnen. Die Gesetzgebung von Belgien, Spanien, Portugal, Monaco, Tunis, Haiti, Bolivia, Kolumbia schützen das Übersetzungsrecht ebenso wie das Urheberrecht, jedoch nur dann, wenn der Autor Inländer ist. Es ist aber gerade im internationalen Verkehr der Schutz des Übersetzungsrechtes die Bedingung für den Schutz des Urheberrechtes. Es ist deshalb erklärlich, daß die Association littéraire et artistique internationale bei jedem Kongresse die Frage des Übersetzungsrechtes auf die Tagesordnung bringt und dieses Recht ebenso geschützt wissen will wie das Urheberrecht.*)

Es ist unerklärlich, daß es so vieler Mühe bedarf, dem Übersetzungsrechte zur Anerkennung zu verhelfen, in Staaten, wo das Urheberrecht keinem Zweifel mehr unterliegt. Daß die unerlaubte Übersetzung nur eine Plünderung ist, welche an dem Autor begangen ist, führt auch Eisenlohr sehr gut aus, welcher schreibt:**)

„Ein litterarisches Erzeugnis drückt eine Vorstellung in bestimmter Form aus. Diese Form bleibt auch beim Wechsel der Sprache, es bleiben die Wendungen, die Reihenfolge der Gedanken, die ganze Einteilung der Materie bis auf den individuellen Styl, natürlich vorausgesetzt, daß eine treue Wiedergabe beabsichtigt wird. Und je vollendeter die Übersetzung, desto treuer die Nachbildung. Hieraus folgt, daß eine Übersetzung kein neues Werk ist, sondern das alte, zwar in einem andersfarbigen Kleid, aber mit allen Eigentümlichkeiten, ja mit den Fehlern selbst und Mängeln des Originals.

Solche Art des Gebrauchs eines Werkes, der so weit geht, das Werk selbst zu ersetzen, ist nur dem Autor gestattet. Eine gute Übersetzung kann einen großen Einfluß ausüben auf die Zahl der in der Ursprache abzusetzenden Exemplare und deren Preis, denn

*) „Nous avons fait de ce principe une sorte d'article de foi, et, en dépit de toutes les résistances, nous avons tenu, à chaque Congrès, a mettre en tête de notre ordre du jour la question de la traduction." (Association littéraire etc. Seite 350.)

**) Das litterarisch-artistische Eigentum und Verlagsrecht. Schwerin 1855. Seite 62. (§ 51.)

es ist nicht wahr, daß jemand, der ein Werk in der Ursprache lesen kann, keine Übersetzung anschaffen wird, wenn die Übersetzung billiger ist und seinem Zwecke genügt. Ferner würde dem Autor eines litterarischen Erzeugnisses die eigene Übersetzung des Werkes oder die Übersetzung durch einen andern in seinem Auftrag keinen unbedeutenden Vermögensvorteil bringen, der ihm entzogen wird, wenn jeder übersetzungsberechtigt ist.“

Wir geben uns der Hoffnung hin, daß die allgemeine internationale Anerkennung des Urheberrechtes in seinem ganzen Umfange in nicht zu ferner Zeit von allen Kulturstaaten verfochten werden wird. Möge die bevorstehende Revision der Berner Konvention auch andern Nationen, die der allgemeinen Bewegung noch fern stehen, Veranlassung bieten, diesem Verbande beizutreten und so mitzuwirken an der Lösung einer der idealsten Aufgaben, welche das neunzehnte Jahrhundert gestellt hat.

Übersicht der Litterarkonventionen.

(Zu umstehender Tabelle.)

Abkürzungen: B = Berner Konvention; V = Vertrag; L = Rezipprozität auf Grund beiderseitiger Landesgesetze.

Außer diesen Litterarkonventionen sind noch zu bemerken: Frankreich und Bolivia V. Frankreich und Dänemark L. Frankreich und Mexiko V. Portugal und Brasilien V. Spanien und Kolumbia V.

XXVIII

	Belgien	Deutschland	Frankreich	Großbritannien	Haïti	Italien	Luxemburg	Monaco
Belgien		VB	VB	B	B	VB	B	B
Deutschland	VB		VB	B	B	VB	LB	B
Frankreich	VB	VB		B	B	VB	VB	VB
Großbritannien	B	B	B		B	B	B	B
Haïti	B	B	B	B		B	B	B
Italien	VB	VB	VB	B	B		B	B
Luxemburg	B	LB	VB	B	B	B		B
Monaco	B	B	VB	B	B	B	B	
Niederlande	V		V					
Österreich-Ungarn		L	V			V	L	
Portugal	V		V					
San Salvador			V					
Schweden-Norwegen			V			V		
Schweiz	VB	VB	VB	B	B	VB	B	B
Spanien	VB	B	VB	B	B	VB	B	B
Tunis	B	B	B	B	B	B	B	B

Niederlande	Österr.-Ungarn	Portugal	San Salvador	Schweden-Norwegen	Schweiz	Spanien	Tunis	
V		V			VB	VB	B	Belgien
	L				VB	B	B	Deutschland
V	V	V	V	V	VB	VB	B	Frankreich
					B	B	B	Großbritannien
					B	B	B	Haïti
	V			V	VB	VB	B	Italien
	L				B	B	B	Luxemburg
					B	B	B	Monaco
						V		Niederlande
						V		Portugal
						V		San Salvador
						B	B	Schweiz
V		V	V		B		B	Spanien
					B	B		Tunis

Landesgesetzgebungen.

Ägypten.

In Ägypten ist das litterarische und künstlerische Eigentum durch kein Gesetz geschützt. Trotzdem ist das Urheberrecht seit Einführung der gemischten Gerichtstribunale, welche die Rechte der Angehörigen fremder Nationen schützen, auf Grund des § 34 des Reglements für diese Gerichte durch mehrere wichtige Entscheidungen anerkannt worden. Dieser § 34 lautet:

> „Die Tribunale haben in Ausübung ihrer Gerichtsbarkeit in Zivil- und Handelssachen und innerhalb der ihnen zugewiesenen Grenzen in Strafsachen die von Ägypten ausgearbeiteten Gesetze anzuwenden, und hat der Richter im Falle der **Lückenhaftigkeit, Ungenügsamkeit oder Dunkelheit des Gesetzes nach den Grundsätzen des natürlichen Rechtes und der Billigkeit zu urteilen.**“

Da nun die für die gemischte Gerichtsbarkeit ausgearbeiteten ägyptischen Gesetze über das litterarische und künstlerische Eigentum nichts enthalten, so haben die Richter in den bisher vorgekommenen Fällen nach den Grundsätzen des natürlichen Rechtes und der Billigkeit geurteilt, und das Urheberrecht anerkannt. Aus den Entscheidungen ist zu entnehmen, daß der Urheber oder dessen Rechtsnachfolger das ausschließliche Recht der Vervielfältigung resp. der Aufführung seiner litterarischen und künstlerischen Werke besitzt. Verletzung dieses Rechtes verpflichtet den Thäter zivilrechtlich zu Schadenersatz und die widerrechtlich hergestellten Exemplare werden konfisziert. Die Gerichte hatten noch keine Veranlassung, sich über die Dauer des Urheberrechtes auszusprechen, und ist es deshalb möglich, daß in Ermangelung eines Spezialgesetzes der Gerichtshof vorkommenden Falles immerwährenden Schutz des litterarischen und künstlerischen Eigentums anerkennt.

Argentinische Republik.

Ein Spezialgesetz zum Schutze des Urheberrechtes existiert in der Argentinischen Republik nicht. Der § 17 der Verfassung von 1860 könnte auf den Schutz des Urheberrechtes bezogen werden; dieser Paragraph lautet:

„Das Eigentum ist unverletzlich und kann keinem Bewohner der Argentinischen Republik entzogen werden, außer dem Falle, daß dies infolge eines auf Grund der Gesetze erlassenen richterlichen Urteiles geschieht.

... Jeder Urheber oder Erfinder ist während der vom Gesetze vorgeschriebenen Zeit ausschließlicher Eigentümer seines Werkes, seiner Erfindung oder Entdeckung..."

Ein Gesetz, welches die Dauer der Schutzfrist des Urheberrechtes bestimmen soll, ist jedoch noch nicht erlassen, es ist somit der Urheber auf das gemeine bürgerliche Recht verwiesen. Ansprüche auf das Urheberrecht können jedoch mit Bezugnahme auf den oben zitierten § 17 der Verfassung aus den §§ 1072, 1075, 1077, 1083, 1095 des bürgerlichen Gesetzbuches abgeleitet werden. Der Inhalt dieser Paragraphen ist folgender:

Jede mit der Absicht zu schädigen vorsätzlich begangene verbotene Handlung ist ein Vergehen. Jedes Recht kann Gegenstand eines Vergehens sein und jedes Vergehen verpflichtet zur Gutmachung des einem andern verursachten Schadens.

Die Gutmachung eines jeden durch ein Vergehen verursachten materiellen oder moralischen Schadens muß durch eine vom Richter festzusetzende pekuniäre Entschädigung geschehen, ausgenommen den Fall, wenn das Objekt, welches der Gegenstand des Vergehens war, zurückzuerstatten ist.

Das Recht, die Gutmachung des durch ein Vergehen gegen das Eigentum verursachten Schadens zu beanspruchen, gebührt dem Eigentümer der Sache, sowie demjenigen, der ein Besitzrecht darauf hat, wie auch dem, der durch Arrest, Miete oder Verwahrung der Sache die Verfügung darüber besitzt; dieses Recht kann auch der Hypothekargläubiger gegen den Eigentümer der hypothekarisch belasteten Sache ausüben, wenn dieser den Schaden verursacht hat.

Aus dem Angeführten ergiebt sich, daß der ohne Erlaubnis des Urhebers veranstaltete Nachdruck, resp. Nachbildung ein Vergehen ist, wofür der verletzte Urheber Schadenersatz beanspruchen kann.

Das Strafgesetzbuch vom 25. November 1886, welches seit 1. März 1887 in Kraft ist, enthält keinerlei Strafbestimmungen gegen den Nachdruck. Für seinen zivilrechtlichen Anspruch ist jedoch der ausländische Urheber ebenso geschützt, wie der inländische. Es ist dies im § 20 der Verfassung ausgedrückt, welcher lautet:

„Ausländer genießen auf nationalem Boden alle den Eingeborenen zustehenden bürgerlichen Rechte; sie können nach den Vorschriften der Gesetze ihre Industrie, ihren Handel, ihr Gewerbe ausüben, unbewegliche Güter besitzen, sowie auch kaufen und verkaufen, den Wasserläufen und Küsten entlang die Schiffahrt betreiben, ihre Religion frei ausüben, Testament machen und heiraten ...“

Nach diesem Paragraphen ist also der im Gebiete der Argentinischen Republik wohnende Ausländer dem Eingeborenen in der Ausübung der bürgerlichen Rechte gleichgestellt. Ein außerhalb des Landes wohnender Urheber muß zur Beschreitung des Rechtsweges einen innerhalb der Argentinischen Republik ansässigen Verteidiger nehmen, für die gerichtlichen Zustellungen der Prozeßakten einen Ort im Lande bestimmen und die von der Prozeßordnung vorgeschriebene Kaution erlegen.

Belgien.

Das belgische Urheberrecht ist durch das Gesetz vom 22. März 1886 geregelt, welches in seiner kurzen, prägnanten und dennoch alles berücksichtigenden Fassung in vielen Punkten nachahmenswert ist. Die Bestimmungen des Gesetzes sind folgende:

Das Urheberrecht erstreckt sich nicht nur auf Werke, welche niedergeschrieben sind, sondern jeder mündliche Gedankenausdruck (toute manifestation orale de la pensée) ist dadurch geschützt. Die in öffentlichen Gerichtsverhandlungen, politischen Versammlungen rc. gehaltenen Reden dürfen wohl veröffentlicht werden, doch Sonderausgaben hiervon zu veranstalten hat nur der Autor (Redner) allein das Recht. Offizielle Schriftstücke der Behörden sind nicht Gegenstand des Urheberrechtes. Wenn ein Werk der Litteratur oder Kunst von mehreren Autoren verfaßt resp. verfertigt wurde, so hat keiner derselben das Recht, ohne Zustimmung der andern Mitarbeiter eine Änderung an dem gemeinsam hergestellten Werke vorzunehmen. Bei anonymen oder

1*

pseudonymen Werken gilt der Verleger als Autor, wobei es jedoch dem wirklichen Autor unbenommen bleibt, jederzeit, sobald er sich nennt, seine Rechte zu wahren. Das Urheberrecht ist ein bewegliches Recht, welches von dem Besitzer desselben nach den Regeln des bürgerlichen Gesetzbuches ganz oder teilweise abgetreten werden, überhaupt Gegenstand eines beliebigen Rechtsgeschäftes sein kann. Es dürfen jedoch litterarische oder musikalische Werke, solange sie unveröffentlicht sind, bei Lebzeiten des Autors nicht beschlagnahmt werden, während Kunstwerke nur dann der Beschlagnahme unterworfen werden können, wenn sie zum Verkaufe oder zur Veröffentlichung vollkommen fertig gestellt sind. Der Erwerber des Urheberrechtes oder eines Gegenstandes, welcher ein Werk der Litteratur, Musik oder Kunst darstellt, darf ohne Zustimmung des Autors oder dessen Rechtsnachfolger keinerlei Änderung an dem Werke vornehmen und dasselbe auch nicht öffentlich ausstellen. Zum Zwecke der Kritik oder des Unterrichts sind Auszüge aus gesetzlich geschützten Werken gestattet; ebenso dürfen Journale Artikel anderer Journale mit Quellenangabe abdrucken, sofern der Nachdruck nicht speziell verboten ist. Das Urheberrecht schließt auch das Aufführungsrecht dramatischer und musikalischer Werke, sowie das Vervielfältigungsrecht von Werken der Kunst in sich. Bildnisse dürfen jedoch bis zwanzig Jahre nach dem Tode der abgebildeten Person weder vom Urheber noch vom Besitzer des Bildes ohne Zustimmung der abgebildeten Person oder deren Rechtsnachfolger vervielfältigt oder öffentlich ausgestellt werden. Nachahmung, Vervielfältigung ꝛc. geschützter Werke, der Verkauf, Import, Lagerhaltung ꝛc. der unberechtigten Nachahmung oder Vervielfältigung wird mit Geldstrafe von 26 bis 2000 Franks belegt. Die Nachahmung unterliegt der Konfiskation ebenso wie die zur Herstellung derselben dienenden Platten, Steine ꝛc. Wurde aus der strafbaren Handlung bereits ein Geldgewinn erzielt (etwa durch unberechtigte Aufführung eines Stückes), so wird der Betrag für den geschädigten Autor beschlagnahmt. Fälschliche Bezeichnung des Autors wird an dem Fälscher (auch wenn das Werk bereits Gemeingut geworden ist) mit Gefängnis von drei Monaten bis zu zwei Jahren und Geldstrafe von 100 bis 2000 Franks belegt; unter Umständen auch nur mit einer dieser beiden Strafen. Diese Bestimmung verhindert nicht die Annahme von Pseudonyms, sondern richtet sich gegen den Unfug, welcher mit *Kopien* alter berühmter Meister getrieben wird, indem sie mit der nachgeahmten Signatur versehen als Originale in den Kunsthandel kommen; ferner ist der Plagiator, der eine fremde Arbeit mit seinem Namen zeichnet, hierdurch getroffen.

Irgend welcher Formalitäten zur Erlangung des Rechtsschutzes bedarf es nicht. Nur posthume Werke und die Publikationen des Staates müssen innerhalb sechs Monate nach Erscheinen beim Ministerium für Landwirtschaft, Industrie und öffentliche Arbeiten eingetragen werden. Diese Eintragung dient zur Feststellung der Zeit des Erscheinens dieser Werke, weil vom Tage des Erscheinens an die Schutzfrist gerechnet wird; wird diese Formalität unterlassen, so zieht dies den Verlust des Urheberrechtes nach sich.

Das Urheberrecht ist während der Lebenszeit des Autors und fünfzig Jahre nach dessen Tode zu gunsten seiner Erben oder Rechtsnachfolger geschützt. Ist ein Werk durch Zusammenwirken mehrerer Autoren entstanden, so bleibt es bis fünfzig Jahre nach dem Tode des am längsten lebenden geschützt. Posthume Werke und vom Staate herausgegebene Publikationen sind bis fünfzig Jahre nach ihrer Veröffentlichung resp. Aufführung oder Ausstellung geschützt.

Ausländer genießen denselben Rechtsschutz wie Belgier und zwar ohne die in andern Ländern übliche Bedingung der Reziprozität. Nur wird der Ausländer nicht länger geschützt als in seinem Lande der Schutz währt, jedoch auch nicht länger, als es das belgische Gesetz zuläßt.

Die vor Inkrafttreten dieses Gesetzes geschlossenen Privatverträge werden durch dieses Gesetz auf keine Weise berührt. Der durch das Gesetz gewährte erweiterte resp. verlängerte Schutz kommt weder dem Autor früher erschienener Werke, noch dessen Rechtsnachfolger zu gute, sondern es sind die zur Zeit des Vertragschlusses in Geltung bestandenen Gesetze anzuwenden.

Das belgische Gesetz enthält keine Definition darüber, was unter „Werke der Litteratur und Kunst" verstanden wird. Die internationalen Verträge jedoch sprechen sich darüber sehr deutlich aus. Die Definition ist eine sehr weitgehende, nur ist zu bemerken, daß im belgisch-französischen und im belgisch-spanischen Vertrage Photographien ausdrücklich als Werke der Litteratur und Kunst bezeichnet sind, während der belgisch-deutsche und belgisch-schweizer Vertrag Photographien nicht nennt. Durch die Berner Übereinkunft, welcher Belgien auch beigetreten ist, sowie durch das belgische Gesetz vom 22. März 1886 sind die internationalen Verträge, besonders der Vertrag zwischen Belgien und der Schweiz, fast ganz gegenstandslos geworden.

Es bestehen folgende Konventionen:

Zwischen Belgien und Niederlande vom 30. August 1858;

zwischen Belgien und Italien vom 24. November 1859;

zwischen Belgien und Portugal vom 11. Oktober 1866;

zwischen Belgien und der Schweiz vom 25. April 1867;

zwischen Belgien und Spanien vom 26. Juni 1880;

zwischen Belgien und Frankreich vom 31. Oktober 1881;

zwischen Belgien und Deutschland vom 12. Dezember 1883.

Sämtliche Verträge enthalten die Reziprozitätsklausel, welche überdies auch in der Berner Übereinkunft enthalten ist. Ferner enthält jeder Vertrag mit Ausnahme desjenigen zwischen Belgien und der Schweiz die Meistbegünstigungsklausel, das heißt jede Vergünstigung oder Erweiterung der Rechte, welche von einem vertragschließenden Teil einer dritten Macht gewährt wird, muß auch dem andern vertragschließenden Teile gewährt werden. Die Verträge zwischen Belgien und Frankreich, sowie Belgien und Deutschland enthalten außerdem noch Bestimmung über jene Verlagsrechte, welche für die vertragschließenden Länder getrennt vergeben werden. Die Werke müssen jedoch auf Titel und Umschlag dementsprechend bezeichnet sein, z. B. „In Belgien (in Deutschland) verbotene Ausgabe". Diese räumliche Trennung des Verlagsrechtes ist aber nur bei musikalischen und dramatisch-musikalischen Werken zulässig. Der belgisch-schweizer Vertrag erwähnt auch das räumlich geteilte Verlagsrecht, ohne jedoch das Verlagsobjekt oder eine auf den Exemplaren ersichtlich zu machende besondere Bezeichnung des räumlich geteilten Verlagsrechtes vorzuschreiben. Ferner gestatten die Verträge den vertragschließenden Ländern gegenseitig, was das deutsche Urheberrecht den deutschen Autoren gestattet, wie z. B. der Nachdruck in Chrestomathien, Zitate mit Quellenangabe ꝛc. Sogenannte Arrangements von Musikstücken sind verboten.

Bolivia.

Das Urheberrecht an Werken der Litteratur und Kunst ist in Bolivia durch Dekret vom 13. August 1879 geregelt. Der Inhalt des 42. Paragraphen umfassenden Gesetzes ist folgender:

I. Schriftwerke. Die Veröffentlichung eines Schriftwerkes

durch die Presse, Lithographie oder Aufführung ist keiner Zensur oder sonstigen Beschränkung unterworfen. Dasselbe gilt für das Übersetzungsrecht.

Der wörtliche Abdruck der Gesetze und sonstigen offiziellen Bekanntmachungen, sowie die Veröffentlichung der in den gesetzgebenden Körperschaften gehaltenen Reden ist gestattet. Eine vollständige oder teilweise Sammlung der Reden darf nur mit Bewilligung des Redners herausgegeben werden.

Von Vorträgen zur Erbauung und Belehrung dürfen ohne Bewilligung des Autors nur Auszüge veröffentlicht werden. Die Veröffentlichung von Manuskripten und Briefen steht nur dem Urheber zu.

Gedruckte oder lithographierte Werke sind während der Lebenszeit des Urhebers und fünfzig Jahre nach dessen Tode gegen Vervielfältigung geschützt.

Zitate oder der Abdruck einzelner Stellen ist mit Quellenangabe gestattet. Der einem periodischen Unternehmen oder einer Sammlung gelieferte Beitrag darf vom Autor desselben, mangels gegenteiliger Vertragsbestimmung, jederzeit wieder abgedruckt werden.

Die gleichen Bestimmungen gelten für das Übersetzungsrecht. Ausländer jedoch genießen das Übersetzungsrecht nur zehn Jahre nach Erscheinen des Originals unter der Bedingung, daß die Übersetzung innerhalb der ersten drei Jahre erscheint.

Wird das Übersetzungsrecht übertragen, so genießt der Übersetzer, gleichviel ob derselbe Einheimischer oder Ausländer ist, für seine Übersetzung (wenn das Original nicht Gemeingut ist) einen Schutz in der Dauer von dreißig Jahren nach Erscheinen der Übersetzung, unbeschadet des einer anderen Person zustehenden Rechtes, dasselbe Werk gleichfalls übersetzen zu dürfen.

Ausländer genießen die gleichen Rechte, welche den in Bolivia staatsangehörigen und im Auslande ansässigen Urhebern gewährt werden.

Die vom Staate oder von öffentlichen Anstalten herausgegebenen Werke genießen einen Schutz in der Dauer von fünfzig Jahren, vom Erscheinen des letzten Bandes an gerechnet. Wird in jedem Bande ein besonderer Stoff behandelt, so wird die Schutzfrist vom Erscheinen eines jeden Bandes an gerechnet.

Der Herausgeber eines Sammelwerkes genießt für das Gesamtwerk die Rechte eines Urhebers. Wird ein Werk von mehreren genannten Mitarbeitern verfaßt, so wird die Schutzfrist nach dem am längsten Lebenden berechnet.

Der Verleger anonymer oder pseudonymer Werke genießt für diese Werke eine Schutzfrist von dreißig Jahren nach vollendetem Erscheinen des Werkes. Wird indessen der wahre Name des Urhebers bekannt, so wird das Werk während der für genannte Urheber festgesetzten Zeit geschützt. Posthume Werke eines genannten Autors sind bis fünfzig Jahre nach Erscheinen des Werkes geschützt.

Der Staat hat das Recht der Expropriation des Urheberrechtes solcher Werke, welche vergriffen sind und deren Neudruck der Autor oder dessen Erben verweigert. Die Expropriation kann nur nach jenen Grundsätzen geschehen, welche allgemein für die im Interesse des Gemeinwohls zu verfügenden Expropriationen gelten, und muß der Urheber dafür eine angemessene Entschädigung erhalten.

Der Verleger eines Werkes darf während der Lebenszeit des Autors oder dessen Erben keinerlei Änderungen weder am Werke selbst, noch am Titel desselben vornehmen. Erwirbt der Verleger ein Verlagsrecht, so muß er binnen einem Jahre vom Datum des Verlagsvertrages an das Werk erscheinen lassen und für die regelmäßige Fortsetzung sorgen, widrigenfalls er dem andern Kontrahenten zu Schadenersatz verpflichtet ist. Erwirbt der Verleger das Verlagsrecht für die aufeinanderfolgenden Auflagen eines Werkes, so darf er im Erscheinen keine Unterbrechung eintreten lassen, sofern er nicht beweist, daß unüberwindliche Hindernisse den Neudruck verhindern.

Auf das litterarische Eigentum sind die Bestimmungen über das Sachenrecht anwendbar, ausgenommen jene Modifikationen, die durch das Gesetz infolge der besonderen Natur dieses Eigentums festgestellt sind.

II. Dramatische Werke. Die Urheber dramatischer Werke genießen alle Rechte, welche den Urhebern von Schriftwerken gewährt sind und außerdem noch folgende:

Die Aufführung eines bereits gedruckten dramatischen Werkes vor einem zahlenden Publikum ist nur mit der vom Autor oder dessen Rechtsnachfolgern schriftlich gegebenen Erlaubnis gestattet. Posthume Werke dürfen nur mit Genehmigung aller Rechtsnachfolger aufgeführt werden. Das Aufführungsrecht kann beliebig beschränkt werden.

Die gesamte aus einer unrechtmäßigen Aufführung erzielte Einnahme fällt demjenigen zu, von dem das Aufführungsrecht hätte erworben werden müssen. Der dem Urheber eines dramatischen Werkes zustehende Teil der aus der öffentlichen Aufführung erzielten Einnahme darf von den Gläubigern des Theaterunternehmers nicht gepfändet werden.

Der Urheber dramatischer Werke

ist stets berechtigt, unwesentliche Änderungen oder Verbesserungen daran vorzunehmen, und wenn das Werk noch Manuskript ist, zu verlangen, daß es keiner dem Theater fremden Person mitgeteilt wird.

Hat der Urheber einem Theaterdirektor für eine bestimmte Zeit das Aufführungsrecht überlassen, so darf er während der Vertragsdauer keinem anderen Theater an demselben Orte das Aufführungsrecht übertragen.

Das Werk muß innerhalb der vertragsmäßigen Frist, oder wenn keine solche festgestellt, innerhalb eines Jahres aufgeführt werden, andernfalls ist der Autor berechtigt, sein Werk zurückzuziehen.

III. Kunstwerke. Der Urheber eines musikalischen Werkes oder eines Werkes der zeichnenden, malenden oder plastischen Kunst hat das ausschließliche Recht, sein Werk durch Stich, Lithographie, Bildhauerkunst oder ein anderes Verfahren zu vervielfältigen, nach Maßgabe jener gesetzlichen Bestimmungen, welche für das litterarische Eigentum aufgestellt sind.

Alle Bestimmungen über die öffentliche Aufführung dramatischer Werke sind auch auf musikalische Werke anwendbar, wenn diese vor einem zahlenden Publikum zur Aufführung gelangen sollen.

IV. Allgemeine Bestimmungen. Um die Vorteile dieses Gesetzes zu genießen, muß der Urheber oder Inhaber eines Schriftwerkes, dramatischen oder musikalischen Werkes oder eines Werkes der Kunst je ein Exemplar beim Unterrichtsministerium, beim Bezirksanwalte und in der Bibliothek der Hauptstadt hinterlegen. Über jede dieser drei Hinterlegungen wird eine Empfangsbescheinigung ausgefolgt und gelten diese Bescheinigungen und Auszüge aus den über die Hinterlegungen geführten Registern vorkommenden Falles als Beweis für den Besitz der aus diesem Gesetze entspringenden Rechte.

V. Strafen. Jede unbefugte Veröffentlichung eines Werkes berechtigt den Urheber oder Inhaber desselben, Beschlagnahme der widerrechtlich hergestellten Exemplare zu verlangen, unbeschadet seiner Ansprüche auf Schadenersatz, welchen er selbst dann berechtigt ist zu beanspruchen, wenn kein widerrechtlich hergestelltes Exemplar gefunden wurde.

Der Veranstalter einer widerrechtlichen Vervielfältigung ist dem Beschädigten zu Schadenersatz verpflichtet, und zwar hat er die Zahl der widerrechtlich hergestellten Exemplare, wovon die beschlagnahmten Exemplare abgezogen werden, zum Verkaufspreise der Originalausgabe oder dem abgeschätzten Werte derselben dem Urheber zu ersetzen. Wenn die Zahl der widerrechtlichen Vervielfältigungen nicht festgestellt werden kann, so wird zur Berechnung des Schadenersatzes außer den vorgefundenen Exemplaren der Wert von noch fünfhundert Exemplaren angenommen. Der Verkäufer einer widerrechtlichen Vervielfältigung ist mit dem Verleger solidarisch verantwortlich. Ist das Werk im Auslande gedruckt worden, so wird der Verkäufer als Verleger betrachtet.

Wer ein Manuskript, welches persönliche Briefe enthält, ohne Bewilligung des Urhebers oder dessen Rechtsnachfolger veröffentlicht, ist schadenersatzpflichtig.

Die zivilrechtliche Entschädigung verhindert nicht, daß der verletzte Autor oder Inhaber des Urheberrechtes gegen den Veranstalter der widerrechtlichen Vervielfältigung noch den Strafrechtsweg beschreiten kann.

Bolivia hat nur mit Frankreich eine Litterarkonvention unterm 8. September 1887 abgeschlossen.

Brasilien.

Der Schutz des Urheberrechtes ist im § 261 des Kriminal-Gesetzbuches vom 16. Dezember 1830 ausgesprochen. Dieser Paragraph lautet:

> Das Drucken, Stechen, Lithographieren oder der Import von Schriftwerken oder Stichen, welche von brasilianischen Bürgern hergestellt, komponiert oder übersetzt sind, ist während der Lebenszeit des Urhebers, und wenn dieser noch Erben hinterläßt, noch während zehn Jahre nach seinem Tode verboten.
>
> Strafen: Konfiskation aller Exemplare zu gunsten des Autors, Übersetzers oder dessen Erben; sind keine Exemplare vorhanden, so erfolgt Verurteilung zur Zahlung des zweifachen Wertes und Auferlegung einer Strafe in der Höhe des dreifachen Wertes der widerrechtlich hergestellten Exemplare.
>
> Schriftwerke oder Stiche, welche von Korporationen herausgegeben werden, sind nur zehn Jahre nach Erscheinen gegen Nachdruck, Nachbildung oder Import geschützt.

Am 9. September 1889 hat Brasilien mit Portugal eine Konvention zum Schutze von Werken der Litteratur und Kunst abgeschlossen. Dieser Konvention zufolge werden in jedem der beiden Staaten die im andern Staate erscheinenden, portugiesisch geschriebenen Schriftwerke und Werke der Kunst nach Maßgabe der bestehenden oder noch in Kraft tretenden Gesetze geschützt.

Diese Übereinkunst trat am 1. November 1889 in Kraft, und ist zwei Jahre nach Unterzeichnung für jeden vertragschließenden Teil auf ein Jahr kündbar.

Bulgarien.

Bulgarien hat, soweit nicht das türkische Gesetz zur Anwendung kommt, noch keine Urheberrechts-Gesetzgebung, wohl aber ein sehr ausführliches Preßgesetz vom Jahre 1887, welches (mit Ausnahme der Bestimmungen über Pflichtexemplare und Kautionspflicht und Aufzählung der einzelnen Vergehen, welche eigentlich in das Strafgesetzbuch gehören) dem österreichischen Preßgesetz nachgebildet ist. Zu erwähnen ist der § 16 des Preßgesetzes, der die ausdrückliche Bestimmung enthält, daß die freie Einfuhr von Druckschriften, sofern dieselben nicht infolge eines Vergehens gegen das Preßgesetz verboten sind, gestattet ist.

Chile.

Das Urheberrecht an Werken der Litteratur und Kunst ist durch das „Gesetz betreffend das litterarische Eigentum" vom 24. Juli 1834 geregelt. Dies Gesetz ist sehr lückenhaft und besonders die Bestimmung über die Abgabe von drei Pflichtexemplaren, welche zur Wahrung des Urheberrechtes nötig sind, ist es, welche die Anwendung dieses Gesetzes auf Werke der Kunst unmöglich macht, obwohl nach § 1 auch Kunstwerke den Rechtsschutz genießen sollten. Das Gesetz bestimmt folgendes:

Die Urheber von Schriftwerken, musikalischen Kompositionen, Erzeugnissen der zeichnenden, malenden oder plastischen Kunst, oder jene, welche den ersten Plan zu einem Werke der Litteratur aufgestellt haben, genießen während ihrer Lebenszeit das ausschließliche Recht, ihre Werke durch jedes beliebige Mittel zu vervielfältigen und zu verbreiten resp. verbreiten zu lassen. Die Erben genießen dieses Recht nur fünf Jahre, welche Frist von der Regierung auf zehn Jahre verlängert werden kann. Das Urheberrecht kann beliebig übertragen werden.

Der Inhaber des Manuskriptes eines posthumen Werkes wird zehn Jahre vom Erscheinen der ersten Ausgabe an gegen Nachdruck geschützt. Diese Frist kann nicht verlängert werden. Diese Schutzfrist gilt jedoch nur dann, wenn das posthume Werk für sich allein veröffentlicht wird; geschieht die Veröffentlichung aber in einer Ausgabe, welche auch die bei Lebzeiten des Verfassers erschienenen Werke enthält, so wird die Schutzfrist für das posthume Werk nach den letzteren berechnet.

Ausländer, welche ihre Werke in Chile erscheinen lassen, genießen dieselben Rechte wie Inländer. In Chile erscheinende neue Auflagen von Werken, deren frühere Auflagen im Auslande erschienen sind, genießen eine zehnjährige Schutzfrist.

Die Aufführung dramatischer Werke ist nur mit schriftlicher Genehmigung des Autors während der Lebenszeit desselben, und von seinem Todestage an fünf Jahre lang nur mit schriftlicher Genehmigung der Erben des Autors gestattet.

Von Gesellschaften, Vereinen ꝛc. herausgegebene Werke sind vierzig Jahre nach ihrem ersten Erscheinen gegen Vervielfältigung geschützt.

Der Übersetzer eines Werkes oder dessen Erben genießen das gleiche Recht wie der Autor des Originals resp. dessen Erben.

Um den Schutz des Urheberrechtes zu erlangen, müssen vor Ausgabe des Werkes drei Exemplare, welche an der Spitze den Namen des Autors tragen, bei der öffentlichen Bibliothek von Santiago eingereicht werden. Verweigert der Verleger die Deponierung dieser drei Exemplare, so ist der Drucker dazu verpflichtet.

Die Drucker sind auch verpflichtet, von sämtlichen bei ihnen gedruckten periodischen Blättern und einzelnen Schriften zwei Exemplare beim Ministerium des Innern und ein Exemplar beim Fiskal einzureichen.

Die widerrechtliche Vervielfältigung eines Werkes wird nach § 471 des Strafgesetzbuches geahndet; die Strafbestimmungen sind folgende:

Mit Zwangsarbeit in der Dauer von einundsechzig bis fünfhundertvierzig Tagen oder Ortshaft während derselben Zeit (d. h. der Verurteilte darf während dieser Zeit einen ihm angewiesenen Ort nicht verlassen, ähnlich wie bei uns die Festungshaft) oder mit Geldstrafe von hundert bis tausend Piastern (= 400—4000 M.) wird bestraft, wer eine das litterarische oder künstlerische Eigentum verletzende Handlung begeht.

Die widerrechtlich hergestellten eingeführten oder verbreiteten Exemplare, ebenso die zur Vervielfältigung dienenden Platten oder sonstigen Vorrichtungen werden zu gunsten der verletzten Person konfisziert.

Erwähnenswert ist noch der § 584 des bürgerl. Gesetzbuches vom Jahre 1855; dieser Paragraph bestimmt:

„Die Erzeugnisse des Talentes oder des Geistes sind das Eigentum ihrer Urheber. Dieses Eigentum ist durch besondere Gesetze geregelt."

Außer dem Gesetze von 1834 existiert jedoch kein anderes zum Schutze des Urheberrechtes; auch hat Chile keine Litterarkonventionen abgeschlossen.

China.

Spezielle Gesetze über das litterarische und künstlerische Eigentum besitzt China nicht. Das Urheberrecht wird nach gemeinem Rechte behandelt und ist demgemäß dem subjektiven Ermessen der betreffenden Behörde, welche über eine Verletzung des Urheberrechtes zu urteilen hat, ein weiter Spielraum gelassen.

Die alten chinesischen Klassiker sind längst Gemeingut geworden und werden beliebig nachgedruckt; nur zum Nachdrucke sehr wichtiger Werke und Luxusausgaben ist die Genehmigung der Regierung einzuholen. Wird diese Genehmigung nicht eingeholt, so wird der Nachdrucker nach gemeinem Rechte bestraft.

Die Verleger der modernen Litteratur sind meistens die Autoren selbst, welche ihre Werke drucken lassen und dieselben verkaufen so gut sie können. Die meisten Bücher tragen die Bezeichnung „Nachdruck verboten" und Verletzung dieses Verbotes wird an dem Schuldigen mit achtzig Stockhieben bestraft; außerdem werden die nachgedruckten Exemplare und die zum Nachdrucke dienenden Vorrichtungen vernichtet. Dies Recht wird jedoch von den Autoren selten in Anspruch genommen, trotzdem der Nachdruck billiger verkauft wird als die Originalausgabe. Die Autoren sind öfter noch erfreut darüber, wenn durch Nachdruck zu ihrem litterarischen Ruhme beigetragen wird. Auch ist dabei zu berücksichtigen, daß die Behörden sehr wenig zur Anerkennung des Urheberrechtes geneigt sind, weil sie den Autoren Verteuerung der Bücher vorwerfen.

Obwohl nun in China infolge der Anwendung des gemeinen Rechtes auf das geistige Eigentum theoretisch von einer immerwährenden Schutzfrist des Urheberrechtes gesprochen werden kann, so trifft dies in der Praxis doch nicht zu, weil das vorherrschende Rechtsgefühl nicht geneigt ist, diesen Schutz zu beanspruchen, resp. anzuerkennen.

Costarica.

Costarica besitzt noch keine Urheberrechts-Gesetzgebung. Dies Land war wohl bei den ersten Sitzungen zur Beratung der Berner Konvention vertreten, ist jedoch der Konvention nicht beigetreten. Am 17. Februar 1887 hat aber Costarica den bisher noch nicht in Kraft getretenen, zwischen den fünf Republiken von Mittelamerika geschlossenen Handelsvertrag unterzeichnet, welcher im § 20 bestimmt: „Die der Gerichtsbarkeit einer der unterzeichneten Republiken unterstehenden Personen genießen in den anderen Republiken das Recht des litterarischen, industriellen oder künstlerischen Eigentums unter denselben Bedingungen und sind denselben Verpflichtungen unterworfen wie die Eingeborenen."

Dänemark.

Das Urheberrecht ist in Dänemark gegenwärtig durch folgende Gesetze geregelt:

Gesetz vom 29. Dezember 1857 über den Nachdruck litterarischer Werke;

Gesetz vom 31. März 1864 über die Vervielfältigung von Werken der Kunst.

Zu beiden Gesetzen wurde ein Abänderungsgesetz vom 23. Februar 1866 erlassen, und außerdem wurde das Gesetz vom 29. Dezember 1857 noch abgeändert durch

Gesetz vom 21. Februar 1868;
Gesetz vom 24. Mai 1879;
Gesetz vom 12. April 1889.

Das Vervielfältigungsrecht an Photographien ist geregelt durch das Gesetz vom 24. März 1865.

Der Gesamtinhalt dieser Gesetze ist folgender:

Der Autor resp. dessen Rechtsnachfolger ist allein berechtigt, ein Werk der Litteratur oder der Kunst nachzudrucken, nachzubilden oder aufzuführen. Der Übersetzer eines Werkes wird in bezug auf seine Übersetzung als Autor betrachtet; die Übersetzung in einen Dialekt derselben Sprache, in welcher das Werk geschrieben ist, wird jedoch als Nachdruck bestraft, und werden in dieser Beziehung dänisch, norwegisch und schwedisch als Dialekte einer Sprache angesehen. In Zeitschriften oder Sammelwerken veröffentlichte Arbeiten können, sofern nichts anderes vereinbart ist, ein Jahr nach der ersten Veröffentlichung vom Autor wieder beliebig verwendet werden. Als Nachdruck ist nicht anzusehen: Anführung kurzer Zitate; Aufnahme einzelner Stücke in Anthologien, Sammlungen rc. zu Unterrichtszwecken, wobei jedoch seit dem ersten Erscheinen eines in einer solchen Sammlung aufgenommenen Stückes mindestens ein Jahr verflossen sein muß; Abdruck aus Zeitungen mit Quellenangabe; Nachdruck von Gedichten, sofern dieselben einer musikalischen Komposition als Text dienen. Ferner ist gestattet die Deklamation oder Aufführung dramatischer oder größerer Musikwerke (die für ein Orchester berechnet sind) durch eine einzelne Person ohne jeden szenischen Apparat; die ordnungsmäßige Aufführung ist natürlich dem Autor vorbehalten. Hat jemand das Aufführungsrecht eines dramatischen oder musikalischen Werkes erworben, und macht er innerhalb 5 Jahren von diesem Recht keinen Gebrauch, so fällt dasselbe an den Autor zurück. Ebenso ist der Nachdruck eines Werkes erlaubt, wenn innerhalb der letzten 5 Jahre kein Exemplar der letzten Auflage vom Verleger zu bekommen war, und der Rechtsvorgänger des Verlegers (was meistens der Autor ist oder dessen Erben) auch keine neue Auflage angezeigt hat. Ist jedoch eine neue Auflage angezeigt, so muß dieselbe innerhalb eines Jahres nach der ersten Anzeige erscheinen, widrigenfalls das Werk zum Nachdruck freigegeben ist. Die Debatten des Rigsdag, sowie Berichte über öffentliche Versammlungen und Gerichtsverhandlungen dürfen veröffentlicht werden, jedoch kann eine Person nur auf Grund eines Gesetzes das Recht erhalten, Gesetze, ministerielle oder sonstige behördliche Verordnungen, sowie die richterlichen Urteile zu veröffentlichen.

Architektonische Pläne dürfen zur Ausführung von Bauten ohne Genehmigung des Autors nicht benützt werden. Sind die Pläne jedoch vom Autor veröffentlicht worden, so dürfen sie zur Baukonstruktion benützt werden. Gestattet ist ferner die Reproduktion von Kunstwerken, welche sich auf öffentlichen Plätzen und in Museen befinden. Ferner dürfen Kunstwerke als Modelle zur Verzierung von Gebrauchsgegenständen benützt werden, wenn der Künstler sich nicht eine derartige Verwendung ausdrücklich vorbehalten hat. Das Recht dieses Vorbehaltes kann ein Arbeiter oder Fabrikant auch vom Künstler auf die Dauer von zehn Jahren erwerben.

Die Schutzfrist für Werke genannter Autoren währt fünfzig Jahre. Posthume dramatische Werke und musikalische Kompositionen sind gleichfalls fünfzig

Jahre gegen unberechtigte Aufführung geschützt, sofern bei Inkrafttretung des diesbezüglichen Gesetzes (12. April 1889) die früher angesetzt gewesene dreißigjährige Schutzfrist nicht bereits abgelaufen ist. Der Schutz gegen den Nachdruck von Schriftwerken ist durch Gesetz vom 21. Februar 1868 von dreißig auf fünfzig Jahre verlängert worden, und kommt diese verlängerte Schutzfrist dem Autor oder seinem Rechtsnachfolger zu gute, sofern beim Inkrafttreten des genannten Gesetzes die dreißigjährige Schutzfrist noch nicht abgelaufen ist, oder wenn selbst nach Ablauf dieser Schutzfrist ein anderer noch keine neue Ausgabe des Werkes veranstaltet oder das Erscheinen derselben angezeigt hat. Die von einem Andern angezeigte Ausgabe des Werkes muß jedoch in demselben Jahre, in welchem die Anzeige erfolgt, erscheinen, widrigenfalls der Autor resp. dessen Rechtsnachfolger von der verlängerten Schutzfrist Gebrauch machen können.

Anonyme, pseudonyme und posthume Werke sind dreißig Jahre nach Erscheinen geschützt. Wenn der Autor innerhalb dreißig Jahre vom Ablauf des Jahres, in welchem die letzte Auflage erschien, jedoch vor Ablauf von fünfzig vom Ablauf des Jahres gerechnet, in welchem die erste Auflage erschien, seinen Namen nennt, so genießt er die volle Schutzfrist d. i. bis fünfzig Jahre nach seinem Tode. Dies tritt jedoch nicht ein, wenn vor der Namensnennung des Autors das Werk bereits Gemeingut war und ein anderer eine neue Ausgabe veranstaltet oder eine solche angezeigt hat. Das Werk muß aber im Jahre, in welchem die Anzeige erfolgte, erscheinen, widrigenfalls der Autor wieder in seine Rechte tritt.

Der Verleger resp. Herausgeber eines periodischen Unternehmens oder eines Sammelwerkes, auch wenn der Herausgeber ein Institut oder ein Verein ist, wird als Autor betrachtet. Für Schriften, welche in mehreren ein zusammenhängendes Ganzes bildenden Abteilungen erscheinen, wird die Schutzfrist vom Erscheinen der letzten Abteilung an gerechnet. Liegt zwischen dem Erscheinen der einzelnen Abteilungen ein Zeitraum von mehr als drei Jahren, so werden die vor diesem Zeitraum erschienenen Teile und die nach demselben erschienenen als besondere Werke betrachtet.

Arbeiten mehrere Autoren an einem Werke, an welchem die Arbeit eines jeden einzelnen nicht besonders unterschieden ist, so wird die Schutzfrist nach dem Tode des am längsten lebenden gerechnet.

Die Schutzfrist für Werke der Kunst währt dreißig Jahre lang vom Schlusse des Jahres an gerechnet, in welchem der Künstler starb.

Der Verfertiger einer Photographie hat fünf Jahre lang das ausschließliche Recht der Reproduktion und des Verkaufes derselben. Ist die Photographie im Auftrag eines andern hergestellt, so darf der Verfertiger nur mit Bewilligung des Auftraggebers die Photographie vervielfältigen und verkaufen. Wer sich das Recht der ausschließlichen Reproduktion wahren will, muß sich dies auf jedem einzelnen Bilde durch die Bezeichnung „Ausschließliches Eigentum" und Hinzufügung seines Namens vorbehalten. Ein Exemplar der Photographie muß mit einer Beschreibung und mit dem Gesuche des Verfertigers, daß er sich das Vervielfältigungsrecht wahren will, versehen, beim Ministerium des Innern eingereicht werden. Wenn die Photographie die Reproduktion eines Kunstwerkes darstellt, so muß auch der Name des Künstlers genannt werden.

Schwedische Autoren, welche sich die Übersetzung ins Dänische vorbehalten wollen, haben folgende Formalitäten zu erfüllen: Am Titel des Werkes muß der Autor seine Absicht, eine dänische Übersetzung veranstalten zu wollen, bekannt geben; ein Exemplar des Werkes muß vor Ablauf von drei Monaten nach Erscheinen der königlichen Bibliothek zu Kopenhagen gegen Empfangsbestätigung kostenfrei ausgeliefert werden; vor Ablauf von neun Monaten nach Ablieferung an die königliche Bibliothek muß der Beginn der Übersetzung in Dänemark erscheinen und vor Ablauf von zwei Jahren, vom selben Zeitpunkt ab gerechnet, muß die Übersetzung vollständig erschienen sein. Dramatische Werke jedoch müssen schwedische Autoren vor Ablauf eines Monats bei der königlichen Bibliothek zu Kopenhagen deponieren und die Übersetzung muß längstens sechs Monate vom Tage der Deponierung an gerechnet vollständig erschienen sein.

Verfolgung wegen Verletzung des Urheberrechtes tritt nur auf Antrag des Verletzten ein. Dieser Antrag muß innerhalb eines Jahres bei jenem Gerichtsorte, wo die rechtmäßige Ausgabe des Werkes erschienen ist, eingebracht werden. Die Strafen sind folgende: Konfiskation und Vernichtung (auf Verlangen des Verletzten Ausfolgung an den Kläger) der widerrechtlich hergestellten oder verkauften Druckschriften; außerdem Schadenersatzleistung an den Kläger, sowie Strafe in der Höhe von 50 bis 1000 Rigsdalers. Diese Strafe kann für den Verkäufer eines von einem andern hergestellten Nachdruckes auf 20 Rigsdaler ermäßigt werden. Die unbefugte öffentliche Aufführung eines dramatischen oder musikalischen Werkes wird mit 10 bis 200 Rigsdaler Strafe und Leistung von Schadenersatz geahndet. Unberechtigte Nachahmung von Kunstwerken wird mit 20 bis 500 Rigsdalers bestraft. Die zur Herstellung dienenden Platten oder sonstige Materialien, sowie alle widerrechtlich hergestellten Exemplare werden konfisziert und vernichtet oder auf Verlangen dem Verletzten ausgefolgt, welchem auch Ersatz des Schadens zu leisten ist. Die Strafe kann für den Verkäufer eines widerrechtlich hergestellten Kunstwerkes auf 10 Rigsdalers ermäßigt werden. Unberechtigte Reproduktion oder Verkauf von Photographien wird mit Strafe von 10 bis 100 Rigsdaler und im übrigen sowie die unberechtigte Herstellung von Werken der Kunst geahndet.

Vergehen gegen die Gesetze zum Schutze des Urheberrechtes an Schriftwerken, dramatischen und musikalischen Werken, Werken der Kunst und Photographien verjähren, wenn nicht innerhalb eines Jahres und einem Tage, nachdem die letzte gegen das Gesetz verstoßende Handlung begangen wurde, Klage von seiten des Verletzten erhoben worden ist.

Eine königliche Verordnung vom 29. Dezember 1858 dehnt den Urheberrechtsschutz unter Bedingung der Reziprozität auf französische Erzeugnisse aus und ebenso herrscht zwischen Dänemark und Schweden Reziprozität. Es ist also mit Ausnahme von Frankreich und Schweden das litterarische und künstlerische Eigentum der andern Länder ohne gesetzlichen Schutz, da Dänemark keine Konventionen geschlossen hat.

Deutschland.

Der vollständige Abdruck der deutschen Urheberrechts- und Preßgesetzgebung, sowie auch Kommentar derselben, befindet sich im ersten Bande dieses Werkes. Derselbe Band enthält auch die zwischen Deutschland und der Schweiz abgeschlossenen Litterarkonventionen, während die übrigen Litterarkonventionen am Schlusse dieses Bandes abgedruckt sind.

Ecuadór.

In Ausführung des § 27 der Verfassung, welcher lautet:

„Jeder hat unter den vom Gesetze festgestellten Bedingungen Gewerbefreiheit und das ausschließliche Eigentum seiner Entdeckungen, Erfindungen und litterarischen Werke,"

wurde das nachstehende Gesetz, betreffend das litterarische und künstlerische Eigentum, vom 3. August 1887 erlassen.

Als Urheber litterarischer Werke werden betrachtet:

1. derjenige, welcher durch Wort oder Schrift ein Werk erzeugt hat;
2. der Übersetzer;
3. der Besitzer eines keiner anderen Person rechtmäßig angehörigen, noch nicht veröffentlichten Werkes, welches er zum ersten Male veröffentlicht;
4. der Kompilator historischer oder auf die Gesetzgebung bezughabender Dokumente, wenn der Direktor der betreffenden Archive oder die Regierung keine solche Arbeit bereits herausgegeben haben und dem Kompilator die Ermächtigung hierzu erteilten;
5. der Kompilator von Volkserzeugnissen, wie z. B. Volkslieder, Sagen rc., vorausgesetzt, daß die Veröffentlichung einen litterarischen Zweck verfolgt;
6. der Kompilator oder Herausgeber von Werken, welche bereits Gemeingut geworden sind.

Als Urheber von Werken der Kunst werden betrachtet:

1. der Schöpfer eines Werkes;
2. der Komponist von Variationen eines musikalischen Themas, vorausgesetzt, daß diese Variationen nach dem Urteile Sachverständiger als ein neues Werk zu betrachten sind;
3. der Kompilator populärer Musikstücke unbekannter Urheber;
4. der Autor von Transskriptionen oder Instrumentationen, welche mit Erlaubnis des Urhebers vom Originalwerke hergestellt sind;
5. der Maler, Geograph, Ingenieur, Zeichner, Kalligraph oder Bildhauer, jeder in bezug auf sein Originalwerk und der Kopien, die davon durch irgend ein Verfahren hergestellt werden können, vorausgesetzt, daß er das Original nicht veräußert hat;
6. derjenige, welcher mit Erlaubnis des Urhebers eines Werkes dieses reproduziert;
7. der Verleger von Werken, deren Schutz verfallen ist.

Der Staat oder Gesellschaften, welche die Rechte einer juristischen Person besitzen, genießen als Herausgeber von Werken den Schutz des Urheberrechtes.

Philosophische, wissenschaftliche

2*

ꝛc. Systeme sind in ihrer Gesamtheit nicht geschützt, sondern werden nur als mittels Wort oder Schrift erzeugte litterarische Werke betrachtet. Es bleibt jedoch dem Schöpfer eines Systems unbenommen, klagbar vorzugehen, wenn ein anderer dieses System unerlaubt benützen sollte. Die richterliche Entscheidung wird veröffentlicht.

Das Urheberrecht ist geschützt:

a) während der Lebenszeit des Autors und fünfzig Jahre von seinem Tode an, zu gunsten seiner Erben;
b) fünfzig Jahre vom Tage der Veröffentlichung an;
c) fünfundzwanzig Jahre vom Tage der Veröffentlichung an.

Die unter a bestimmte Schutzfrist wird den Urhebern litterarischer Werke sub 1 und den Urhebern künstlerischer Werke sub 1 und 5 gewährt. Die unter b bestimmte Schutzfrist wird gewährt: den Übersetzern, Kompilatoren geschichtlicher Dokumente und der Materialien der Gesetzgebung, der Regierung, juristischen Personen und dem Autor musikalischer Variationen. Allen übrigen Personen wird die sub c genannte Schutzfrist gewährt. Bei Werken, welche in einzelnen Abteilungen erscheinen, wird die Schutzfrist vom Erscheinen des letzten Teiles an gerechnet.

Die Herausgabe von Auszügen oder Umarbeitungen eines Werkes oder Abdruck desselben mit einem Kommentar ist nur mit Bewilligung des Autors gestattet. Jedoch sind kurze Zitate zum Zwecke der Kritik oder kleine Auszüge, die zu Unterrichtszwecken als Muster dienen sollen, gestattet.

Wenn der Auszug aus einem didaktischen oder technischen Werke von einem anderen nach einem besseren Plane redigiert oder mit Beifügung von Illustrationen herausgegeben wird, so kann das Unterrichtsministerium die Veröffentlichung dieses Auszuges gestatten, indem es dessen Autor die bezüglichen Urheberrechte zuspricht. Hierüber haben drei Sachverständige zu entscheiden, wovon je einer vom Autor des Originalwerkes, vom Autor des Auszuges und vom Unterrichtsministerium ernannt wird. Fällt das Urteil der Sachverständigen für den Autor des Auszuges günstig aus, so ist dieser verpflichtet, dem Urheber des Originalwerkes eine Entschädigung in bar zu bezahlen, deren Höhe vom Unterrichtsministerium festgesetzt wird.

Der Autor des Auszuges aus einem Werke, das bereits Gemeingut geworden ist, kann nur für seinen Auszug das Urheberrecht in Anspruch nehmen, unbeschadet des Rechtes, das ein anderer erwirbt, der von demselben Werke einen anderen Auszug veranstaltet.

Eine gesetzlich geschützte Übersetzung verhindert nicht, daß von demselben Werke eine neue Übersetzung angefertigt werden kann. Jede Übersetzung muß den Namen des Urhebers des Originalwerkes angeben, jedoch ist dadurch die Übersetzung anonymer Werke nicht verboten.

Änderungen am Werke sind nur mit Genehmigung des Autors gestattet; Zusätze oder Änderungen müssen vom übrigen Texte getrennt werden, so daß sie vollständig unterschieden werden können. Übertretung dieser Bestimmungen berechtigen den Autor oder dessen Erben, Herstellung des ursprünglichen Textes bei Strafe der Konfiskation des Werkes zu verlangen.

Die Regierung hat das ausschließliche Recht, in besonderen Sammlungen die offiziellen Dokumente und Gesetze herauszugeben. Es ist jedoch gestattet, diese Dokumente, wenn sie in der offiziellen Sammlung erschienen sind, in anderen periodischen Sammlungen nachzudrucken. Das Urheberrecht der Juristen, welche Gesetze, mit Studien oder Kommentaren begleitet, herausgeben, wird dadurch nicht gestört.

Zur Veröffentlichung von Prozeßakten ist die Genehmigung des betreffenden Gerichtes einzuholen, welches diese Genehmigung unter beliebigen Beschränkungen erteilen kann.

Für anonyme oder pseudonyme Werke wird dem Verleger derselben der Rechtsschutz gewährt; posthume Werke sind nur dann gesetzlich geschützt, wenn diese nicht mit solchen Werken desselben Autors zusammen erscheinen, welche bereits Gemeingut geworden sind.

Das Eigentumsrecht an Briefen besitzt der Adressat, während dem Briefschreiber das Urheberrecht zusteht. Es ist dem Adressaten jedoch gestattet, an ihn gerichtete Briefe zur Verteidigung seiner Ehre oder zur Unterstützung einer Polemik, welche zur Verteidigung der Religion, der Moral oder des Vaterlandes geführt wird, zu veröffentlichen.

Für die Veröffentlichung von in Ausübung eines öffentlichen Amtes gesprochenen oder geschriebenen Werke gelten dieselben Bestimmungen wie für die Veröffentlichung der Gesetze; eine besondere Ausgabe dieser Werke zu veranstalten ist jedoch nur der Autor berechtigt.

Arbeitet ein Autor nach einem bestimmten Auftrage, so steht dem Auftraggeber das Urheberrecht zu, während der Autor nur Anspruch auf den für die Arbeit festgesetzten Lohn hat. Die in periodischen Druckschriften veröffentlichten Arbeiten können, sofern der Nachdruck nicht ausdrücklich verboten ist, in anderen periodischen Druckschriften (jedoch nie in einer besonderen Ausgabe) nachgedruckt werden. Der Eigentümer einer periodischen Druckschrift besitzt ein Eigentumsrecht auf den Titel derselben.

Bildnisse und Büsten dürfen nur mit Genehmigung der abgebildeten Person vervielfältigt werden.

Dramatische Werke sind in bezug auf deren Vervielfältigung ebenso geschützt, wie litterarische Werke. Zur Aufführung auf einer öffentlichen Bühne bedarf es der Ermächtigung des Autors, welcher diese Ermächtigung an beliebige Bedingungen knüpfen kann. Das Aufführungsrecht ist während der Lebenszeit des Autors und 25 Jahre nach dessen Tod geschützt.

Bei dramatisch-musikalischen Werken sind nur die zwischen Dichter und Komponisten getroffenen Vereinbarungen für die gegenseitigen Rechte und Verbindlichkeiten maßgebend. Transskriptionen, welche ohne Genehmigung des Autors hergestellt sind, dürfen wohl beliebig nachgedruckt werden, das Aufführungsrecht derselben muß jedoch vom Komponisten der Transskription erworben werden.

In jedem Kanton wird ein besonderes Register zur Eintragung des litterarischen und künstlerischen Eigentums und ein zweites Register, in welchem die diesbezüglich geschlossenen Verträge eingetragen werden müssen, eröffnet. Um den Schutz des Urheberrechtes zu genießen, muß innerhalb sechs Monaten nach Erscheinen des Werkes der Titel desselben, sowie der Vorbehalt der bezüglichen Rechte eingetragen werden. Mit dem Gesuche um Eintragung müssen drei Exemplare des Werkes eingereicht werden, welche (je eines) für das Unterrichtsministerium, für die Nationalbibliothek und für die Provinzialbibliothek (wenn eine solche nicht vorhanden ist, für den Stadtrat) bestimmt sind. Bei einem periodischen Werke genügt die Eintragung der ersten Nummer, unbeschadet der Verpflichtung, nach welcher auch von allen Fortsetzungen drei Exemplare geliefert werden müssen. Für Maler und Bildhauer genügt es, wenn sie den Vorbehalt ihrer Rechte im Register eintragen lassen, jede mechanische Vervielfältigung von Kunstwerken muß jedoch außerdem in drei Exemplaren hinterlegt werden. Noch nicht gedruckte dramatische und dramatisch-musikalische Werke müssen innerhalb drei Monate von der ersten Aufführung an eingetragen und ein geschriebenes Exemplar deponiert werden. Jeder Verlagsvertrag muß gleichfalls zur Eintragung gelangen; alle Eintragungen geschehen gratis. Die Autoren anonymer oder pseudonymer Werke können ihre Identität durch Eintragung in das Register feststellen. Der damit betraute Beamte ist zur Verschwiegenheit verpflichtet. Er wird dieser Verpflichtung enthoben, wenn bei einem Prozesse die Nennung des Namens vom Gerichte für nötig erachtet wird.

Als Vergehen gegen dieses Gesetz werden betrachtet:

1. die Eintragung eines fremden Werkes als sein eigenes;
2. eine unter denselben Bedingungen veranstaltete Veröffentlichung;
3. die Veröffentlichung eines Werkes vor Ablauf der Schutzfrist oder des Vertrages;
4. die Unterlassung der Angabe des zwischen Autor und Verleger geschlossenen Vertrages oder der Ermächtigung zur Vervielfältigung;
5. das Plagiat;
6. eine außerhalb des Landes veranstaltete unerlaubte Vervielfältigung;
7. Importation und Verkauf widerrechtlicher Vervielfältigungen;
8. die ohne Genehmigung des Autors veranstaltete Aufführung eines dramatischen oder musikalischen Werkes;
9. die widerrechtliche Vervielfältigung und der Verkauf von Werken solcher Autoren, die in Ländern staatsangehörig sind, mit welchen Ecuador einen Vertrag zum Schutze des Urheberrechts geschlossen hat.
10. wenn sich ein Drucker, Verleger, Lithograph 2c. für seinen persönlichen Gebrauch eine größere Anzahl von Exemplaren zurückbehält, als ihm vertragsmäßig zusteht.

In allen diesen Fällen steht dem Verletzten das Recht zu, die Herausgabe der noch vorhandenen widerrechtlichen Vervielfältigungen und Zahlung des Wertes der verkauften Exemplare zu verlangen, unbeschadet der weiteren ihm zustehenden Entschädigungsansprüche. Hat der Thäter ein teilweises Plagiat begangen, so steht dem Verletzten nur das Recht zu, die offizielle Veröffentlichung einer diesbezüglichen Erklärung zu verlangen. Gegen ein Plagiat kann jedoch nur dann gerichtlich vorgegangen werden, wenn das Originalwerk bereits veröffentlicht ist. Für die Vergehen gegen dieses Gesetz ist der Urheber der Vergehen verantwortlich; nur wenn dieser nicht zu erlangen ist, so trägt die Verantwortlichkeit in nachstehender Reihenfolge der Verleger, der Drucker, der Importeur, der Verkäufer und der Verwahrer. Sind erschwerende Umstände vorhanden, so kann der Schuldige noch zu einer Strafe von fünfzig bis fünfhundert Sucres (d. i. 200 bis 2000 Mark) verurteilt werden.

Im Rückfalle wird die Strafe verdoppelt.

Als erschwerende Umstände werden betrachtet:

1. Der Verkauf von Ausgaben, deren Widerrechtlichkeit vom Autor öffentlich bekannt gemacht wurde;
2. jede wesentliche Veränderung des Textes;
3. das außerhalb des Landes bewerkstelligte Erscheinen des Werkes;
4. die Nachahmung des Titels und Frontispice eines Werkes.

Die Verfolgung wegen Verletzung dieses Gesetzes tritt nur auf Antrag des verletzten Autors oder dessen Rechtsnachfolger ein. Der Richter kann nach seinem Ermessen zur Entscheidung der Schuldfrage das Urteil von drei Sachverständigen, wovon zwei von den streitenden Parteien gewählt werden und einer vom Gerichte, zu Rate ziehen.

Jeder Bürger von Ecuadór, der außerhalb des Landes ein Werk veröffentlicht, genießt die Vorteile dieses Gesetzes, wenn er die darin vorgeschriebenen Formalitäten erfüllt. Es wird jedoch in diesem Falle die Frist, innerhalb welcher die Eintragung erfolgen muß, verdoppelt.

Finnland.

Finnland besitzt, obwohl es zu Rußland gehört, ein von dem russischen Gesetze (siehe Rußland) abweichendes Urheberrechtsgesetz vom 15. März 1880, welches betitelt ist „Gesetz über das Recht des Autors und des Künstlers auf das Erträgnis ihrer Arbeit“. Dieses Gesetz bestimmt folgendes:

Das ausschließliche Recht zur Vervielfältigung von Schriftwerken und Werken der Kunst, sowie das Aufführungsrecht dramatischer und musikalischer Werke, gebührt dem Urheber oder dessen Rechtsnachfolger. Dieses Recht ist bei Werken genannter Autoren während der Lebenszeit des Autors und fünfzig Jahre nach dessen Tode geschützt. Posthume, anonyme oder pseudonyme Werke sind fünfzig Jahre nach ihrem ersten Erscheinen geschützt. Wenn während dieser Zeit der Autor anonymer oder pseudonymer Werke seinen wahren Namen nennt, so genießt er die volle Schutzfrist, d. i. bis fünfzig Jahre nach seinem Tode. An einem von mehreren verfaßten Werke, bei welchem der von einem jeden Mitarbeiter verfaßte Teil genau zu unterscheiden ist, wird dem Herausgeber, wenn sich dieser mit seinem wahren Namen nennt, eine Schutzfrist bis fünfzig Jahre nach seinem Tode gewährt. Ist bei einem von mehreren verfaßten Werke ein bestimmter Herausgeber nicht genannt, oder wird das Werk von einem Vereine, einer Universität oder einer juristischen Person herausgegeben, so wird es bis fünfzig Jahre nach seinem ersten Erscheinen geschützt.

Der Mitarbeiter an einem, aus Beiträgen mehrerer bestehenden Werke darf, sofern nicht gegenteilige Abmachungen vorliegen, seinen Beitrag zwei Jahre nach der ersten Veröffentlichung im Sammelwerke in einer beliebigen anderen Form herausgeben. Wird ein Werk in mehreren auf dem Titelblatte genannten Sprachen zugleich veröffentlicht, so wird jede dieser Veröffentlichungen als Originalwerk betrachtet. Das Übersetzungsrecht für eine der Landessprachen wird für inländische Autoren während der ganzen Dauer der Schutzfrist, das Übersetzungsrecht für eine andere Sprache aber nur fünf Jahre nach Erscheinen des Originals geschützt. Finnisch und schwedisch werden als Landessprachen betrachtet. Wenn sich ausländische Autoren das Übersetzungsrecht am Titelblatte vorbehalten haben, so wird es fünf Jahre nach Erscheinen des Originals geschützt. Die Übersetzung selbst genießt denselben Schutz wie ein Originalwerk. Als verbotener Nachdruck gilt jede ohne Genehmigung des Urhebers veranstaltete Veröffentlichung, auch wenn der Nachdruck mit einigen Änderungen oder sonstigen Modifikationen erscheint, dieses veränderte Werk aber nicht als Originalschöpfung angesehen werden kann.

Als verbotener Nachdruck wird nicht betrachtet:

Die Citierung kleinerer Stellen aus bereits veröffentlichten Schriftwerken oder musikalischen Kompositionen; die Aufnahme einzelner bereits veröffentlichter kleinerer Schriftwerke in Poesie oder Prosa, oder musikalischer Kompositionen, oder die Aufnahme kleiner Teile größerer Werke, sowie einzelner Abbildungen in ein größeres, nach einem besonderen Plane zusammengestelltes und zu einem eigentümlichen Zwecke dienendes Werk; die Aufnahme kleinerer, bereits veröffentlichter Schriftwerke, Auszüge, Musikstücke, Zeichnungen oder Abbildungen in Schulbüchern, Handbüchern, Gesangsbüchern oder anderen dem Unterricht, der Erziehung, der Erbauung oder sonst einem besonderen litterarischen Zwecke dienenden Werken. Der Abdruck des Gesangstextes mit der Musik zugleich, wenn dieser nicht zum Zwecke der Komposition speziell geschrieben wurde, wie z. B. Opern, Oratorien; die Aufnahme kurzer Artikel oder einzelner Mitteilungen in einem

Journale oder einer Revue, sowie Auszüge aus anderen periodischen Druckschriften, mit Ausnahme größerer litterarischer oder wissenschaftlicher Arbeiten, wenn deren Abdruck ausdrücklich verboten ist. In allen diesen Fällen des erlaubten Nachdruckes muß die Quelle, aus welcher geschöpft wurde, ausdrücklich angegeben sein. Ferner ist unter Beobachtung der diesbezüglichen speziellen Vorschriften der Nachdruck von Gesetzen, offizieller Erlässe, Reglements 2c. gestattet, sowie der Nachdruck aller von öffentlichen Behörden ausgehenden Bekanntmachungen, gerichtlichen Urteile, Prozeßakten 2c. Alle im Landtage, in den Versammlungen der Gemeinderäte, in Wahlversammlungen oder sonst in der Ausübung eines öffentlichen Amtes gehaltenen Reden dürfen nachgedruckt werden; Vorträge und Reden, welche zur Erbauung, Unterhaltung und Belehrung gehalten werden, sind jedoch ebenso geschützt wie Schriftwerke.

Das Aufführungsrecht, wenn sich der Autor dasselbe am Titel ausdrücklich vorbehalten hat, ist so lange geschützt, als die Schutzfrist für die Vervielfältigung litterarischer Werke währt. Die Schutzfrist wird vom Tage der Veröffentlichung an gerechnet. Noch nicht gedruckte dramatische und musikalische Werke haben die gleiche Schutzfrist, jedoch vom Tage der ersten Aufführung an gerechnet. Die Zeit der Veröffentlichung oder die Zeit der ersten Aufführung dramatischer oder musikalischer Werke kann natürlich nur bei posthumen, anonymen, pseudonymen oder von einer Gesellschaft herausgegebenen Werken als Beginn der Schutzfrist angenommen werden, da bei anderen Werken die Schutzfrist vom Tode des Autors an gezählt wird. Das Aufführungsrecht wird jedoch Gemeingut, wenn es bei gedruckten Werken nicht am Titelblatte vorbehalten ist. Wenn der Erwerber des Aufführungsrechtes innerhalb fünf Jahren keinen Gebrauch davon macht, so fällt es an den Urheber zurück.

Kunstwerke sind gegen Vervielfältigung ebenso geschützt wie Schriftwerke. Photographien sind jedoch nur fünf Jahre nach ihrem ersten Erscheinen gegen Nachbildung geschützt. Ist eine Photographie auf Bestellung angefertigt, so ist deren Vervielfältigung nur mit Erlaubnis des Auftraggebers gestattet.

Als verbotene Nachbildung ist nicht anzusehen: Die Vervielfältigung einer Zeichnung oder einer Malerei in plastischer Kunst oder umgekehrt; die Vervielfältigung eines dem Staate oder einer öffentlichen Sammlung angehörigen Kunstwerkes; die Nachbildung eines Kunstwerkes in wissenschaftlichen oder dem Unterrichte dienenden Schriftwerken; die Verwendung eines Kunstwerkes zur Verzierung eines Gebrauchsgegenstandes oder zu irgend einer praktischen Verwendung; durch Schüler veranstaltete Vervielfältigungen zu Studienzwecken.

Jede Verletzung des Urheberrechtes wird mit Strafe bis zu 2000 Markkaa (1600 Mark) geahndet. Außerdem ist der Thäter zu Schadenersatz verpflichtet, und unterliegen die widerrechtlich hergestellten Exemplare der Konfiskation. Wer solche widerrechtlich hergestellten Exemplare verbreitet, obwohl er weiß, daß sie in Übertretung dieses Gesetzes hergestellt worden sind, unterliegt denselben Bestimmungen. Wird das Urheberrecht oder ein Teil desselben übertragen, und verletzt einer der Kontrahenten durch die Herstellung von Exemplaren eines Werkes den bestehenden Vertrag, so wird dies an dem Schuldigen mit Strafe bis zu 1000 Markka (800 Mark) geahndet; der Thäter ist auch zu Schadenersatz verpflichtet, und die widerrechtlichen Vervielfältigungen unterliegen der Konfiskation. Die Konfiskation erstreckt sich auf jene Exemplare, welche sich beim Autor, Verleger, Drucker und bei den Verbreitern befinden, sowie auch auf Klischee, Platten und andere Vorrichtungen, welche zur Herstellung gedient haben. Trennbare Teile des Werkes (Beilagen rc.), durch deren Herstellung dieses Gesetz nicht verletzt wurde, bleiben von der Konfiskation ausgeschlossen. Die beschlagnahmten Exemplare werden zerstört, wenn sie nicht der verletzte Teil zum Schätzungswerte für seinen Schadenersatzanspruch verlangt, oder die Exemplare kauft, deren Preis aber dann in die Staatskasse fällt. Wer die vom Gesetze vorgeschriebene Quellenangabe unterläßt, wird mit höchstens 100 Markkaa (80 Mark) bestraft. Wer einen andern zur Verletzung dieses Gesetzes veranlaßt, unterliegt vorstehenden Strafbestimmungen, auch wenn der Thäter als unschuldig erkannt werden sollte. Jedenfalls unterliegen die widerrechtlichen Vervielfältigungen der Beschlagnahme ungeachtet der Schadloshaltung, welche der Thäter vom Veranlasser beanspruchen kann. Verfolgung auf Grund dieses Gesetzes kann nur auf Antrag der verletzten Person eintreten. Im Falle der Uneinbringlichkeit der erkannten Geldstrafen tritt entsprechende Gefängnisstrafe an deren Stelle.

Die Verfolgung auf Grund dieses Gesetzes verjährt nach zwei Jahren vom Tage des Vergehens an gerechnet. Wenn der verletzte Teil die beschlagnahmten Exemplare oder sonstigen Objekte zur

Deckung seines Schadens beansprucht, oder wenn er sie dem Staate ablaufen will, so hat er darum im Laufe des Strafprozesses oder längstens zwei Monate nach Inkrafttretung des gefällten Urteiles anzusuchen.

Wenn der Urheber das ihm zustehende Verlagsrecht ganz oder teilweise einem anderen überträgt, so darf der Verleger an dem Werke keinerlei Änderungen vornehmen und ist nur zum Drucke von 1000 Exemplaren berechtigt, sofern der bezügliche schriftliche Vertrag nicht anderes darüber bestimmt. Hat der Autor das Verlagsrecht abgetreten, so ist er berechtigt, es jederzeit zurückzuziehen, unter der Bedingung, daß er dem Verleger die noch vorrätigen Exemplare des Werkes zum Buchhändlerpreise abkauft. Auch tritt der Autor wieder in seine vollen Rechte, wenn der Verleger zehn Jahre lang keine neue Auflage erscheinen ließ.

Die nach diesem Gesetze gewährten Schutzfristen beginnen immer vom 1. Januar, der dem Ereignisse (Tod des Autors, Erscheinen des Werkes ꝛc.) folgt, von welchem an die Schutzfrist gezählt wird. Erscheint ein Werk in mehreren Teilen, so wird die Schutzfrist für jeden Teil besonders berechnet.

Ein unveröffentlichtes Manuskript kann nie wegen Schulden gepfändet werden. Nur wenn das Verlagsrecht daran bereits abgetreten oder das Werk schon veröffentlicht ist, kann der daraus entstehende Gewinn von den Gläubigern beschlagnahmt werden.

Die Bestimmungen dieses Gesetzes finden Anwendung: auf die in Finnland oder im Auslande erschienenen Werke finnländischer Schriftsteller und Künstler, und auf in Finnland erscheinende Werke ausländischer Schriftsteller und Künstler, wenn diese in Finnland ansässig sind. Dieses Gesetz kann auch unter Bedingung der Reziprozität auf Urheber anderer Nationen Anwendung finden, wenn eine diesbezügliche Konvention geschlossen wird. Dieses Gesetz trat am 1. Januar 1881 in Kraft.

Frankreich.

Frankreich besitzt zahlreiche Gesetze zum Schutze des geistigen Eigentums und wäre es wünschenswert, wenn die vielen Gesetze und Dekrete in Eins verschmolzen würden, wie dies in anderen Staaten geschehen ist.

Nachstehend geben wir eine chronologisch geordnete Liste der Gesetze, Dekrete ꝛc.

Dekret vom 13. Januar 1791, betr. dramatische Werke.

Dekret vom 19. Juli 1791, betr. dramatische Werke.

Gesetz vom 30. August 1792, betr. die zwischen dramatischen Autoren und Theaterdirektoren geschlossenen Verträge.

Dekret vom 19. Juli 1793, betr. die Eigentumsrechte der Urheber von Schriftwerken jeder Art, musikalischen Kompositionen und Werken der zeichnenden und malenden Kunst.

Gesetz vom 1. September 1793, betr. das Aufführungsrecht dramatischer und musikalischer Werke.

Gesetz vom 13. Juni 1795 (An III—25 prairial), betr. die Gerichtsbarkeit für die Vergehen gegen das Urheberrecht.

Dekret vom 22. März 1805 (An XIII—1er germinal), betr. die Eigentumsrechte an posthumen Werken.

Dekret vom 29. März 1805 (An XIII—7 germinal), betr. den Druck der zur religiösen Erbauung und der Kirche dienenden Schriften.

Dekret vom 18. März 1806, betr. den Schutz von Fabrikszeichen.

Dekret vom 8. Juni 1806, betr. die Theater und das Aufführungsrecht posthumer Werke (§§ 10, 11, 12).

Dekret vom 20. Februar 1809, betr. die in Archiven, Bibliotheken und anderen öffentlichen Anstalten aufbewahrten Manuskripte.

Dekret vom 5. Februar 1810, enthaltend ein Reglement für Buchdruck und Buchhandel (§§ 39—47).

Strafgesetzbuch (Code penal) vom 19. Februar 1810 (§§ 425 bis 429).

Dekret vom 6. Juli 1810, betr. Verbot des Nachdruckes offizieller Schriftstücke.

Dekret vom 15. Oktober 1812, betr. das Theâtre Français.

Verordnung vom 6. Juni 1814, Seekarten betreffend.

Gesetz vom 3. August 1844, betr. das Aufführungsrecht dramatischer und musikalischer Werke.

Dekret vom 28. März 1852, betr. das Eigentum der im Auslande veröffentlichten Werke der Litteratur und Kunst.

Gesetz vom 8. April 1854 über das den Witwen und Kindern der Urheber zustehende Eigentumsrecht an Schriftwerken, musikalischen Kompositionen und Werken der Kunst.

Dekret vom 29. April 1854, feststellend die Gebühren, welche auf Grund der Verträge über litterarisches und künstlerisches Eigentum bei den Gesandschaften und Konsulaten für das Zeugnis über die daselbst erfolgte Deponierung von Büchern, Stichen 2c. zu bezahlen sind.

Dekret vom 9. Dezember 1857, bestimmend, daß der für Werke

der Litteratur und Kunst festgesetzte Rechtsschutz auf die Kolonien ausgedehnt sei.

Dekret vom 1. Mai 1858, enthaltend die Ausführungsbestimmungen des Dekretes vom 9. Dezember 1857.

Dekret vom 6. Januar 1864 über die Freiheit des Gewerbes theatralischer Unternehmungen.

Gesetz vom 16. Mai 1866, betr. mechanische Musikwerke.

Gesetz vom 14. Juli 1866 über die Rechte der Erben und anderer Rechtsnachfolger der Urheber.

Gesetz vom 29. Juli 1881 über die Preßfreiheit (I. Vom Buchdruck und Buchhandel).

Dekret vom 29. Oktober 1887, bestimmend, daß alle in Frankreich bestehenden gesetzlichen Bestimmungen zum Schutze des litterarischen und künstlerischen Eigentums in den Kolonien Geltung haben.

Ferner sind noch heranzuziehen als wichtig für das Buchgewerbe:

Das bürgerliche Gesetzbuch (code Napoléon), §§ 913 und 915, worin das Recht der Erben bestimmt ist.

Gesetz vom 6. Mai 1841 (§ 8), Zollvorschriften betreffend, welche ergänzt werden durch Verordnung vom 13. Dezember 1842 (§§ 1—3, 7, 8), betr. Importation und Transitverkehr buchhändlerischer Erzeugnisse.

Viele der vorstehend aufgezählten Gesetze, Dekrete rc. sind ganz oder teilweise ungültig geworden und geben wir nachstehend nur ein Resumée der gegenwärtig noch Geltung habenden gesetzlichen Bestimmungen über das Urheberrecht.

Gegenstände des Urheberrechtes sind alle Arten Schriftwerke, dramatische und musikalische Werke, Karten, Pläne, Zeichnungen, Abbildungen jeder Art, Werke der Kunst in allen ihren Vervielfältigungsverfahren und in gewissem Sinne, d. h. bei Vorhandensein einer künstlerischen Bethätigung auch Photographien. Die in Archiven und Bibliotheken ruhenden Manuskripte sind Staatseigentum und dürfen nur mit Bewilligung des Ministeriums des Innern oder des Äußern veröffentlicht werden, je nachdem ob der Inhalt der betreffenden Manuskripte in das Ressort des einen oder anderen Ministeriums fällt.

Die zur religiösen Erbauung oder für den Gottesdienst dienenden Werke dürfen nur mit Erlaubnis des Bischofs der Diözese gedruckt werden. Diese bischöfliche Erlaubnis muß jedem Exemplare des Buches vorangedruckt sein. Es ist dies nicht als ein Privilegium aufzufassen, sondern es steht jedem frei, Gebetbücher zu drucken oder zu verlegen, der die bischöfliche Erlaubnis hierzu bekommt. Diese Erlaubnis wird jedem erteilt, sobald das Buch nichts enthält, was gegen die Lehren der Kirche verstößt. Der Gesetzgeber ging von der Ansicht aus, daß jeder Bischof für seine Diözese Vertreter der Kirche sei und er als solcher nur die Urheberrechte der Kirche wahre, wenn die Verbreitung der kirchlichen Lehren von seiner Erlaubnis abhängig gemacht wird. Photographien werden nach einem Urteile der Berufsinstanz vom 11. Juli 1862 nicht unbedingt als Kunstwerke angesehen, deren Vervielfältigung durch das Urheberrecht geschützt sei. Es ist vielmehr in jedem einzelnen Falle dem Richter anheim gestellt, zu beurteilen, ob infolge einer besonderen individuellen, künstlerischen Auffassung die Photographie den Schutz der Gesetze über das Urheberrecht genieße. Werke der plastischen Kunst sind gegen jede Nachahmung geschützt, selbst wenn sie nur zur Verzierung eines Erzeugnisses der Industrie dienen. (Urteil der Berufungsinstanz vom 25. Juli 1853.) Jede Aufführung einer musikalischen Komposition in einem öffentlichen Saale oder einem Zirkus, und wenn das Musikstück auch nur durch einen Leierkasten zur Begleitung eines mechanischen Karussells gespielt wird, bedarf der Autorisation des Urhebers. (Urteil der Berufungsinstanz vom 21. Juli 1881.) Als öffentliche Aufführung gilt jede Aufführung vor einem zahlenden Publikum.

Jedes für die Öffentlichkeit bestimmte gedruckte Werk (mit Ausnahme der Stimmzettel und dem Handel und der Industrie dienenden Zirkulare und Formulare) muß bei einer Strafe von 5—15 Franks den Namen des Druckers tragen. Im Wiederholungsfalle innerhalb zwölf Monaten kann auf Gefängnisstrafe erkannt werden. Sofort beim Erscheinen des Werkes müssen bei sonstiger Strafe von 16—300 Franks zwei Exemplare davon vom Drucker (je nach seinem Wohnorte) beim Ministerium des Innern in Paris oder bei der Präfektur in den Hauptstädten der Arrondissements, in anderen Städten beim Stadtrat (à la mairie) deponiert werden. In dem dazu gehörigen Schreiben muß der Titel des Werkes und die Höhe der Auflage angegeben sein. Von musikalischen Werken, Stichen und sonstigen Reproduktionen (außer den mittelst des Typensatzes hergestellten Drucksachen) müssen drei Exemplare an den genannten Stellen deponiert werden.

Der Käufer eines Bildes erwirbt zugleich das Vervielfältigungsrecht desselben, wenn sich dieses der Urheber, resp. Verkäufer nicht ausdrücklich vorbehalten hat.

Die Eigentümer posthumer Werke genießen die Rechte eines Urhebers. Ist das Urheberrecht an einem Werke Gegenstand einer Schenkung oder eines Vermächtnisses, so sind die §§ 913 und 915 des code Napoléon zu berücksichtigen. Nachstehend die Übersetzung der beiden Paragraphen:

§ 913. Geschenke, seien dieselben bei Lebzeiten gemacht oder durch Testament bestimmt, dürfen die Hälfte des Besitzes des Geschenkgebers nicht überschreiten, wenn derselbe bei seinem Ableben ein legitimes Kind hinterläßt, sie dürfen nur ein Drittel des Vermögens betragen, wenn zwei Kinder und nur ein Viertel, wenn drei oder mehr Kinder da sind.

§ 915. Hinterläßt der Geschenkgeber keine Kinder, jedoch Aszendenten in väterlicher und mütterlicher Linie, so dürfen die Geschenke nur die Hälfte des Besitztums betragen; über drei Vierteile des Vermögens kann er verfügen, wenn er nur in einer Linie Aszendenten hinterläßt.

Obige beiden Paragraphen beschränken auch die Witwe des Urhebers in der Veräußerung des ererbten Rechtes. Soweit also der Autor nicht bereits bei Lebzeiten unter Berücksichtigung dieser beiden Paragraphen seine Urheberrechte veräußert hat, werden diese bis fünfzig Jahre nach seinem Tode geschützt. Diese Schutzfrist gilt für alle Werke der Litteratur und Kunst, wie auch für das Übersetzungsrecht und das Aufführungsrecht dramatischer und musikalischer Werke. Wenn aber nach Ableben des Autors das Urheberrecht dem Staate anheim fällt, so ist dieser verpflichtet für die Erfüllung der vom Autor oder dessen Rechtsnachfolger geschlossenen Verträge, sowie für die Befriedigung der Gläubiger des Autors aus den Erträgnissen, die das Urheberrecht bietet, zu sorgen.

Jede Verletzung des Urheberrechtes, sowie auch Einführung von Werken, welche im Auslande gedruckt sind, und wodurch die Rechte eines französischen Urhebers verletzt sind, wird mit Strafe vom 100 bis 2000 Franks geahndet. Der Verkäufer widerrechtlich hergestellter Werke wird mit Strafe von 25 bis 500 Franks belegt. Außerdem wird die nachgedruckte Auflage, sowie die zu deren Herstellung dienenden Platten, Matern &c. beschlagnahmt. Als Verbreiter, resp. Importeur eines im Auslande hergestellten Werkes, durch welches das Recht eines französischen Urhebers verletzt ist, wird auch der angesehen, der ein solches Werk im Auslande bestellt und es dann erhält. Jede widerrechtliche Aufführung eines dramatischen oder musikalischen Werkes wird an dem Direktor oder Unternehmer der Aufführung mit Strafe von 50 bis 500 Franks geahndet, und außerdem wird die gesamte Einnahme mit Beschlag belegt.

Das Ergebnis der in den vorhergehenden Bestimmungen verfügten Konfiskationen wird dem verletzten Urheber zur Deckung seines Schadenersatzanspruches übermittelt. Wird der verursachte Schaden dadurch nicht gedeckt, so ist für die weiteren Ansprüche der Zivilrechtsweg zu beschreiten.

Frankreich hat die meisten Litterarkonventionen abgeschlossen, wie überhaupt die französische Urheberrechts-Gesetzgebung dem Auslande gegenüber sehr großmütig ist. Durch das Dekret vom 28. März 1852 werden die Autoren von im Auslande veröffentlichten litterarischen oder künstlerischen Werken ohne Bedingung der Reziprozität den einheimischen Autoren gleichgestellt. Dieses Dekret wurde durch die zahlreichen Konventionen teilweise geändert; jedenfalls ist Frankreich der erste Staat, welcher Ausländern den weitgehendsten Schutz des Urheberrechtes bot, wenn man nicht die vor 1870 zwischen den einzelnen Bundesstaaten geschlossenen Übereinkünfte als „internationale" bezeichnet. Frankreich hat durch sein Beispiel nicht wenig dazu beigetragen, daß auch andere Länder den internationalen Schutz des Urheberrechtes anerkannten. Sämtliche auf Verletzung des Urheberrechtes im Inlande gesetzten Strafen werden in demselben Umfange ausgesetzt, wenn durch das in Frankreich hergestellte oder aus Frankreich exportierte Werk das Urheberrecht eines Ausländers verletzt wird.

Die Mehrzahl der Verträge enthalten die Meistbegünstigungsklausel. Manche Verträge sind infolge der Berner Konvention, welcher Frankreich auch angehört, gegenstandslos geworden. Im allgemeinen haben die Autoren, resp. Verleger von Werken, welche in den vertragschließenden Staaten erscheinen, zur Wahrung des Urheberrechtes nur die Formalitäten zu erfüllen, welche im Ursprungslande für den Schutz des Urheberrechtes vorgeschrieben sind, wodurch sie zugleich im andern vertragschließenden Lande geschützt sind. Frankreich hat entweder auf Grund einer Konvention oder auf Grund beiderseitiger, landesgesetzlicher Bestimmungen, Erlässe 2c. mit folgenden Staaten reziproken Schutz des Urheberrechtes vereinbart:

Belgien gehört der Berner Konvention an, gewährt in seinem Gesetze vom 22. März 1886 den Ausländern gleichen Schutz des Urheberrechtes wie den Inländern, schloß mit Frankreich die Litterarkonvention vom 31. Oktober 1881, zu welcher ein Nachtrag vom 4. Januar 1882 gehört, der die Meistbegünstigungsklausel enthält. Dieser Nachtrag ist deshalb sehr wichtig, weil dadurch die französischen Autoren in Belgien dieselben (übrigens schon früher durch Gerichtsentscheidung eingeräumten) Rechte erlangten, welche infolge der französisch-spanischen Konvention den spanischen Autoren in Frankreich eingeräumt waren.

Bolivia hat mit Frankreich am 8. September 1887 einen Litterarvertrag abgeschlossen.

Dänemark hat keine Konventionen geschlossen, hat jedoch durch die königlichen Erlässe vom 6. November 1858 und 5. Mai 1866 die Bestimmungen der einheimischen Urheberrechtsgesetzgebung auf die Werke französischer Autoren ausgedehnt.

Deutschland gehört der Berner Konvention an, schloß mit Frankreich die Litterarkonvention vom 19. April 1883, welche infolge der Berner Konvention ihre Bedeutung fast ganz verloren hat.

Ecuadór und Frankreich haben gleichzeitig mit dem Handelsvertrage eine Erklärung zum gegenseitigen Schutze des Urheberrechtes vom 12. Mai 1888 gezeichnet, jedoch erfolgte noch keine Ratifikation derselben.

Großbritannien gehört der Berner Konvention an. Die zwischen Großbritannien und Frankreich geschlossene Konvention vom 3. November 1851 nebst Nachtrag dazu vom 11. August 1875 ist laut Veröffentlichung im „Journal officiel de la Republique française" vom 17. Juli 1887 vom Tage des Inkrafttretens der Berner Konvention an ungiltig erklärt.

Haïti ist Mitglied der Berner Konvention.

Italien gehört der Berner Konvention an und schloß mit Frankreich die Konvention vom 9. Juli 1884, welche die Hauptpunkte der französisch-deutschen und französisch-spanischen Konvention enthält.

Luxemburg gehört der Berner Konvention an, infolgedessen ist bis auf einige unwesentliche Punkte die zwischen Frankreich und Luxemburg geschlossene Konvention vom 16. Dezember 1865 gegenstandslos geworden.

Mexiko. Der zwischen Mexiko und Frankreich geschlossene Freundschafts-Handels- und Schiffahrtsvertrag vom 27. November 1887 enthält im § 21 Absatz 7 die Bestimmung, daß in bezug auf das litterarische und künstlerische Eigentum die vertragschließenden Teile sich gegenseitig als meistbegünstigte Nation behandeln.

Monaco ist der Berner Konvention beigetreten.

Niederlande schloß mit Frankreich die Konvention vom 29. März 1855, welche einen Nachtrag vom 27. April 1860 erhielt. Diese Konvention samt Nachtrag wurde durch Erklärung vom 19. April 1884 aufs neue in Kraft gesetzt.

Norwegen siehe Schweden und Norwegen.

Österreich schloß mit Frankreich die Konvention vom 11. Dezember 1866, deren Fortbestand unterm 18. Februar 1884 erklärt wurde. Diese Konvention ist auch für Ungarn bindend.

Portugal schloß mit Frankreich die gegenwärtig noch giltige Konvention vom 11. Juli 1866.

Salvador besitzt selbst noch kein Urheberrechtsgesetz, hat aber mit Frankreich am 2. Juni 1880 eine Litterarkonvention abgeschlossen, welche zugleich die Rechte der Autoren feststellt und die Strafen bestimmt, welche auf Übertretung dieser Rechte gesetzt sind.

Schweden und Norwegen schloß mit Frankreich eine Übereinkunft am 15. Februar 1884.

Schweiz ist Mitglied der Berner Konvention und schloß mit Frankreich die Konvention vom 23. Februar 1882.

Spanien gehört der Berner Konvention an und schloß mit Frankreich die Konvention vom 16. Juni 1880.

Tunis ist Mitglied der Berner Konvention.

Ungarn siehe oben Österreich.

Betreffs der Beschränkung, welche die Reziprozität in den Litterarkonventionen erfährt, siehe den Artikel „Reziprozität“, Band I dieses Werkes, Seite 85. Die Konventionen, die Frankreich mit Deutschland, Österreich-Ungarn und der Schweiz abgeschlossen hat, sind im Anhange dieses Bandes abgedruckt.

Griechenland.

Der griechische Schutz des Urheberrechtes ist sehr mangelhaft. Den gesetzlichen Bestimmungen zufolge ist wohl der Nachdruck gedruckter Werke, aber nicht der Nachdruck von Manuskripten verboten; ferner ist das Aufführungsrecht nicht geschützt, und der Verleger, der eine größere Auflage druckt, als ihm vertragsmäßig gestattet ist, geht gleichfalls straflos aus. Die Schutzfrist währt nur fünfzehn Jahre nach Erscheinen der ersten Auflage, und ausländische Verleger genießen diesen geringen Rechtsschutz nur dann, wenn sie ein Privilegium erlangt haben, oder wenn das

Land, dem der Verleger angehört, Reziprozität gewährt.

Ein besonderes Gesetz zum Schutze des Urheberrechtes ist in Vorbereitung; gegenwärtig sind folgende gesetzliche Bestimmungen giltig.

Strafgesetzbuch vom Jahre 1833. § 432. Wer ohne Genehmigung des Urhebers, Verfassers, Verlegers, deren Rechtsnachfolger oder Erben während fünfzehn Jahre vom ersten Erscheinen an, im Falle ein Privilegium erteilt wurde, während der Dauer desselben, mittelst der Presse oder durch ein anderes Verfahren Bücher oder andere gedruckte Schriften, musikalische Kompositionen, Stiche, Zeichnungen, geographische Karten unverändert vervielfältigt oder verbreitet, oder wer während desselben Zeitraumes solche von anderen hergestellte, widerrechtliche Vervielfältigungen von Geisteserzeugnissen oder Kunstwerken verkauft, wird zu einer Strafe von 200 bis 2000 Drachmen (160 bis 1600 Mark) verurteilt, ausgenommen den Fall, wenn das verletzte Privilegium eine besondere Strafe vorschreibt. In jedem Falle werden die widerrechtlichen Vervielfältigungen auf Antrag des verletzten Teiles beschlagnahmt, und kann der Verletzte, sobald das Urteil rechtskräftig wird, über die beschlagnahmten Objekte verfügen.

§ 433. Die Vorschriften des vorhergehenden Paragraphen sind anwendbar: 1. zu gunsten der Ausländer, wenn das Land, welchem sie angehören, den griechischen Unterthanen gleichen Rechtsschutz gewährt; 2) auf alle anderen Erfindungen, Geisteserzeugnisse oder Kunstwerke, wenn sie durch besondere in Griechenland erteilte Privilegien gegen Nachahmung geschützt sind.

Gesetz, die Nationalbibliothek betreffend. Vom 24. November 1867. § 2. Die Nationalbibliothek wird bereichert: 1. ... 2. ... 3. durch die von jedem veröffentlichten Buche abzuliefernden zwei Pflichtexemplare.

§ 3. Der Drucker ist zur Abgabe der beiden im § 2³ erwähnten Exemplare verpflichtet. Sie müssen in Athen innerhalb zehn Tage nach der Veröffentlichung dem Vorsteher (Ephoren) der Nationalbibliothek gegen Empfangsbescheinigung ausgefolgt werden, widrigenfalls eine Strafe in der zehnfachen Höhe des Preises eines Exemplares verwirkt ist. Die Einziehung dieser Strafe erfolgt nach dem Gesetze über die Beitreibung öffentlicher Abgaben. Außerhalb Athens müssen die Exemplare der Lokalbehörde übermittelt werden, welche sie unverzüglich dem Ephoren der Nationalbibliothek zusendet; von diesem erhält dann der Drucker die Empfangsbescheinigung übermittelt.

Großbritannien.

Eine klare Übersicht des englischen Verlagsrechtes zu gewinnen, ist nicht leicht, weil es keine einheitliche Gesetzgebung über diesen Gegenstand giebt, sondern nur eine Reihe einzelner Gesetze, welche teils sehr mangelhaft sind, teils einander widersprechen.

Die (abgekürzten) Titel der auf das Verlagsrecht Bezug habenden Gesetze Großbritanniens sind folgende: The Engraving Copyright Act 1734; — The Engraving Copyright Act 1766; — The Copyright Act 1775; — The Prints Copyright Act 1777; — The Sculpture Copyright Act 1814; — The Dramatic Copyright Act 1833; — The Lectures Copyright Act 1835; — The Prints and Engravings Copyright Act 1836; — The Copyright Act 1836; — The Copyright Act 1842; — The Colonial Copyright Act 1847; — The Fine arts Copyright Act 1862. Das internationale Verlagsrecht wird behandelt in: The international Copyright Act 1844; — The international Copyright Act 1852; — The international Copyright Act 1875; — The international Copyright Act 1885; — außerdem ist noch die Berner Übereinkunft zu berücksichtigen, welche durch Bekanntmachung des Königlichen Geheimen Rats (Order of Council) vom 28. November 1887 in Kraft getreten ist. Es ist jedoch vorläufig noch nicht klar, ob die infolge der Berner Übereinkunft getroffenen Verordnungen überall mit den älteren Gesetzen vereinbar sind. Falls Widersprüche existieren, werden die Gerichtshöfe zu entscheiden haben, welches von den fraglichen Gesetzen als nunmehr ungiltig zu betrachten ist. Folgender Abriß stellt in knapper Form die wichtigsten Paragraphen des englischen Verlagsrechtes dar.

Das Verlagsrecht ist die ausschließliche Befugnis, Erzeugnisse, welche dasselbe zum Gegenstand hat, herzustellen, durch Druck oder auf irgend eine Weise zu vervielfältigen, und falls es sich um ein dramatisches oder musikalisches Werk handelt, dasselbe öffentlich aufzuführen. Gegenstände des Verlagsrechtes sind Bücher, Gemälde, Photographien, Stiche, Bildhauerarbeiten und sonstige Kunstwerke, dramatische und musikalische Werke. Die Erlangung des Verlagsrechtes steht britischen Unterthanen ohne Unterschied ihres Wohnsitzes zu, sowie solchen Personen, welche zur Zeit der Veröffentlichung des zu schützenden Gegenstandes innerhalb des britischen Reiches wohnhaft waren.

Die Dauer des Verlagsrechtes ist: I. Für Bücher, dramatische oder musikalische Werke der längere folgender zwei Zeiträume: a) 42 Jahre vom Datum der Veröffentlichung, b) während der Lebenszeit des Verfassers und eines weiteren Zeitraumes von sieben Jahren. Nachgelassene Werke sind 42 Jahre von der Veröffentlichung an geschützt. II. Für Gemälde und Photographien während der Lebenszeit des Verfassers und eines weiteren Zeitraumes von 7 Jahren. III. Für Stiche während 28 Jahren. IV. Für Bildhauerarbeiten während 14 Jahren, und falls der Bildhauer dann noch lebt, für weitere 14 Jahre. Hat der Besitzer einer Zeitschrift das Verlagsrecht eines darin erschienenen Artikels vom Verfasser erworben, so fällt dasselbe nach 28 Jahren an den Verfasser zurück; auch ist dem Besitzer der Zeitschrift verboten, innerhalb desselben Zeitraumes einen Sonderabdruck des Artikels ohne Zustimmung des Verfassers zu veranstalten.

Das Verlagsrecht an einem Roman schließt nicht das alleinige Recht, denselben zu dramatischen Zwecken zu verarbeiten, in sich. Wenn nach dem Tode des Verfassers der dermalige Besitzer des Verlagsrechtes sich weigert, das Buch wieder drucken zu lassen, so ist der Gerichtsausschuß des königlichen Staatsrates (Judicial Committee of the Privy Council) ermächtigt, dasselbe durch andere Personen drucken zu lassen. Die Krone besitzt das Recht von Zeit zu Zeit die alleinige Befugnis zum Druck folgender Werke zuzuerkennen: des Textes der gesetzlich anerkannten Übersetzung der Bibel; des Textes des Book of Common Prayer und des Textes der Parlamentsakten.

Die Universitäten zu Oxford, Cambridge, Edinburgh, Glasgow, S. Andrew's, Aberdeen, die Colleges in Oxford und Cambridge, Eton, Westminster, Winchester und Trinity College Dublin besitzen ein ewiges Verlagsrecht an den ihnen geschenkten oder vermachten Werken, solange dieselben nur in der Druckerei des betreffenden Instituts gedruckt werden.

Um das Verlagsrecht zu erlangen, muß die erste Veröffentlichung in dem vereinigten Königreich, oder in diesem gleichzeitig mit der ersten Veröffentlichung in irgend einem anderen Lande geschehen. Dramatische und musikalische Werke müssen zum ersten Male im vereinigten Königreich öffentlich aufgeführt werden; sie dürfen auch nicht vor dieser ersten Aufführung als Buch veröffentlicht werden. Die Register für Verlagsrechte werden von der Stationers Company geführt. Durch Vernachlässigung der Eintragung verwirkt man sein Verlagsrecht nicht, jedoch muß die Eintragung erfolgen, ehe man einen Prozeß wegen Verletzung seines Verlagsrechtes einleiten kann.

Ein Exemplar der ersten Auflage und aller folgenden Auflagen eines Buches, welche Änderungen oder Vermehrungen enthalten, ist an das British Museum abzuliefern und auf Verlangen an folgende Bibliotheken: Bodleian Library, Cambridge University Library, Advocates Library Edinburgh, Trinity College Dublin.

Infolge Beitrittes Großbritanniens zur Berner Konvention sind für das internationale Verlagsrecht folgende Bestimmungen zu berücksichtigen:

Der Verfasser eines Werkes, welches nach dem 6. Dezember 1887 in einem der auswärtigen (d. h. nicht englischen) zur Berner Übereinkunft beigetretenen Länder veröffentlicht wird, hat im britischen Reiche dieselben Rechte, als wenn sein Werk zum ersten Male im vereinigten Königreich veröffentlicht worden wäre, jedoch mit dem Vorbehalte, daß diese Rechte nicht länger dauern sollen als sein Verlagsrecht in dem Lande, in welchem er sein Werk veröffentlicht hat. Werke, welche vor dem obengenannten Datum erschienen sind, werden gemäß der internationales Verlagsrecht betreffenden Gesetze geschützt.

Wenn der fragliche Verfasser nicht Unterthan oder Bürger eines der auswärtigen Länder des Verbandes ist, kann er selbst keine Rechte im britischen Reiche erwerben, dieselben gehen vielmehr auf den Verleger über, der in dieser Hinsicht als der Verfasser betrachtet wird, jedoch ohne Beeinträchtigung der Rechte des wirklichen Verfassers gegen den Verleger. Frühere Verordnungen des geheimen Rates sind aufgehoben, jedoch werden alle auf Grund der früheren Verordnungen und Gesetze erworbenen und bestehenden Rechte durch diese Verordnung (vom 28. November 1887) nicht beeinträchtigt.

Vom Augenblicke des Inkrafttretens der Berner Konvention sind außer Kraft gesetzt die Konventionen mit Preußen vom 27. August 1846, Sachsen vom 26. September 1846, Braunschweig vom 24. April 1847, Staaten Thüringens vom 10. August 1847, Hannover vom 30. Oktober 1847, Oldenburg vom 11. Februar 1848, Frankreich vom 10. Januar 1852, Anhalt-Dessau und Anhalt-Bernburg vom 11. März 1853, Hamburg vom 25. November 1853 und 8. Juli 1855, Belgien vom 8. Februar 1855, Preußen, Königreich Sachsen und Sachsen-Weimar vom 19. Oktober 1855, Spanien vom 24. September 1857 und 20. November 1880, Sardinien vom 4. Februar

1861, Hessen-Darmstadt vom 5. Februar 1862, Italien vom 9. September 1865, Deutschland vom 24. September 1886.

Das Hauptzollamt in London hat folgende Bekanntmachung erlassen, die Schritte betreffend, welche zu thun sind, um das internationale Verlagsrecht in England zu erlangen.

Eine Meldung ist bei dem Hauptzollamt abzuliefern, welche folgendes enthalten muß: 1. den Titel des Buches (eine Abschrift des Titelblattes ist der Meldung beizulegen), 2. den Tag, an welchem das Verlagsrecht in dem Lande des Ursprungs anfängt, und den Tag, an welchem dasselbe aufhört, 3. eine Bescheinigung, daß das Verlagsrecht in dem Lande des Ursprungs thatsächlich existiert.

Die Meldung kann entweder vom Verfasser selbst oder von einem Vertreter im vereinigten Königreich eingereicht werden. Im ersten Falle muß der Verfasser den Namen seines Vertreters im vereinigten Königreich angeben, mit welchem sich das Zollamt vorkommenden Falles in Verbindung setzen kann. Die Meldung muß im vereinigten Königreich nach den daselbst giltigen Vorschriften beglaubigt werden.

Als Verbandsländer im Sinne dieser Verordnung gelten: Deutschland, Belgien, Spanien, Frankreich, Haiti, Italien, Tunis und die Schweiz.

Bezüglich dieser Vorschriften, deren Erfüllung den Schutz des internationalen Urheberrechtes bezwecken sollen, entnehmen wir dem Journal général de l'Imprimerie et de la Librairie vom 2. Juni 1888 folgendes:

Als Unterzeichner der Berner Konvention hat die großbritannische Regierung, in Ausführung des § 12 dieser Konvention, welcher lautet:

„Jedes nachgedruckte oder nachgebildete Werk kann bei der Einfuhr in diejenigen Verbandsländer, in welchen das Originalwerk auf gesetzlichen Schutz Anspruch hat, beschlagnahmt werden.

Die Beschlagnahme findet statt nach den Vorschriften der inneren Gesetzgebung des betreffenden Landes"

diese Bekanntmachung veröffentlicht, um an die allgemeinen Zollvorschriften zu erinnern und den Exekutivbeamten, in bezug auf Erkennung und Beschlagnahme unberechtigter Vervielfältigungen, den Dienst zu erleichtern.

Die Vorschriften dieser Bekanntmachung beschränken jedoch keineswegs den Schutz, welcher nach § 2 der Berner Konvention den Werken der Litteratur und Kunst gewährt wird; es sind dies nur fakultative Präventivmaßregeln. Die Schriftsteller, Künstler oder

Verleger, welche die Erfüllung dieser Formalitäten unterlassen, verlieren keinesfalls das Recht, den Nachdrucker oder den Verbreiter von Nachdrucken durch die großbritannischen Gerichte zu verfolgen (§ 11 der Konvention). Die Regierung will nur durch diese Formalitäten für den Fall einer nötig werdenden gerichtlichen Verfolgung den Klägern den Beweis ihres Rechtsanspruches erleichtern.

Ein Nachdruck ist oft schwer zu erkennen, weil der Nachdrucker denselben dem Originalwerke möglichst ähnlich zu machen sucht. Es ist darum wichtig, daß die mit der Beschlagnahme betrauten Beamten informiert sind, einerseits über die Werke, deren Rechte geschützt sind, und andererseits über den Inhalt und den Eigentümlichkeiten der Werke, um das Original vom Nachdruck unterscheiden zu können. Es unterliegt also dem Ermessen der Beteiligten, ob sie es für vorteilhaft erachten, die von Großbritannien vorgeschriebenen Formalitäten zu erfüllen.

Guatemala.

Dekret über das litterarische Eigentum. Vom 29. Oktober 1879. Die Einwohner der Republik haben das ausschließliche Recht, ihre Schriftwerke, mündlichen Vorträge jeder Art auf beliebige Weise und durch ein beliebiges Verfahren zu veröffentlichen und zu vervielfältigen. In politischen Versammlungen gehaltene Reden, sowie in periodischen Publikationen veröffentlichte wissenschaftliche oder litterarische Artikel, Originaldichtungen, dürfen nur vom Urheber in besonderen Kollektionen veröffentlicht werden. Die Veröffentlichung von Privatbriefen ist nur mit Genehmigung der beiden Personen, zwischen welchen die Briefe gewechselt wurden, gestattet, sofern nicht die Veröffentlichung zur Geltendmachung eines Rechtes, im öffentlichen Interesse oder im Interesse der Wissenschaft geschieht.

Das litterarische Eigentum genießt fortdauernden Schutz und geht nach dem Tode des Autors auf dessen Erben über. Es kann veräußert werden wie jedes andere Eigentum und der Erwerber erlangt alle Urheberrechte, je nach den Bedingungen des Vertrages.

Der Autor kann nicht gehindert werden, ein Werk, dessen Eigentum er bereits einem andern übertragen hat, mit wesentlichen Änderungen versehen, neu herauszugeben. Vorkommenden Falles hat der Richter über die Zulässigkeit der Herausgabe mit Zuziehung von Sachverständigen zu entscheiden. Die Erben oder Verleger posthumer Werke geniessen die gleichen Rechte wie der Autor. Anonyme oder pseudonyme Werke geniessen vollen Schutz, sobald der Urheber, dessen Erben oder Bevollmächtigte ihr litterarisches Eigentum daran beweisen; andernfalls steht dem Verleger dieser Werke das litterarische Eigentum zu. Akademien, sowie anderen wissenschaftlichen oder litterarischen Anstalten steht das Eigentumsrecht an die von ihnen herausgegebenen Werke zu. Das litterarische Eigentum an einem unteilbaren Sammelwerk genannter Autoren gehört allen Mitarbeitern gemeinsam. Im Falle einer Differenz entscheidet die Majorität, kann sich keine solche bilden, so hat der Richter zu entscheiden. Stirbt einer der Mitarbeiter ohne Erben oder andere Rechtsnachfolger zu hinterlassen, so fällt sein Anteil den übrigen Mitarbeitern zu. Ist der von jedem einzelnen Mitarbeiter gelieferte Teil erkennbar, so steht jedem Autor nur für den von ihm gelieferten Teil das Eigentumsrecht zu. Wird das Gesamtwerk von einer Person herausgegeben, so hat diese Person das litterarische Eigentum am Gesamtwerke, jedoch steht es den Mitarbeitern frei, ihre Beiträge besonders herauszugeben, was dem Herausgeber des Gesamtwerkes nicht gestattet ist.

Aus politischen Zeitungen dürfen Artikel (jedoch nur mit vollständiger Quellenangabe) abgedruckt werden. Diese Erlaubnis erstreckt sich aber nicht auf litterarische, wissenschaftliche oder künstlerische Artikel, einerlei ob dieselben Original oder Übersetzungen sind.

Jeder Autor ist berechtigt, sich das Übersetzungsrecht für einzelne oder alle Sprachen vorzubehalten. Der Übersetzer hat für seine Übersetzung den gleichen Schutz wie für ein Originalwerk, kann aber andere Übersetzungen nicht verhindern, sofern er nicht das ausschließliche Übersetzungsrecht erworben hat.

Anmerkungen, Kommentare zu dem Werke eines anderen dürfen nur mit Genehmigung des betreffenden Autors mit dem Werke zusammen veröffentlicht werden. Die Genehmigung des Autors ist auch nötig, wenn man aus dessen Werk einen besonderen Auszug herstellen will. Ist dieser Auszug wertvoll und von allgemeiner Nützlichkeit, so kann die Regierung nach Anhörung zweier von den beiden Parteien ernannten Sachverständigen den Druck desselben gestatten. Der Autor des Originalwerkes kann aber verlangen, daß seine Name auch am Auszuge genannt werde, und ferner hat er Anspruch auf eine Entschädigung, bezüglich deren Höhe die gleichen Sachverständigen und interessierten Teile gehört werden.

Die in öffentlichen Archiven gesammelten Manuskripte sind Eigentum der Nation und dürfen infolgedessen nur mit Genehmigung der Regierung veröffentlicht werden. Dasselbe gilt für Werke, welche von der Regierung selbst veröffentlicht werden, sofern die zwischen der Regierung und den Autoren oder Verlegern getroffenen Vereinbarungen nichts anderes bestimmen.

Der Autor eines jeden Werkes oder dessen Bevollmächtigter muß das ihm zustehende Recht beim Unterrichtsministerium behufs Anerkennung desselben anmelden. Von jedem gedruckten Buche muß er vier Exemplare hinterlegen, wovon je eines für die Nationalbibliothek und für das allgemeine Archiv und die übrigen für das Unterrichtsministerium bestimmt sind. Das Ministerium stellt eine Bescheinigung aus, welche das litterarische Eigentum an dem bezüglichen Werke anerkennt, und die dem Autor vorkommenden Falles als Beweismittel dient. Der Autor eines anonymen oder pseudonymen Werkes, der sein Eigentum am Werke wahren will, hat den zu deponierenden vier Exemplaren einen verschlossenen und außen beliebig bezeichneten Umschlag beizufügen, welcher seinen Namen enthält. Mit Ausnahme jener Werke, welche unter diese Bestimmung fallen, müssen alle Autoren, Übersetzer und Verleger am Titel der von ihnen veröffentlichten Werke ihre Namen, das Datum der Veröffentlichung und sonstige Angaben, die sie zur Wahrung ihrer Rechte für nötig erachten, bekanntmachen, widrigenfalls sie ihrer Rechte über das litterarische Eigentum verlustig gehen.

Wer das Werk eines andern unberechtigt nachdruckt, ist zum Ersatz des dem Autor verursachten Schadens und zur Zahlung der gesamten Gerichtskosten verpflichtet; die nachgedruckten Exemplare werden beschlagnahmt und dem verletzten Autor oder dessen Bevollmächtigten ausgefolgt. Die Höhe des Schadens wird vom Richter festgesetzt. Im Rückfalle wird der Thäter außerdem noch zu einer Strafe von 100—1500 Piastern (400—6000 Mark) verurteilt und bei einem zweiten Rückfalle kann der Richter überdies noch auf Gefängnisstrafe von vier Monaten bis zu einem Jahre erkennen.

Auf Ersuchen des Autors muß ein beabsichtigter widerrechtlicher Nachdruck oder die beabsichtigte Verbreitung eines Nachdruckes durch den Gerichtshof erster Instanz jenes Kreises, wo das Vergehen begangen werden soll, verhindert werden.

Haïti.

Das Gesetz über das litterarische und künstlerische Eigentum vom 8. Oktober 1885 ist, soweit die Strafbestimmungen in Betracht kommen, durch das Strafgesetzbuch vom Jahre 1835, §§ 347 bis 351 zu ergänzen; im nachfolgenden Abriß haben wir die beiden Gesetze vereinigt.

Unter der Bezeichnung „Werke der Litteratur und Kunst" sind zu verstehen: Bücher, Broschüren, Schriftwerke jeder Art, dramatische Werke jeder Gattung, musikalische Kompositionen mit oder ohne Text, Arrangements von musikalischen Werken, Werke der zeichnenden und malenden Kunst, Bildhauerarbeiten, Stiche, Lithographien, geographische Karten, Pläne, wissenschaftliche Entwürfe, Skizzen und im allgemeinen jedes wie immer geartete, litterarische, wissenschaftliche oder künstlerische Werk, welches durch irgend ein Verfahren vervielfältigt werden kann. Die Urheber diese Werke genießen das ausschließliche Recht, dieselben zu vervielfältigen, zu verkaufen, aufzuführen oder in irgend eine Sprache zu übersetzen. Dieses Recht, welches auch übertragbar ist, genießen die Urheber während der Zeit ihres Lebens und ebenso deren Witwen während ihrer Lebenszeit. Die Kinder der Urheber sind zwanzig Jahre, andere Erben oder Eigentümer zehn Jahre in ihrem litterarischen und künstlerischen Eigentume geschützt. Die Eigentümer posthumer Werke genießen die Rechte der Urheber unter der Bedingung, daß diese Werke für sich allein erscheinen.

Der Urheberrechtsschutz wird nur solchen (wo immer erscheinenden) Werken gewährt, welche von Autoren herrühren, die in Haïti staatsangehörig sind und wenn innerhalb des Jahres der Veröffentlichung fünf Exemplare des Werkes beim Staatssekretär des Innern hinterlegt worden sind.

Die Veröffentlichung, Vervielfältigung, Ausstellung, Aufführung von Werken der Litteratur und Kunst ist nur mit schriftlicher Genehmigung des Urhebers oder dessen Rechtsnachfolger gestattet. Auf Antrag des Berechtigten ist die kompetente Behörde verpflichtet, alle widerrechtlich hergestellten Vervielfältigungen eines Werkes zu konfiszieren. Als Verstoß gegen dieses Gesetz gilt es auch, wenn im Auslande hergestellte widerrechtliche Vervielfältigungen in Haïti eingeführt werden und wird die Konfiskation auch beim Importeur oder beim Verkäufer vorgenommen. Die konfiszierten Exemplare werden stets dem Urheber ausgefolgt. Der Veranstalter einer widerrechtlichen Vervielfältigung oder der Importeur einer solchen wird auf Antrag des Urhebers und auch zu dessen Gunsten zur Zahlung einer Summe verurteilt, welche dem Preise von tausend Exemplaren der Originalausgabe des Werkes gleichkommt. Der Verkäufer einer widerrechtlichen Vervielfältigung wird (gleichfalls zu gunsten des Urhebers) zur Zahlung einer, dem Preise von 200 Exemplaren der Originalausgabe gleichkommenden Summe verurteilt. Im Falle einer unrechtmäßigen Aufführung erfolgt Konfiskation der Einnahme, welche dem Urheber des Werkes ausgefolgt wird, und der Direktor des Theaters hat noch außerdem eine Strafe von 24 bis 80 Gourdes (96 bis 320 Mark) zu zahlen.

Hawaï.

Gesetz, betreffend die Eintragung der Eigentumsrechte der Urheber. Vom 23. Juni 1888. Die Urheber von Karten, Büchern, Seekarten, musikalischen Kompositionen, Stichen jeder Art, Photographien, Werken der zeichnenden, malenden und plastischen Kunst, sowie die Urheber von Modellen und Skizzen, die bestimmt sind, in ihrer Vollendung ein geistiges Erzeugnis oder ein Kunstwerk darzustellen, können eine Bescheinigung zum Schutze ihres Eigentumsrechtes erlangen. Zu diesem Zwecke muß der Urheber ein Gesuch an das Ministerium des Innern richten. In diesem Gesuche muß er beschwören, der erste und wirkliche Urheber des betreffenden geistigen Erzeugnisses zu sein, und bittet er deshalb um die Bescheinigung, welche sein Eigentumsrecht an dem Werke anerkennt. Geht ein derartiges Gesuch von dem Eigentümer eines posthumen Werkes aus, so muß der Gesuchsteller darin beschwören, er glaube, daß der genannte verstorbene Autor der erste und wirkliche Urheber des Werkes sei. Wenn das Werk schon veröffentlicht ist, so muß dem Gesuche ein Exemplar beigefügt werden; ist das Werk noch nicht veröffentlicht, so muß die Abschrift des Titels beigelegt werden. In diesem Falle aber ist innerhalb eines Monates nach der Veröffentlichung ein Exemplar des Werkes beim Ministerium des Innern zu deponieren. Beim Einreichen des Gesuches muß eine Gebühr von 5 Dollars (20 Mark) erlegt werden.

Infolge dieses Gesuches wird, wenn die Gebühr bezahlt worden ist, dem Urheber vom Ministerium des Innern eine Bescheinigung ausgefolgt, laut welcher er für sich und seine Rechtsnachfolger während zwanzig Jahren innerhalb des Königreichs Hawaï das ausschließliche Recht der Vervielfältigung und der Veröffentlichung seines Werkes besitzt. Der Urheber muß aber, um sein Eigentumsrecht am Werke ausüben zu können, am Titelblatte oder auf der nächsten darauf folgenden Seite, wo dies nicht möglich ist, auf einer sichtbaren Stelle des Werkes die Bezeichnung anbringen: „Eigentum des Urhebers A. B. Hawaï den .... 18..“ (Weitere wesentliche Bestimmungen enthält das Gesetz nicht.)

Honduras.

Der § 663 des bürgerlichen Gesetzbuches vom Jahre 1880 bestimmt, daß die Erzeugnisse des Talentes und des Geistes Eigentum ihrer Urheber seien, dieses Eigentum jedoch durch besondere Gesetze geregelt werden soll. Ein besonderes Gesetz über das Urheberrecht ist aber bisher noch nicht erlassen worden, jedoch hat Honduras den noch nicht rechtskräftigen zwischen den fünf Republiken in Mittelamerika geschlossenen Vertrag unterzeichnet. Siehe Costarica, Seite 14.

Japan.

Drei kaiserliche Verordnungen (Nr. 77—79) vom 28. Dezember 1887 regeln das Urheberrecht in Japan. Die Verordnung Nr. 77 handelt vom Eigentumsrecht an Werken der Litteratur, der zeichnenden und malenden Kunst, exklusive des Aufführungsrechtes dramatischer und musikalischer Werke, welches die Verordnung Nr. 78 regelt; die Verordnung Nr. 79 bestimmt das Eigentumsrecht an Photographien. Es herrschen ziemlich geordnete Rechtsverhältnisse, welche teilweise manchem europäischen Staate zum Muster dienen könnten. Im nachstehenden Resumee ist, der Kürze halber, immer von Werken der Litteratur und Kunst die Rede, wozu aber zu bemerken ist, daß die plastische Kunst hier nicht inbegriffen ist.

Der Urheber eines Werkes der Litteratur und Kunst oder einer Photographie hat das ausschließliche Recht aus der Vervielfältigung, dem Verkaufe oder der öffentlichen Aufführung seines Werkes Nutzen zu ziehen. Dieses ausschließliche Recht kann jeder erlangen, der ein Werk der Litteratur und Kunst veröffentlicht und die Vorschriften dieses Gesetzes erfüllt.

Wer den Schutz seiner Urheberrechte beansprucht, muß vor der Veröffentlichung des Werkes ein diesbezügliches Ersuchen an das Ministerium des Innern richten. Diesem Gesuche muß beigefügt werden ein Betrag, der dem Preise von sechs Exemplaren des Werkes gleich ist. Wird der Schutz um eine Photographie nachgesucht, so müssen dem Gesuche außerdem noch zwei Probeabzüge beigelegt werden. Wenn Staatsverwaltungen sich das Eigentumsrecht an einem von ihnen veröffentlichten Werke wahren wollen, so haben sie dies beim Ministerium des Innern anzuzeigen. Werke, deren Urheberrechte geschützt sind, müssen während der Dauer der Schutzfrist die Bezeichnung tragen Aëwes Han-kon-sno-yü (Autorrechte vorbehalten); wenn diese Bezeichnung fehlt, so ist die Vervielfältigung des Werkes jedem erlaubt. Dramatische und musikalische Werke müssen auch mit der Bemerkung „Aufführungsrecht vorbehalten" versehen sein, wenn der Autor des Werkes die öffentliche Aufführung von seiner Genehmigung abhängig machen will. Das Aufführungsrecht ist ebenso lange geschützt wie das Vervielfältigungsrecht.

Vom Ministerium des Innern wird ein Register geführt, worin die Urheberrechte in der Reihenfolge ihrer Anmeldung eingetragen werden. Über jede Eintragung wird eine Bescheinigung ausgefolgt. Bei Verlust dieser Bescheinigung, wird sie auf Ersuchen gegen eine Gebühr von 50 Sen (2 M. 6 Pf.) vom Ministerium des Innern neu ausgestellt. Das Ministerium veröffentlicht von Zeit zu Zeit im offiziellen Organe eine Liste der eingetragenen Werke.

Das Recht zur Herausgabe einer Sammlung von Reden und Vorträge eines Redners gebührt dem Redner; wenn jemand eine solche Ausgabe mit Genehmigung des Redners veranstaltet, so wird das Urheberrecht an der Sammlung zu gunsten des Herausgebers und dessen Erben geschützt. Das Übersetzungsrecht ist vom Urheber des Originalwerkes zu erwerben. Der Übersetzer eines Werkes wird, in bezug auf seine Übersetzung, als Urheber geschützt. Staatsverwaltungen, Schulen, gelehrte Gesellschaften &c. sind als Urheber, in bezug auf die von ihnen herausgegebenen Werke, geschützt. Der Herausgeber eines Sammelwerkes genießt das Urheberrecht an dem Gesamtwerke, während die Rechte der einzelnen Mitarbeiter und deren Erben von der mit dem

Herausgeber getroffenen Vereinbarung abhängig sind. Alle Rechte können beschränkt und unbeschränkt übertragen oder verkauft werden.

Das Eigentumsrecht an Werken der Litteratur, der zeichnenden und malenden Kunst, sowie das Aufführungsrecht dramatischer und musikalischer Werke ist während der Lebenszeit des Autors und fünf Jahre nach dessen Tode geschützt. Wenn auf diese Weise, vom Monate der Eintragung des Werkes an gerechnet, die Schutzfrist geringer ist als 35 Jahre, so wird sie auf diesen Zeitraum verlängert. Bei einem von mehreren Autoren hergestellten Werke richtet sich die Schutzfrist nach dem zuletzt sterbenden Autor. Werke, welche von Staatsverwaltungen, Schulen, gelehrten Gesellschaften ꝛc. herausgegeben sind, werden, vom Monate ihrer Eintragung an gerechnet, 35 Jahre lang geschützt. Bei Werken, welche in Lieferungen, Abteilungen ꝛc. erscheinen, wird die Schutzfrist vom Monate der Veröffentlichung einer jeden Lieferung, Abteilung ꝛc. an gerechnet; jede Lieferung, Abteilung ꝛc. muß aber besonders zur Eintragung gelangen. Für Revüen oder ähnliche periodische Erscheinungen kann mit Erlaubnis des Ministeriums des Innern von der Eintragung jeder einzelnen Nummer abgesehen werden. Photographien sind zehn Jahre vom Ablaufe des Monates der Eintragung an gegen Nachbildung geschützt. Das Urheberrecht an einer Photographie gehört dem Photographen; wenn dieser eine Platte von einem andern zur Aufbewahrung erhält, so hat nur derjenige, der die Platte in Verwahrung gab, das Recht zur Vervielfältigung der Photographie und er kann auch die Platte jederzeit vom Photographen verlangen. Bildnisse von Personen dürfen nur mit Genehmigung der abgebildeten Person vervielfältigt werden, auch wenn die Photographie nicht eingetragen wurde.

Wenn die Veröffentlichung eines der Allgemeinheit besonders nützlichen Werkes der Litteratur oder Kunst große Kosten verursachte, welche während der Schutzfrist nicht eingebracht werden konnten, so kann auf ein diesbezügliches Ersuchen die Schutzfrist vom Ministerium des Innern um zehn Jahre verlängert werden.

Wenn der Besitzer eines Urheberrechtes stirbt, ohne Erben zu hinterlassen, so kann ein anderer für den Rest der Schutzfrist das Urheberrecht an dem hinterlassenen Werke erlangen, wenn er mindestens sieben Tage lang im offiziellen Blatte, in vier anderen in Tokio erscheinenden wichtigen Blättern und in einem am Wohnorte des verstorbenen Urhebers erscheinenden Blatte seine Absicht veröffentlicht und sich innerhalb sechs Monaten von der letzten

Veröffentlichung dieser Bekanntmachung kein rechtmäßiger Erbe des Verstorbenen meldet. Die gleichen Formalitäten sind zu erfüllen, wenn jemand das Eigentumsrecht an einem Werke erlangen will, dessen Autor oder Erben desselben unbekannt geblieben sind.

Die in Journalen erschienenen Artikel, Romane ꝛc., deren Fortsetzung in mindestens zwei Nummern veröffentlicht wurden, dürfen vom Autor zwei Jahre nach dieser Veröffentlichung in Sonderausgabe veröffentlicht werden.

Die unberechtigte Vervielfältigung und der Verkauf eines Werkes der Litteratur, der zeichnenden und malenden Kunst, einer Photographie, wie auch die unberechtigte Aufführung eines dramatischen oder musikalischen Werkes berechtigt den verletzten Urheber zu einem Schadenersatzanspruch. Die Verpflichtung zur Zahlung des Schadenersatzes geht auch auf die Erben des Thäters über. Im Falle der gerichtlichen Verfolgung in Nachdrucksachen kann der Richter auf Antrag des Klägers den Verkauf des Nachdruckes vorläufig verbieten. Der Schaden, welcher durch dieses Verkaufsverbot dem Angeklagten erwächst, ist aber vom Kläger zu ersetzen, wenn der Angeklagte vom Gerichte als unschuldig erkannt wird. Straffällig wegen Verletzung dieses Gesetzes ist auch: wer in der Absicht das Publikum zu täuschen, den Titel eines geschützten Werkes nachahmt; wer ein noch nicht veröffentlichtes Werk ohne Erlaubnis des Autors veröffentlicht; wer ein Werk der Litteratur, der zeichnenden und malenden Kunst durch Photographie vervielfältigt; wer im Auslande hergestellte Nachdrucke von Werken, die in Japan geschützt sind, einführt oder verkauft. Der Erlös für den Verkauf der widerrechtlich hergestellten Exemplare, die Nachdrucksvorrichtungen, sowie die noch unverkauften Nachdrucksexemplare werden beschlagnahmt und dem Kläger ausgefolgt.

Für Vergehen gegen dieses Gesetz wird der Veranstalter der widerrechtlichen Vervielfältigung, wie auch der Drucker und der Verkäufer verantwortlich gemacht. Die gerichtliche Verfolgung tritt nur auf Antrag des Verletzten ein. Außer zur zivilrechtlichen Entschädigung werden die Thäter noch verurteilt: zu Gefängnis von einem Monate bis zu einem Jahre oder zu einer Geldstrafe von 20 bis 300 Jen. (82 Mark 40 Pf. bis 1236 Mark). War eine Photographie der Gegenstand der Gesetzesübertretung, so wird dies mit Strafe von 20 bis 200 Jen (82 Mark 40 Pf. bis 824 Mark) geahndet. Wer sich auf einem Werke der Litteratur und Kunst die Autorrechte vorbehält, ohne diese Rechte durch Erfüllung der Formalitäten erlangt zu haben, wird zu einer Strafe von 10 bis 100 Jen (41 Mark 20 Pf. bis 412 Mark) verurteilt, wenn es sich um eine Photographie handelt, so beträgt die Strafe 2 bis 20 Jen (8 Mark 24 Pf. bis 82 Mark 40 Pf.). Wer durch Nachdruck eines nicht geschützten Werkes den Inhalt des Werkes verunstaltet, oder den Titel verändert oder den Autornamen unterdrückt, resp. einen falschen Namen nennt, wird zu einer Strafe von 2 bis 100 Jen (8 Mark 24 Pf. bis 412 Mark) verurteilt.

Die Verpflichtung zum Schadenersatze wegen Verletzung des Autorrechtes an einem Werke der Litteratur und Kunst verjährt drei Jahre nach Ablauf der Schutzfrist des betreffenden Werkes. Die strafrechtliche Verantwortung verjährt zwei Jahre nachdem der Gegenstand des Vergehens zum letztenmale verbreitet, oder wenn eine Verbreitung nicht stattgefunden hat, zum letztenmale gedruckt wurde. Die Verpflichtung zum Schadenersatz wegen unberechtigter Aufführung eines dramatischen oder musikalischen Werkes verjährt in einem Jahre, von dem Monate an gerechnet, in welchem die letzte unberechtigte Aufführung stattgefunden hat. Ist eine Photographie widerrechtlich vervielfältigt worden, so verjährt die zivilrechtliche Verantwortung ein Jahr nach Ablauf der Schutzfrist des Originals und die strafrechtliche Verantwortung verjährt ein Jahr nach der letzten Herstellung, resp. Verbreitung derselben.

Die Vorschriften des Strafgesetzbuches, betreffend Strafmilderungsgründe im Falle der Selbstanzeige des Thäters, oder straferschwerende Gründe wegen Rückfall oder Zusammentreffen mehrerer Vergehen, sind in Ausführung der Urheberrechtsgesetzgebung nicht anwendbar.

Indien.

In Indien (britische Besitzung) ist durch Gesetz vom Jahre 1847 das Urheberrecht (eigentlich Verlagsrecht) anerkannt worden. Es sind nahezu dieselben Bestimmungen, welche für Großbritannien gelten. (S. Großbritannien, Seite 37.) Das Register zur Eintragung des Verlagsrechtes wird von der indischen Regierung vom Sekretär des Ministeriums des Innern geführt. Von jedem in Indien gedruckten Werke müssen drei vollständige auf dem besten Papier gedruckte Exemplare eingereicht werden. Wer dies unterläßt, muß als Strafe den Wert des Werkes und 50 Rupien bezahlen. Die eingereichten Exemplare werden zu dem für das Publikum bestimmten Barpreise bezahlt. Gegen eine Gebühr von 8 Anna (95 Pfennig) ist jedem Einsicht in das Register gestattet. Für jeden Auszug aus dem Register oder für Eintragung eines Werkes sind 2 Rupien (3 Mark 80 Pf.) zu bezahlen.

Über Niederländisch-Indien siehe Niederlande.

Italien.

Durch Dekret vom 19. September 1882, betreffend die Vereinigung der Gesetze, bezüglich der den Urhebern von Geisteswerken zustehenden Rechte, ist die früher zersplittert gewesene italienische Urheberrechtsgesetzgebung unifiziert worden. Dies Gesetz, sowohl, wie auch die dazu gehörigen Ausführungsbestimmungen vom 19. September 1882 sind auf eine solch umständliche bureaukratische Weise definiert und verklausuliert, daß dadurch die Auslegung des Gesetzes eher erschwert als erleichtert wird. Trotz oder vielleicht infolge dieser umständlichen Definitionen und Klauseln sind nicht unwesentliche Punkte des Urheberrechtes im Gesetze übersehen worden. Posthume, anonyme und pseudonyme Werke sind nicht erwähnt und betreffs der Photographien schweigt das Gesetz gleichfalls. Die allgemeine Ansicht ist, daß posthume Werke 80 Jahre (in zwei im Gesetze näher bestimmten Perioden zu je 40 Jahren) vom Erscheinen an geschützt sind. Dasselbe soll auch für anonyme und pseudonyme Werke unbekannt bleibender Autoren gelten. Betreffs der letzteren beiden erhebt sich jedoch auch Widerspruch, indem man wie in Frankreich den Verleger der Werke als Autor zu betrachten geneigt ist.

Der § 12 des Gesetzes spricht nur jenen Übersetzungen gesetzlichen Schutz zu, welche einer individuellen geistigen Thätigkeit entspringen, nicht aber blos Erzeugnis einer mechanischen Arbeit oder eines chemischen Prozesses sind. Nach § 13 genießt der Übersetzer eines Werkes Urheberrechte, was auch für Übersetzungen von Werken der Kunst gelten soll. Es frägt sich nun, ob die Photographie eine Übersetzung oder eine Vervielfältigung des Kunstwerkes darstellt. Das Gesetz entscheidet diese Frage nicht, die Gerichtspraxis hat sich aber dahin ausgesprochen, daß die Photographie eine durch chemische oder mechanische Mittel erzeugte Vervielfältigung sei. Dem wird jedoch von seiten der Rechtsgelehrten widersprochen, welche die Photographie für eine Übersetzung des Kunstwerkes erklären. Die Entscheidung dieser Frage ist sehr wichtig, da die beiden Rechte von einander vollständig verschieden sind.

Der Inhalt des Gesetzes vom 19. September 1882 ist folgender:

Die Urheber von Geisteswerken haben das ausschließliche Recht diese Werke zu veröffentlichen, zu vervielfältigen und die Vervielfältigungen zu verkaufen. Wenn dieses ausschließliche Recht mehreren Personen gemeinsam gehört, so wird, falls nicht das Gegenteil bewiesen wird, angenommen, daß jede Person den gleichen Anteil hat und berechtigt ist, das gesamte Recht (mit Ausnahme der Veräußerung desselben) auszuüben. Dem Urheber einer musikalischen Komposition, für welche ein besonderer Text gefertigt worden ist, steht das Urheberrecht an dem Texte zu, wenn dieser mit der Musik zusammen veröffentlicht wird; in diesem Falle hat aber der Autor des Textes Anrecht auf Entschädigung. Das Urheberrecht an einem Sammelwerke, das aus mehreren von einander unterschiedenen Teilen besteht, gebührt demjenigen, der den Plan des Ganzen aufgestellt hat, jedoch können die Autoren der einzelnen Teile über ihre Arbeit besonders verfügen, wenn sie bei neuer Veröffentlichung derselben das Sammelwerk als Quelle angeben. Das Urheberrecht kann beliebig veräußert und übertragen werden und kann, solange es im persönlichen Besitze des Urhebers ist, nicht Gegenstand einer Zwangsvollstreckung sein. Die Urheberrechte (ausgenommen das Recht der Veröffentlichung während der Lebenszeit des Urhebers) können im öffentlichen Interesse vom Staate auf dem Wege der Expropriation erworben werden. Ob ein öffentliches Interesse vorliegt, bestimmt der Staatsrat auf Vorschlag des Unterrichtsministers. Die Höhe der dem Urheber zu zahlenden Entschädigung beruht auf beiderseitige Vereinbarung. Ist keine Vereinbarung zu erzielen, so wird der Preis für die Expropriation unter Zuziehung von drei Sachverständigen festgestellt.

Das Urheberrecht ist während der Lebenszeit des Autors und 40 Jahre nach dessen Tod geschützt, oder während 80 Jahre die nach folgendem Modus berechnet werden. Das Urheberrecht wird während der Lebenszeit des Autors geschützt; wenn vom Erscheinen des Werkes bis zum Tode des Autors keine 40 Jahre verflossen sind, so währt der Schutz bis zur Vollendung dieses Zeitraumes zu gunsten der Erben. Nach Ablauf dieser Zeit beginnt eine zweite Periode von 40 Jahren, in welcher jedem die Vervielfältigung und der Verkauf des

Werkes auch ohne Genehmigung der Rechtsnachfolger des Autors gestattet ist, unter der Bedingung, daß fünf Prozent vom Ladenpreise, zu welchem der Nachdruck verkauft wird, dem Rechtsnachfolger des Autors ausgezahlt werden. Wer von diesem Rechte Gebrauch machen will, muß bei der Präfektur seines Wohnortes eine diesbezügliche schriftliche Erklärung abgeben. Diese Erklärung muß enthalten: seinen Namen und Wohnort, das Werk, welches er vervielfältigen will, die Art der Vervielfältigung, die Höhe der Auflage und den Ladenpreis der auf jedem Exemplare bezeichnet sein muß. Dieser Erklärung muß auch das Angebot beigefügt sein, eine Gebühr in der Höhe des Zwanzigstel des Ladenpreises multipliziert mit der Anzahl der herzustellenden Exemplare an den Rechtsnachfolger des Autors zu bezahlen. Mindestens zweimal mit einer Zwischenzeit von zwei Wochen müssen diese Erklärungen in dem am Orte, wo die Vervielfältigung stattfindet, für gerichtliche Bekanntmachungen bestimmten Journale und im offiziellen Organe des Königreichs veröffentlicht werden. Vierteljährlich erfolgt noch eine Veröffentlichung gemeinsam mit den Eintragungen des Urheberrechtes (von welchem weiter unten die Rede ist) im offiziellen Organe des Königreichs.

Das ausschließliche Recht der öffentlichen Aufführung dramatischer, musikalischer, dramatisch-musikalischer und choreographischer Werke besitzt der Urheber oder dessen Rechtsnachfolger 80 Jahre von der ersten Aufführung oder Veröffentlichung an gerechnet. Werke, welche vom Staate, Provinzial- oder Kommunalverwaltungen, Akademien, sowie sonstigen litterarischen, wissenschaftlichen oder künstlerischen Vereinigungen herausgegeben werden, sind 20 Jahre vom ersten Erscheinen an geschützt, unbeschadet des den einzelnen Mitarbeitern zustehenden speziellen Urheberrechts.

Während der ersten zehn Jahre, vom Erscheinen des Werkes an, hat der Urheber auch das ausschließliche Übersetzungsrecht desselben. Die Übersetzung litterarischer und wissenschaftlicher Werke besteht darin, diese in eine andere Sprache auszudrücken. Unter Übersetzung von Werken der zeichnenden, malenden und plastischen Kunst, von Stichen und ähnlichen Erzeugnissen versteht man, daß die Figuren oder Formen nicht bloß mechanisch oder durch einen chemischen Prozeß, sondern durch eine besondere individuelle Arbeit reproduziert werden, so daß sich das neue Erzeugnis seiner Natur nach vom Originalwerke wesentlich unterscheidet, wie etwa der Kupferstich von einem gemalten

Bilde, die Zeichnung von einer Statue ꝛc.

Die öffentliche Aufführung eines Werkes ist während der Schutzfrist nur mit schriftlicher Erlaubnis des Urhebers gestattet. Diese schriftliche und gebührend legalisierte Genehmigung muß bei der Präfektur der Provinz hinterlegt werden, sonst wird die Aufführung nicht gestattet. Vorausgesetzt ist, daß sich der Autor das Aufführungsrecht durch Erfüllung der vorgeschriebenen Formalitäten gewahrt hat.

Alle Fristen zählen von dem Jahre an, in welchem das Werk zuerst veröffentlicht wurde, bei Werken, welche in mehreren Teilen erschienen sind, werden die Fristen für jeden Teil, der nicht im selben Jahre veröffentlicht wurde, apart berechnet. Bruchteile eines Jahres kommen nicht in Rechnung.

Bei Veräußerung einer zur Vervielfältigung dienenden Vorrichtung (Platten, Klischee ꝛc.) wird angenommen, daß das Vervielfältigungsrecht an dem Werke, zu dessen Herstellung die Vorrichtung dient, mit veräußert wurde. Die Zession eines oder mehrerer Exemplare eines Werkes schließt nicht die Veräußerung des Vervielfältigungsrechtes in sich. Die ohne Zeitbegrenzung gegebene Erlaubnis zur Veröffentlichung eines Werkes oder zur Vervielfältigung eines bereits veröffentlichten Werkes, schließt nicht das der Zeit nach unbeschränkte Vervielfältigungsrecht in sich. In solchem Falle entscheidet das Gericht, wann eine neue Vervielfältigung verboten sein soll.

Um den Schutz dieses Gesetzes in Anspruch nehmen zu können, muß bei der Präfektur der Provinz eine Erklärung eingereicht werden, in welcher das Werk, sowie das Jahr, in dem es gedruckt ausgestellt oder sonstwie veröffentlicht wurde, bezeichnet ist. Die Erklärung muß auch ausdrücklich den Vorbehalt der als Autor oder als Verleger des Werkes zu beanspruchenden Rechte verlangen. Ein Exemplar des Werkes, wenn es ein Kunstwerk ist, eine Photographie oder sonstige Reproduktion desselben, muß der Erklärung beigefügt werden. Bei Werken, die zur Aufführung geeignet sind, muß besonders bemerkt werden, ob vor der Veröffentlichung schon eine Aufführung stattgefunden hat, und wenn dies der Fall ist, muß Jahr und Ort der ersten Aufführung angegeben werden. Die zur Aufführung geeigneten Werke, sofern sie noch nicht veröffentlicht sind, müssen zur Wahrung des Aufführungsrechtes im Manuskripte eingereicht werden, welches dem Autor mit dem Visum versehen, wieder zurückgestellt wird. Die innerhalb eines Kalenderjahres erscheinenden Bände eines Werkes oder Nummern fortlaufender periodischer Erscheinungen können jährlich einmal zusammen eingereicht und das Urheberrecht angemeldet werden. Bei Veröffentlichungen in periodischen Druckschriften muß der Vorbehalt des Urheberrechtes an der Spitze der Arbeit bezeichnet sein, widrigenfalls es gestattet ist, diese Arbeit in andern periodischen Blättern unter Quellenangabe nachzudrucken. Zur Veröffentlichung in Sonderausgabe ist nur der Autor berechtigt. Wünscht der Autor eine Sonderausgabe herauszugeben, so muß er bei der Präfektur eine Erklärung bezüglich des Schutzes seines Rechtes, wie oben näher erörtert, einreichen, und auch genau angeben, in welchem Journale und in welchen Nummern desselben die Arbeit zuerst veröffentlicht wurde; die betreffenden Nummern oder Bände des Journals sind zu deponieren. Die angemeldeten Urheberrechte werden monatlich im offiziellen Blatte des Königreichs bekannt gemacht.

Die Abgabe dieser Erklärungen und der Pflichtexemplare hat innerhalb dreier Monate nach Erscheinen des Werkes zu erfolgen. Werden die Formalitäten innerhalb dieser Frist nicht erfüllt, so bedingt dies nicht den Verlust des Urheberrechtes, ausgenommen den Fall, daß in der Zwischenzeit vom Ablauf der gesetzmäßigen Frist und der Erfüllung der Formalitäten jemand das Werk nachgedruckt oder einen Nachdruck zum Zwecke des Verkaufes vom Auslande eingeführt hat. Der Autor kann in diesem Falle den Verkauf der nachgedruckten oder importierten Exemplare nicht verhindern. Wenn ein Autor die vorgeschriebenen Formalitäten während der dem Erscheinen des Werkes folgenden zehn Jahre unerfüllt läßt, so gilt dessen Urheberrecht als erloschen. Für jede Eintragung des Urheberrechtes ist eine Gebühr von 2 Lire (1 M. 60 Pf.) zu bezahlen.

Die ohne Genehmigung des Autors oder dessen Rechtsnachfolger veranstaltete Veröffentlichung oder Vervielfältigung eines noch geschützten Werkes, der Verkauf dieser unberechtigten Vervielfältigungen, die Unterlassung der Anmeldung eines Nachdruckes, der in der zweiten Hälfte der achtzigjährigen Schutzfrist veranstaltet wird, die Herstellung einer höheren, als der vertragsmäßigen Auflage, die Verletzung des Übersetzungsrechtes verpflichtet den Thäter zu Schadenersatz und wird mit Strafe bis zu 5000 Lire (4000 Mark) belegt. Verpflichtung zu Schadenersatz und Strafe bis zu 500 Lire (400 Mark) ist auf die unberechtigte Aufführung eines Werkes gesetzt. Die Nachdrucksexemplare, sowie die zum Nachdruck oder der Nachbildung dienenden Vorrichtungen werden konfisziert und zerstört, sofern der verletzte Teil nicht deren Ausfolgung auf Rechnung seines Entschädigungsanspruches verlangt. Der des Nachdruckes beschuldigte kann aber auch verlangen, daß die Nachdruckexemplare und die zu deren Herstellung dienenden Vorrichtungen bis nach Ablauf der Schutzfrist vom Gerichte verwahrt und ihm dann wieder ausgefolgt werden. Die gerichtliche Verwahrung der Nachdrucksexemplare und Vorrichtungen wird stets verfügt im letzten Jahre der für Wahrung des ausschließlichen Urheberrechtes angesetzten Schutzfrist, sowie auch während jener Zeit, in welcher der Autor kein ausschließliches Recht mehr besitzt, sondern der Nachdruck gegen eine bestimmte Entschädigung jedem erlaubt ist. Wird in diesem Falle die Erklärung über die Höhe der Auflage und dem Ladenpreise des Werkes zum Nachteile des Autors oder dessen Rechtsnachfolger falsch angegeben, so wird der Schuldige mit einer Geldstrafe bis zu 1000 Lire (800 Mark) belegt und ist zur Entschädigung verpflichtet. Mit Geldstrafe bis zu 1000 Lire wird jede in Erfüllung der Formalitäten zur Wahrung des Urheberrechtes abgegebene falsche Angabe geahndet. Jede andere Übertretung des Gesetzes zum Schutze des Urheberrechtes wird mit Geldstrafe bis zu 500 Lire belegt.

Dieses Gesetz ist auch anwendbar auf Autoren, deren Werke in Ländern veröffentlicht sind, mit welchen Italien keine Verträge geschlossen hat, vorausgesetzt, daß das betreffende Land den italienischen Autoren Reziprozität gewährt. Wird die Reziprozität von einem andern Lande den italienischen Autoren unter der Bedingung versprochen, daß den Autoren jenes Landes in Italien Reziprozität des Rechtsschutzes gewährt wird, so ist die königliche Regierung ermächtigt, durch ein Dekret dem zu entsprechen, wenn die Urheberrechtsgesetzgebung jenes Landes sich von den Bestimmungen dieses Gesetzes nicht wesentlich unterscheidet.

Italien hat bisher folgende Litterarkonventionen abgeschlossen: mit Belgien am 24. November 1859, Deutschland am 20. Juni 1884, Frankreich am 9. Juli 1884, Großbritannien am 30. November 1860, Österreich am 22. Mai 1840, Schweden am 22. Juli 1869 und 28. Januar 1879, Schweden und Norwegen am 30. November 1884, Spanien am 28. Juni 1880.

Italien ist auch der Berner Konvention beigetreten.

Kanada.

Ein Gesetz vom 26. Oktober 1874, von der großbritannischen Regierung approbiert durch königliche Verordnung vom 2. August 1875, enthält einige noch jetzt giltige spezielle Bestimmungen über die in Kanada zu erfüllenden Formalitäten. Im übrigen ist dieses Gesetz durch § 8 des großbritannischen Gesetzes vom 25. Juni 1886 aufgehoben, wonach jedes Werk, das in einem Lande britischer Besitzung erschien, auch den Schutz der britischen Gesetze genießt. Die in Kanada zu erfüllenden Formalitäten sind folgende:

Beim Ackerbauministerium wird ein Register geführt, in welchem das Urheberrecht an Werken der Wissenschaft, Litteratur und Kunst zur Eintragung gelangen soll. Das Urheberrecht ist nur dann geschützt, wenn auf dem Titelblatte oder der darauf folgenden Seite eines Buches, bei Karten, musikalischen Kompositionen, Stichen und Photographien, auf der Vorderseite oder am Titelkupfer die Bemerkung angebracht ist: „Nach Vorschrift des kanadischen Gesetzes eingetragen im Jahre .... von N. N. beim Ackerbauministerium.“ Bei Werken der zeichnenden, malenden und plastischen Kunst genügt zur Wahrung des Urheberrechtes die Unterschrift des Künstlers.

Beansprucht eine Person unter ihrem Namen die Eintragung eines Urheberrechtes, welches bereits unter einem anderen Namen eingetragen ist, oder wenn eine Person die Annullierung eines nicht unter ihrem Namen eingetragenen Urheberrechtes verlangt, so ist das Ansuchen vor den kompetenten Gerichtshof zu bringen und ist die Erfüllung der verlangten Formalitäten vom Urteil desselben abhängig. Irrtümer bei Eintragung oder in einer Abschrift derselben haben keinen Einfluß auf die Giltigkeit des Rechtes, werden sie jedoch entdeckt, so können sie mit Genehmigung des Ministeriums korrigiert werden. Anonyme Werke können unter dem Namen des Verlegers eingetragen werden, ohne daß dadurch den Rechten des anonymen Autors oder ersten Verlegers Abbruch geschieht. Die von einem Beamten des Ackerbauministeriums ausgefolgte Abschrift aus dem Register gilt als vollgiltiger Beweis der erfolgten Eintragung.

Für jede Eintragung ist eine Gebühr von 1 Dollar (4 Mark) und für jede Abschrift aus dem Register 50 Cents (2 Mark) zu bezahlen.

Kolumbia.

Das Gesetz vom 26. Oktober 1886 über das litterarische und künstlerische Eigentum, welches größtenteils der spanischen und teilweise auch der französischen Gesetzgebung nachgebildet ist, gewährt den Urhebern einen sehr ausreichenden Schutz. Nur ausländische Autoren sind ziemlich stiefmütterlich behandelt, was um so mehr empfunden wird, da mit Ausnahme des Vertrages mit Spanien vom 28. November 1885, Kolumbia keine Litterarkonventionen abgeschlossen hat.

Unter litterarisches und künstlerisches Eigentum oder Urheberrecht versteht man das nach Erfüllung gewisser Formalitäten den Autoren während einer bestimmten Zeit ausschließlich zustehende Recht der materiellen Nutznießung aus den Erträgnissen ihrer Werke. Der Urheber eines Originalwerkes, der Verfasser einer gesetzlich zulässigen Kompilation, der Herausgeber eines noch nicht veröffentlichten Werkes, wenn er rechtmäßiger Besitzer des Manuskriptes ist, der Staat, Körperschaften oder sonstige juristische Personen, welche Werke der Litteratur und Kunst veröffentlichen, können den Schutz dieses Gesetzes in Anspruch nehmen, sofern die bezüglichen Werke individuelle Erzeugnisse des Geistes der Phantasie oder der Kunst sind.

Ideen, philosophische oder wissenschaftliche Systeme sind nur in der Form, in welcher sie ursprünglich veröffentlich wurden, geschützt, während sie in einer anderen Form frei benutzt werden dürfen. Jedes geistige Erzeugnis ist, sobald die gesetzlichen Formalitäten erfüllt sind, während der Lebenszeit des Urhebers als dessen Eigentum und 80 Jahre nach seinem Tode zu gunsten seiner Erben oder sonstigen Rechtsnachfolger geschützt. Während dieser Zeit ist die Vervielfältigung und Veröffentlichung des Werkes nur mit Genehmigung des Autors gestattet. Dies gilt auch von noch nicht veröffentlichten Werken, für welche die gesetzlichen Formalitäten nicht erfüllt sind. Werke, die bereits Gemeingut geworden sind, dürfen von jedem nachgedruckt werden, doch ist es nicht gestattet, den Namen des Autors zu unterdrücken und Einschaltungen oder sonstige Änderungen am Werke dürfen nur so angebracht werden, daß der Originaltext hiervon wohl unterschieden werden kann.

Das geistige Eigentum ist übertragbar wie jedes andere bewegliche Eigentum. Der Erwerber eines Urheberrechtes hat während der Lebenszeit des Autors, und wenn dieser, ohne Erben zu hinterlassen, stirbt, 80 Jahre lang nach dessen Tode hierauf Anspruch. Hinterläßt der Autor Erben, so verliert der Erwerber des Urheberrechtes 25 Jahre nach dem Tode des Autors sein Recht, welches für die übrigen 55 Jahre der Schutzfrist den Erben zufällt. Der Erwerber eines Urheberrechtes darf an dem Werke keinerlei Veränderungen vornehmen. Wenn der Autor von einem andern mit der Ausarbeitung eines Werkes beauftragt wird, so genießt der Besteller das Urheberrecht während der Autor nur auf das bedungene Honorar Anspruch hat.

Behufs Eintragung des litterarischen Eigentums wird beim Unterrichtsministerium ein Hauptregister geführt und bei den Verwaltungsbehörden der Provinz werden noch besondere Register aufgelegt. In das Hauptregister werden die hier direkt angemeldeten Urheberrechte eingetragen und halbjährlich werden auch die in den Provinzen erfolgten Eintragungen in das Hauptregister übertragen. Über die Eintragung wird eine Bescheinigung ausgefolgt. Bei der Anmeldung zur Eintragung müssen, wenn das Werk gedruckt ist, drei Exemplare desselben eingereicht werden, wovon eines für das Unterrichtsministerium und die beiden anderen für die Nationalbibliothek bestimmt sind. Erfolgt die Eintragung in ein Register der Provinz, so müssen zwei Exemplare des Werkes beim Unterrichtsministerium eingereicht werden. Eines dieser beiden Exemplare verbleibt daselbst und das zweite ist für die Nationalbibliothek bestimmt; ein drittes Exemplar wird der Provinzialbibliothek, wenn eine solche besteht, oder einer sonstigen öffentlichen Sammlung der Provinzialhauptstadt übermittelt. Periodische Unternehmungen können semesterweise angemeldet und die Pflichtexemplare abgegeben werden. Es sind dann sowohl die Rechte des Herausgebers, wie auch diejenigen der einzelnen Mitarbeiter geschützt. Ist ein Werk noch nicht gedruckt, jedoch öffentlich aufgeführt worden, so genügt die Abgabe eines geschriebenen Pflichtexemplares. Kunstwerke, welche in einem einzigen Exemplare hergestellt werden, sind ohne jede Abgabe und ohne Eintragung gesetzlich geschützt.

Die Eintragung muß innerhalb eines Jahres, vom Tage des Erscheinens gerechnet, erfolgen; geschieht das nicht, so ist das Werk während der folgenden zehn Jahre Gemeingut. Im Laufe des elften Jahres kann der Autor sein Werk eintragen lassen und dadurch sein verlorenes Recht wieder erwerben. Den Verkauf der inzwischen hergestellten Nachdrucksexemplare kann der Autor aber nicht verhindern. Es steht ihm jedoch frei, diese amtlich zählen und abstempeln zu lassen, so daß ein Neudruck verhindert wird. Läßt der Autor dieses elfte Jahr vorübergehen, ohne sein Werk eintragen zu lassen, so wird es definitiv Gemeingut. Die Eintragung der Werke geschieht kostenfrei. Jede Übertragung des Urheberrechtes geschieht durch legalisierten Vertrag, welcher gleichfalls im Register eingetragen werden muß. Wird diese Formalität nicht erfüllt, so kann der Erwerber des Urheberrechtes seine Ansprüche nicht geltend machen.

Bei einem in Fortsetzungen erscheinenden Werke zählen die Fristen vom Tage der Vollendung des Werkes. Der Autor eines Manuskriptes oder eines gedruckten Werkes kann durch Testament den Druck, resp. Neudruck des Werkes bis auf 80 Jahre nach seinem Tode hinausschieben.

Den Schutz dieses Gesetzes genießen alle in Kolumbia staatsangehörigen Urheber, mögen deren Werke wo immer erscheinen; ferner die Autoren jener Länder, in welchen die spanische Sprache vorherrscht, wenn das betreffende Land Reziprozität des Rechtsschutzes gewährt. Der Schutz des Übersetzungsrechtes darf selbst in Konventionen nicht ausgesprochen werden, mit Ausnahme des Übersetzungsrechtes jener fremdsprachlichen Werke, die in Ländern gedruckt sind, wo die spanische Sprache vorherrscht, wie z. B. Werke in lateinischer, baskischer oder katalonischer Sprache, wenn diese in Spanien gedruckt sind. Alle im Auslande gedruckten Werke ausländischer Autoren können frei übersetzt werden unter der Bedingung, daß der Name des Autors genannt wird.

Briefe sind das Eigentum des Adressaten, die Veröffentlichung ist jedoch nur dem Briefschreiber gestattet. Ausgenommen ist der Fall, daß die Briefe vor Gericht als Beweis dienen sollen. Briefe Verstorbener dürfen während 80 Jahren vom Ableben des Briefschreibers nur mit Genehmigung von dessen Familie veröffentlicht werden.

Öffentliche Vorträge dürfen nur mit Genehmigung des Redners veröffentlicht werden. Parlamentarische Reden können nach ihrer offiziellen Veröffentlichung beliebig nachgedruckt werden, doch kann eine Sammlung der Reden eines Autors nur mit Erlaubnis des Redners veranstaltet werden. Gestattet sind kurze Citate zum Zwecke der Kritik, der Abdruck einzelner Stücke zu Anthologien oder sonstigen zu einem bestimmten litterarischen Zwecke dienenden Sammlungen. Übersetzungen oder Auszüge aus größeren Werken dürfen nur mit Genehmigung des Autors des

Originalwerkes herausgegeben werden. Die Übersetzung oder der Auszug wird als Originalwerk geschützt, was nicht verhindert, daß ein anderer von demselben Werke eine andere Übersetzung oder einen Auszug herstellen kann. Kompilationen, sowie Sammlungen von Volksliedern, Sagen 2c. sind geschützt, sofern die Zusammenstellung die Frucht einer besonderen geistigen Arbeit ist. Die in den öffentlichen Archiven und Bibliotheken ruhenden Manuskripte dürfen mit Genehmigung der kompetenten Behörde veröffentlicht werden. Dem zuerst Ansuchenden wird diese Genehmigung erteilt, wobei ihm zugleich eine den Zeitraum von drei Jahren nicht überschreitende Frist bestimmt wird, innerhalb welcher er die Manuskripte herausgeben muß. Dem Herausgeber der Manuskripte wird für sein Werk eine in jedem Falle besonders festzustellende Schutzfrist von 10—40 Jahren gewährt. Der Verleger anonymer, pseudonymer oder posthumer Werke ist zur Wahrung der Urheberrechte berechtigt, unbeschadet der Rechte des Autors, wenn sich dieser bei anonymen oder pseudonymen Werken später nennt. Posthume Werke dürfen aber, um geschützt zu sein, nicht mit andern Werken desselben Autors, welche bereits Gemeingut geworden sind, veröffentlicht werden.

Der Mitarbeiter an einem Sammelwerke hat nur Anspruch auf das bedungene Honorar. Die Schutzfrist an einer unteilbaren, von mehreren Autoren gemeinsam verfaßten Arbeit wird vom Tode des am längsten Lebenden gerechnet. Die Verleger oder Herausgeber von Journalen dürfen die von ihnen erworbenen einzelnen Artikel nur einmal veröffentlichen. Journalartikel dürfen von andern Journalen mit Quellenangabe nachgedruckt werden; ausgenommen sind Artikel, deren Nachdruck besonders verboten ist. Spezialtitel (besonders Titel der Journale) dürfen nicht von andern Unternehmungen benutzt werden, wenn dadurch beim Publikum ein Irrtum über die Identität des Blattes erzeugt wird.

Der wortgetreue Nachdruck von Gesetzen und anderen offiziellen Aktenstücken, wie auch die Beifügung von Kommentaren 2c. ist gestattet. In Prozessen sind die streitenden Parteien Eigentümer der unter ihrem Namen eingereichten und von ihnen bezahlten Prozeßakten; die Veröffentlichung derselben ist nur mit Erlaubnis des Gerichtes gestattet. Rechtsanwälte dürfen die von ihnen im Auftrage anderer ausgearbeiteten Schriftstücke nur mit Genehmigung der Partei und des Gerichtshofes veröffentlichen. Urteilssprüche dürfen gleichfalls nur mit Erlaubnis des Gerichtes veröffentlicht werden und ist das Gericht befugt, diese Erlaubnis beliebig zu beschränken.

Die öffentliche Aufführung eines dramatischen oder musikalischen Werkes ist nur mit vorheriger Genehmigung des Autors gestattet. Entstammt das Werk einem Lande, wo die spanische Sprache vorherrscht und mit welchem Reziprozität des Urheberrechtsschutzes vereinbart wurde, so ist die öffentliche Aufführung nur dann verboten, wenn sich der Autor das Aufführungsrecht ausdrücklich vorbehalten hat. Es steht den Autoren frei beliebige Bedingungen für das Recht der öffentlichen Aufführung aufzustellen. Zur öffentlichen Aufführung von Arrangements Transpositionen 2c. bedarf es der Genehmigung des ursprünglichen Autors. Transpositionen werden als Übersetzungen betrachtet und unterliegt es nötigenfalls dem Urteile Sachverständiger, ob durch eine Transposition die Urheberrechte des Originalkomponisten berührt sind oder nicht.

Das Ausstellen, Vervielfältigen oder Verkaufen eines Porträts oder einer Büste ist nur mit Genehmigung der abgebildeten Person, oder wenn diese verstorben ist, mit Genehmigung deren Familie erlaubt. Das definitive Recht der fortdauernden Vervielfältigung und des Verkaufes eines Porträts kann nur durch förmlichen Vertrag erworben werden. Mit dem Verkaufe eines Kunstwerkes wird auch das Vervielfältigungsrecht desselben abgetreten. Soll das Gegenteil der Fall sein, so muß dies besonders vereinbart werden. Als Vergehen gegen dieses Gesetz gilt es, wenn jemand das Werk eines andern als das seinige eintragen läßt, oder wenn jemand ein noch geschütztes Werk vervielfältigt oder den im Auslande hergestellten Nachdruck importiert. Im letzten Falle ist nicht nur der Importeur selbst, sondern auch derjenige, der den Import besorgt, straffällig. Ein Vergehen gegen dieses Gesetz ist auch der in Kolumbia veranstaltete Nachdruck spanischer Werke, die in einem Lande erschienen sind, mit welchem reziproker Schutz des geistigen Eigentums vereinbart wurde. Strafbar ist auch der Drucker, der sich eine größere Anzahl von Exemplaren des Werkes zurückbehält, als ihm vertragsmäßig gestattet ist. Als straferschwerend ist anzusehen, wenn die verbotene Vervielfältigung zum Zwecke der Einführung in Kolumbia im Auslande veranstaltet wurde oder wenn der Titel oder Text des Werkes geändert, resp. gefälscht worden ist.

Der Thäter wird mit Strafe belegt in der Höhe des einfachen bis zur Höhe des dreifachen Schadens, welchen er verursacht hat; außerdem werden die widerrechtlich hergestellten Exemplare beschlagnahmt und der verletzten Person ausgefolgt. Ist der Veranstalter des Nachdruckes nicht bekannt, so bleibt der Verleger, Drucker und Verkäufer verantwortlich, sofern die genannten Personen nicht nachweisen, daß sie an dem Vergehen unwissentlich beteiligt sind. Wer widerrechtliche Vervielfältigungen importiert, ist in jedem Falle verpflichtet, die Exemplare, die er besitzt, dem verletzten Autor auszufolgen und ihm den Wert der verkauften Exemplare auszuzahlen. Hat ein Autor die Buchhändler vom Vorhandensein eines verbotenen Nachdruckes seines Werkes benachrichtigt, und haben Buchhändler nach dieser Anzeige die verbotene Ausgabe des Werkes eingeführt, so werden sie zu einer Strafe von 100—500 Pesos (400—2000 Mark) verurteilt. Im Rückfalle tritt Gefängnisstrafe von zwei bis sechs Monaten hinzu. Wird die Doktrin, Anschauung oder das System eines andern auf zu ausgedehnte Weise ausgebeutet, so kann jener andere infolge Zivilklage erlangen, daß bei Benutzung seiner Doktrin, Anschauung ꝛc. sein Name genannt und ihm die Ehre zuerkannt werde, daß er die Idee zuerst gehabt habe. Gerichtliche Verfolgung tritt nur auf Antrag des Verletzten ein. Die Gerichte haben in Fällen, in welchen der Thatbestand der Strafbarkeit schwer zu ermitteln ist, Sachverständige zu Rate zu ziehen. Fälle, die im Gesetze nicht vorgesehen sind und über welche auch frühere Gerichtsentscheidungen nicht vorliegen, sind nach den in der französischen oder spanischen Jurisprudenz vorherrschenden Grundsätzen zu entscheiden.

Luxemburg.

Luxemburg gehörte dem ehemaligen deutschen Bunde an und ist deshalb das nationale Gesetz vom 25. Januar 1817, welches das Verlagsrecht behandelt, durch die späteren Beschlüsse des deutschen Bundes vielfach geändert worden. Alle in einem der Länder des ehemaligen deutschen Bundes erschienenen Werke sind in Luxemburg geschützt. Es ist dies ausgedrückt im § 62 des deutschen Gesetzes vom 11. Juni 1870 (siehe Band I, Seite 144) und § 38 des österreichischen Patentes vom 19. Oktober 1846 (siehe Band I, Seite 175), in Verbindung mit den (luxemburgischen) königlichen Verordnungen vom 28. September 1832, 11. Mai 1838, 13. Juli 1838, 31. Oktober 1841, 17. August 1845 und 29. Mai 1857. Die letzte königliche Verordnung enthält den § 131 aus dem Protokolle der 10. Sitzung der deutschen Bundesversammlung vom 12. März 1857, wodurch folgendes bestimmt wird:

Die durch den Bundesbeschluß vom 22. April 1841 zum Schutze der inländischen Verfasser dramatischer und musikalischer Werke gegen unbefugte Aufführung und Darstellung derselben im Umfange des Bundesgebietes vereinbarten Bestimmungen werden wie folgt erweitert:

I. Die öffentliche Aufführung eines dramatischen oder musikalischen Werkes im ganzen oder mit Abkürzungen darf nur mit Erlaubnis des Autors, seiner Erben oder sonstigen Rechtsnachfolger stattfinden, solange das Werk nicht durch den Druck veröffentlicht worden ist. Das ausschließende Recht, diese Erlaubnis zu erteilen, steht dem Autor lebenslänglich und seinen Erben oder sonstigen Rechtsnachfolgern noch zehn Jahre nach seinem Tode zu.

II. Auch in dem Falle, daß der Autor eines dramatischen oder musikalischen Werkes sein Werk durch den Druck veröffentlicht, kann er sich und seinen Erben oder sonstigen Rechtsnachfolgern das ausschließende Recht, die Erlaubnis zur öffentlichen Aufführung zu erteilen, durch eine mit seinem darunter gedruckten Namen versehene Erklärung vorbehalten, die jedem einzelnen Exemplare seines Werkes auf dem Titelblatte vorgedruckt sein muß. — Ein solcher Vorbehalt bleibt wirksam auf Lebenszeit des Autors selbst, und zu gunsten seiner Erben oder sonstigen Rechtsnachfolger noch zehn Jahre nach seinem Tode.

III. Dem Autor oder dessen Rechtsnachfolgern steht gegen jeden, welcher dessen ausschließendes Recht durch öffentliche Aufführung eines noch nicht durch den Druck veröffentlichten oder mit der unter Ziffer II erwähnten Erklärung durch den Druck veröffentlichten dramatischen oder musikalischen Werkes beeinträchtigt Anspruch auf Entschädigung zu.

IV. Diese erweiterten Bestimmungen werden vom 1. Juli 1857 an in Wirksamkeit gesetzt werden.

V. Ziffer 1, 2 und 3 des Bundesbeschlusses vom 22. April 1841 sind hiernach aufgehoben, wogegen es bei Ziffer 4 hinsichtlich der Entschädigung sein Bewenden behält.

Die sub V erwähnte Ziffer 4 des Bundesbeschlusses vom 22. April 1841 lautet:

IV. Die Bestimmung der Entschädigung und der Art, wie dieselbe gesichert und verwirklicht werden soll, sowie die Festsetzung der etwa noch nach dem Schadenersatze zu leistenden Geldbußen bleibt den Landesgesetzen vorbehalten; stets ist jedoch der ganze Betrag der Einnahme von jeder unbefugten Aufführung ohne Abzug der auf dieselben verwendeten Kosten, und ohne Unterschied, ob das Stück allein oder in Verbindung mit einem andern den Gegenstand der Aufführung gemacht hat, in Beschlag zu nehmen.

Die vorstehend abgedruckten Bundesbeschlüsse beziehen sich nur auf das Aufführungsrecht dramatischer und musikalischer Werke; betreffs der litterarischen Werke ist der Bundesbeschluß vom 19. Juni 1845 maßgebend, welcher durch königliche Verordnung vom 17. August 1845 in Luxemburg zum Gesetze erhoben wurde. Dieser Bundesbeschluß lautet:

I. Der durch den Art. II. des Beschlusses vom 9. November 1837 für mindestens zehn Jahre von dem Erscheinen eines litterarischen Erzeugnisses oder Werkes der Kunst an zugesicherte Schutz gegen den Nachdruck und jede andere unbefugte Vervielfältigung auf mechanischem Wege wird fortan innerhalb des ganzen deutschen Bundesgebietes für die Lebensdauer der Urheber solcher litterarischer Erzeugnisse und Werke der Kunst und auf dreißig Jahre nach dem Tode derselben gewährt.

II. Werke anonymer und pseudonymer Autoren, sowie posthume und solche Werke, welche von moralischen Personen (Akademien, Universitäten ꝛc.) herrühren, genießen solchen Schutzes während dreißig Jahren von dem Jahre ihres Erscheinens an.

III. Um diesen Schutz in allen deutschen Bundesstaaten in Anspruch nehmen zu können, genügt es, die Bedingungen und Förmlichkeiten erfüllt zu haben, welche dieserhalb in dem deutschen Staate, in welchem das Originalwerk erscheint, gesetzlich vorgeschrieben sind.

IV. Die Verbindlichkeit zu voller Schadloshaltung der durch Nachdruck ꝛc. Verletzten liegt dem Nachdrucker und demjenigen, welcher mit Nachdruck wissentlich Handel treibt, ob, und zwar solidarisch, insoweit nicht allgemeine Rechtsgrundsätze dem entgegenstehen.

V. Die Entschädigung hat in dem Verkaufspreise einer richterlich festzusetzenden Anzahl von Exemplaren des Originalwerkes zu bestehen, welche bis auf 1000 Exemplare ansteigen kann und eine noch höhere sein soll, wenn von dem Verletzten ein noch größerer Schaden nachgewiesen worden ist.

VI. Außerdem sind gegen den Nachdruck und andere unbefugte Vervielfältigung auf mechanischem Wege auf den Antrag des Verletzten in allen Bundesstaaten, wo die Landesgesetzgebung nicht noch höhere Strafen vorschreibt, Geldbußen bis zu 1000 Gulden zu verhängen.

VII. Die über dergleichen Vergehen erkennenden Richter haben nach näherer Bestimmung der Landesgesetze in denjenigen Fällen, wo ihrem Ermessen zufolge der Befund von Sachverständigen einzuholen ist, bei litterarischen Werken das Gutachten von Schriftstellern, Gelehrten und Buchhändlern, bei musikalischen und Kunstwerken das von Künstlern, Kunstverständigen und Musik- und Kunsthändlern einzuholen.

Für Luxemburg sind die in V und VI festgestellten Strafbestimmungen noch zu ergänzen durch den Code penal vom 18. Juni 1879, § 191, der eine Gefängnisstrafe von einen bis sechs Monaten festsetzt für Vergehen, welche durch eine falsche, resp. unberechtigte Autornennung an Werken der Litteratur und Kunst begangen werden. Den Verkäufer oder Verbreiter solcher Werke trifft die gleiche Strafe. Es besteht jedoch die Streitfrage, ob nicht der früher in Geltung gewesene französische Code penal von 1810, §§ 425—429, in Sachen des Urheberrechtes noch anzuwenden ist. Die Strafbestimmungen dieser Paragraphen siehe in diesem Bande Seite 32, 2. Spalte.

Die nach Art. III des Bundesbeschlusses vom 19. Juni 1845 zu erfüllenden Formalitäten sind für Luxemburg durch § 6 des Gesetzes vom 25. Januar 1817 festgestellt. Die Formalitäten sind folgende:

Das Werk muß in einer Druckerei des Königreiches (Niederlande) hergestellt sein; der Verleger oder wenigstens ein Mitverleger muß im Lande wohnen. Der Name und Wohnort dieses Verlegers, sowie die Zeit der Veröffentlichung des Werkes muß am Titelblatte oder wenn ein solches fehlt, an einer anderen, leicht sichtbaren Stelle des Werkes angegeben sein. Der Verleger hat zugleich mit der Ausgabe des Werkes oder noch vor derselben drei Exemplare der Kommunalverwaltung seines Wohnortes zu übersenden. Eines dieser Exemplare muß am Titel, oder wenn ein solcher fehlt, auf der ersten Seite des Werkes, die eigenhändige Unterschrift des Verlegers und das Datum der Deponierung tragen, sowie eine beigefügte, von einem in den Niederlanden wohnhaften Drucker unterzeichnete Erklärung, daß das Werk von ihm gedruckt worden ist. Die Kommunalverwaltung hat dem Verleger über die regelrecht erfolgte Abgabe eine Bescheinigung auszustellen und die abgegebenen Exemplare dem Ministerium des Innern zu übermitteln.

Zwischen Luxemburg und den übrigen Ländern des ehemaligen

deutschen Bundes besteht also reziproker Schutz des Urheberrechtes; außerdem hat Luxemburg am 16. Dezember 1865 eine Litterarkonvention mit Frankreich abgeschlossen. Diese Konvention ist aber durch den Beitritt Luxemburgs zur Berner Konvention fast ganz gegenstandslos geworden.

Mexiko.

Das mexikanische bürgerliche Gesetzbuch von 1871 behandelt im ersten Buche, Titel VIII §§ 1245 bis 1387 das Urheberrecht an Werken der Litteratur und Kunst. Die Gegenstände des Urheberrechtes werden als durch Arbeit hervorgebrachte Erzeugnisse betrachtet, und sind als solche dem gemeinen Rechte unterworfen, was, einige spezielle Fälle abgesehen, immerwährenden Schutz des Urheberrechtes bedingt. Das Gesetz bestimmt folgendes:

Unter Beobachtung des Gesetzes über die Presse haben die Bewohner der mexikanischen Republik das ausschließliche Recht, ihre Werke durch den Buchdruck oder durch ein beliebiges anderes Verfahren zu vervielfältigen. Dieses Recht erstreckt sich auch auf mündliche Vorträge jeder Art. Die in politischen Versammlungen gehaltenen Reden darf jeder nachdrucken, doch eine Sammelausgabe der Reden herauszugeben ist nur mit Erlaubnis des Redners gestattet. Manuskripte dürfen nur mit Genehmigung des Autors veröffentlicht werden, und zur Veröffentlichung von Briefen bedarf es der Genehmigung der beiden korrespondierenden Personen oder deren Erben, ausgenommen den Fall, wenn die Veröffentlichung zur Verteidigung eines Rechtes, im Interesse des Gemeinwohles oder der Wissenschaft geboten erscheint.

Das litterarische Eigentum kann wie jedes andere Eigentum Gegenstand eines beliebigen Rechtsgeschäftes sein; der Autor kann darüber während der Zeit seines Lebens verfügen, und nach seinem Tode geht es nach den gesetzlichen Vorschriften auf seine Erben über. Der Erbe oder Erwerber posthumer Werke hat die gleichen Rechte wie der Autor. Ist der Autor eines posthumen Werkes bekannt, so ist der Verleger, wenn dieser nicht Erbe oder direkter Erwerber des Werkes ist, in seinem litterarischen Eigentum dreißig Jahre geschützt. Anonyme und pseudonyme Werke sind ebenso geschützt wie die Werke genannter Autoren, vorausgesetzt, daß der Autor oder dessen Erben das ihnen zustehende Eigentumsrecht an dem Werke beweisen.

5*

Akademien oder andere wissenschaftliche oder litterarische Körperschaften genießen für die von ihnen veröffentlichten Werke eine fünfundzwanzigjährige Schutzfrist. Der Herausgeber eines aus Beiträgen mehrerer bestehenden Werkes gilt als Urheber des Gesamtwerkes, die weitere Veröffentlichung der einzelnen Beiträge steht jedoch nur den Autoren derselben zu. In politischen Zeitungen veröffentlichte Artikel dürfen mit Quellenangabe nachgedruckt werden. Ausgenommen hiervon sind Artikel wissenschaftlichen, litterarischen oder künstlerischen Inhalts, einerlei ob diese Originalwerke oder Übersetzungen sind.

Der Urheber eines Werkes hat auch das ausschließliche Recht der Übersetzung desselben. Der Autor muß sich aber das Übersetzungsrecht für bestimmte oder für alle Sprachen besonders vorbehalten. Fehlt ein solcher Vorbehalt, oder hat der Autor sein Übersetzungsrecht einem andern übertragen, so wird eine erschienene Übersetzung wie ein Originalwerk geschützt. Nicht im Lande wohnhafte Autoren genießen nur einen zehnjährigen Schutz des Übersetzungsrechtes. Dem Verleger eines Werkes steht nur dann das Übersetzungsrecht zu, wenn er es durch Vertrag erworben hat.

Anmerkungen, Kommentare ꝛc. dürfen mit dem Werke, zu dem sie gehören, ohne Genehmigung des Autors nicht zusammen veröffentlicht werden. Ebenso muß zur Herstellung eines Abrisses oder Auszuges der Autor des Originalwerkes seine Ermächtigung erteilen. Die Regierung kann aber die Herausgabe eines Auszuges bewilligen, wenn sich dieser als ein für das öffentliche Interesse verdienstvolles Werk erweist; es sind jedoch vorher die beiden Parteien (der Autor des Originalwerkes und der Autor des Auszuges), welche auch je einen Sachverständigen zu wählen haben, über den Wert und die Notwendigkeit des Auszuges zu vernehmen. Wird die Herausgabe des Auszuges von der Regierung gestattet, so hat der Urheber des Originalwerkes Anrecht auf eine Entschädigung in der Höhe von 15 bis 30 Prozent des Reinerträgnisses, welches aus dem Verlage des Auszuges erzielt wird.

Der Verleger eines Gemeingut gewordenen Werkes wird während der Zeit der Veröffentlichung des Werkes und noch ein Jahr darüber gegen Nachdruck geschützt. Jedoch bedingt dieser Schutz nicht das Verbot eines außerhalb des Landes hergestellten Nachdruckes. Wer ein Manuskript, dessen rechtmäßiger Besitzer er ist, zum ersten Male veröffentlicht, hat während der Zeit seines Lebens das Recht der Herausgabe desselben. Gesetze und andere Schriftstücke der

Regierung und Gerichtsentscheidungen dürfen nach der offiziellen Veröffentlichung wortgetreu beliebig nachgedruckt werden. Die Herausgabe einer Sammlung der Landesgesetze oder der Gesetze eines Einzelstaates der mexikanischen Republik ist nur mit Genehmigung der Regierung gestattet.

In jenen Fällen, in denen die Schutzfrist des litterarischen Eigentums beschränkt ist, beginnt die Frist mit dem Datum, an dem das Werk erscheint. Ist dieses Datum nicht bekannt, so wird der dem Jahre des Erscheinens folgende 1. Januar als Beginn der Schutzfrist angenommen.

Die Urheber dramatischer Werke genießen außer dem litterarischen Eigentume während der Zeit ihres Lebens das ausschließliche Recht der öffentlichen Aufführung, welches nach ihrem Tode noch dreißig Jahre zu gunsten der Erben geschützt ist. Das Aufführungsrecht kann vom Urheber oder dessen Rechtsnachfolger unter beliebigen Bedingungen übertragen werden. Die Gläubiger eines Theaterunternehmers können den dem Autor dramatischer Werke zukommenden Teil der Einnahme nicht mit Beschlag belegen. Erwirbt ein Theaterdirektor das Aufführungsrecht an einem noch ungedruckten Werke, so darf er ohne Erlaubnis des Autors den Inhalt des Manuskriptes keiner dem Theater fremden Person mitteilen. Wird ein Stück nicht zur vertragsmäßig bedungenen Zeit aufgeführt, so kann es der Autor zurückziehen. Ist die Zeit der Aufführung nicht bestimmt, so kann der Autor das Werk zurückziehen, wenn es ein Jahr nach der Annahme noch nicht aufgeführt worden ist. Der Autor kann ein Stück auch zurückziehen, wenn es fünf Jahre lang nicht wieder aufgeführt wurde. In allen den aufgezählten Fällen, in denen dem Autor gestattet ist vom Vertrage betreffs der öffentlichen Aufführung eines Werkes zurückzutreten, ist er nicht verpflichtet, die bereits erhaltenen Summen zurück zu zahlen.

Der Verleger eines posthumen dramatischen Werkes genießt zwanzig Jahre lang den Schutz des Aufführungsrechtes. Der Verleger eines anonymen oder pseudonymen Werkes genießt einen dreißigjährigen Schutz des Aufführungsrechtes, unbeschadet der Rechte des wirklichen Autors oder dessen Rechtsnachfolger, sobald sich diese nennen. Ist ein Theaterstück von mehreren Autoren gemeinsam verfaßt, so ist, wenn vertragsmäßig nichts anderes bestimmt ist, jeder der Autoren berechtigt, die Erlaubnis zur öffentlichen Aufführung zu erteilen. Die Erben oder sonstige Rechtsnachfolger eines Autors haben das gleiche Recht, wenn aber ein Autor mehrere Erben oder sonstige Rechtsnachfolger hinterläßt, so gelten diese zusammen nur für eine Stimme und zwar für die Stimme des Urhebers, dessen Rechte sie besitzen. Stirbt einer der Autoren eines Stückes ohne Erben oder sonstige Rechtsnachfolger zu hinterlassen, so fällt das Eigentum an dem Stücke den übrigen Mitarbeitern zu; der dem verstorbenen Urheber zukommende Teil der Einnahme wird jedoch zur Subventionierung der Theater verwendet. Das Recht der Veröffentlichung eines dramatischen Werkes bedingt nicht das Recht der öffentlichen Aufführung.

Für den Übersetzer eines dramatischen Werkes sind die gleichen Bestimmungen maßgebend wie für den Autor. Die Fristen für das Aufführungsrecht beginnen stets mit der ersten öffentlichen Aufführung. Alle Bestimmungen in betreff des Rechtes der Veröffentlichung litterarischer Werke finden auch auf das Aufführungsrecht dramatischer Werke entsprechende Anwendung.

Das ausschließliche Recht der Vervielfältigung von topographischen und geographischen Karten, architektonischen, wissenschaftlichen 2c. Zeichnungen und Abbildungen und allen sonstigen Werken der zeichnenden, malenden und plastischen Kunst, von kalligraphischen Arbeiten und musikalischen Kompositionen steht nur dem Urheber dieser Erzeugnisse zu.

Die Bestimmungen über die Aufführung dramatischer Werke sind auch auf die öffentliche Aufführung musikalischer Kompositionen anzuwenden. Der Urheber eines Musikstückes, zu welchem ein Text gehört, wird auch als Urheber des Textes betrachtet. Das Urheberrecht an einer musikalischen Komposition schließt auch das Recht zur Ausarbeitung von Arrangements in sich.

Der Erwerb eines Kunstwerkes bedingt nicht den Erwerb des Vervielfältigungsrechtes an demselben. Auf Bestellung ausgeführte Kunstwerke darf der Künstler nicht mittels desselben Kunstverfahrens vervielfältigen. Vom Besitzer eines Modelles der Skulptur wird angenommen, daß er auch das ausschließliche Vervielfältigungsrecht besitzt.

Als Verletzung des Urheberrechtes wird nicht angesehen:

Zitate oder kurze Einschaltungen aus einem schon veröffentlichten Werke, mit Quellenangabe erfolgter Abdruck oder Auszug aus Revüen, Zeitungen, Lexika 2c.; zum Unterrichtsgebrauche, zum Zwecke der Kritik oder einem andern litterarischen Zwecke veranstaltete Abdruck einzelner Stücke verschiedener Autoren; die Privatausführung musikalischer Werke oder eine öffentliche Aufführung, zu welcher kein Eintrittsgeld erhoben wird; die Aufführung dramatischer oder musikalischer Werke, wenn das Erträgnis zu einem wohlthätigen Zwecke bestimmt ist; die Veröffentlichung des Textes einer musikalischen Komposition, wenn sich der Autor das litterarische Eigentum an dem Texte nicht vorbehalten hat; die Übersetzung eines schon veröffentlichten Werkes in Sprachen, für welche sich der Autor des Originals das Übersetzungsrecht nicht vorbehalten hat; die Vervielfältigung von Werken der Skulptur, wenn zwischen der Vervielfältigung und dem Original eine solche Verschiedenheit besteht, daß erstere nach dem Gutachten Sachverständiger als neues Werk angesehen werden kann; die Vervielfältigung plastischer Werke, welche sich auf öffentlichen Plätzen befinden; die Vervielfältigung von Werken der zeichnenden und malenden Kunst durch die Plastik, oder die Vervielfältigung von plastischen Werken durch die zeichnende oder malende Kunst; die in wesentlichen Punkten verschiedene Vervielfältigung eines verkauften Modelles; die Vervielfältigung architektonischer Werke, welche sich an öffentlichen Monumenten oder an der Außenseite der Privathäuser befinden; die Verwendung künstlerischer Werke als Modelle für Erzeugnisse der Manufaktur oder des Gewerbes.

Die unberechtigt hergestellten Exemplare eines Werkes der Litteratur oder Kunst unterliegen der Beschlagnahme. Die beschlagnahmten Exemplare werden dem verletzten Urheber ausgefolgt und der Thäter muß noch außerdem den bereits abgesetzten Teil der Auflage zum Preise der Originalausgabe dem verletzten Urheber bezahlen. Wenn der Urheber die beschlagnahmten Exemplare nicht annehmen will, so muß der Thäter die gesamte unberechtigte Ausgabe zum Preise der Originalausgabe bezahlen. Es wird hierbei der volle Marktpreis berechnet, auch wenn für die Originalausgabe ein billigerer Subskriptionspreis bestehen sollte. Ist die Höhe der Auflage der unberechtigten Vervielfältigung nicht zu ermitteln, so unterliegen die vorgefundenen Exemplare der Beschlagnahme und muß der Thäter außerdem noch den Preis von tausend Exemplaren bezahlen, sofern der verletzte Urheber nicht nachweist, einen noch höheren Schaden erlitten zu haben. Die zur Herstellung der unberechtigten Vervielfältigung dienenden Platten, Matern rc. werden beschlagnahmt und vernichtet. Diese Maßregeln gelten auch für unberechtigte Vervielfältigungen, welche außerhalb der mexikanischen Republik hergestellt werden.

Die aus einer unberechtigten Aufführung eines dramatischen oder musikalischen Werkes erzielte Bruttoeinnahme wird für den verletzten Urheber beschlagnahmt. Geschah die unberechtigte Aufführung mit anderen Stücken zusammen, so hat der verletzte Urheber nur auf einen entsprechenden Teil der Bruttoeinnahme Anrecht. Der Urheber ist berechtigt, eine unberechtigte Aufführung seines Werkes zu jeder Zeit zu unterbrechen und für den bereits aufgeführten Teil eine Entschädigung zu beanspruchen. Die an Schauspieler, Sänger und Musiker verteilten Textbücher, Partituren, Rollen und Stimmen werden beschlagnahmt. Der Urheber kann außer der Bruttoeinnahme für die unberechtigte Aufführung noch eine Entschädigung beanspruchen. Die zivilrechtliche Verantwortung für die Aufführung trägt der Unternehmer, nicht aber die in dessen Diensten stehenden Schauspieler, Musiker rc. Nur der verletzte Urheber resp. dessen Rechtsnachfolger ist zur Ausübung der aus diesem Gesetze entspringenden Rechte berechtigt. Für Prozesse, die hieraus entstehen, ist das am Wohnorte des Verletzten zuständige Gericht kompetent. In allen zweifelhaften Fällen hat der Richter das Gutachten Sachverständiger einzuholen.

Je ein Exemplar eines jeden veröffentlichten Buches muß bei der Nationalbibliothek und bei den öffentlichen Archiven deponiert werden. Von musikalischen Werken muß je ein Exemplar beim nationalen Konservatorium der Musik und bei den öffentlichen Archiven hinterlegt werden. Bei der Schule der schönen Künste müssen deponiert werden zwei Exemplare von veröffentlichten Stichen, Lithographien rc. und eine genaue Zeichnung, Plan rc. und Beschreibung von architektonischen Werken und Werken der malenden und plastischen Kunst. Anonyme Urheber müssen mit den Pflichtexemplaren zugleich ein verschlossenes Kouvert abgeben, welches ihren Namen enthält. In der Nationalbibliothek, im Konservatorium, sowie auch in der Schule der schönen Künste wird ein Register geführt, worin die deponierten Werke eingetragen werden. Auszüge aus diesen Registern gelten als Beweis des Urheberrechtes, so lange nicht das Gegenteil bewiesen wird. Die Eintragungen werden monatlich amtlich bekannt gemacht. Jede neue Ausgabe, Übersetzung oder Vervielfältigung verpflichtet zur wiederholten Abgabe der Exemplare. Wird die Abgabe der Pflichtexemplare unterlassen, so wird der Schuldige zu einer Geldstrafe von 25 Piaster (100 Mark) verurteilt, und bleibt außerdem noch zur Abgabe der Exemplare verpflichtet.

Der Verleger eines Werkes darf dasselbe in beliebiger Auflage herstellen, sofern im Verlagsvertrag die Höhe der Auflage nicht bestimmt ist. Jeder Autor, Übersetzer und Verleger muß am Umschlag des Buches, der musikalischen Komposition, unter einem Stiche, am Fuße oder an sonst einer leicht sichtbaren Stelle eines Kunstwerkes seinen Namen, Datum der Veröffentlichung, Art der Vervielfältigung oder sonst noch für nötig erachtete Benachrichtigungen angeben, widrigenfalls er gegen Rechtsverletzungen, welche eine Folge der Vernachlässigung dieser Formalitäten sind, nicht gerichtlich vorgehen kann. Wenn sich mehrere Miturheber in der Ausübung ihrer Rechte nicht einigen können, so entscheidet die Majorität, und ist dies nicht möglich, so hat der Richter zu urteilen.

Die Nation besitzt das Urheberrecht an allen in den Archiven und bei den Administrationen der Einzelstaaten und Kalifornien ruhenden Manuskripte, und muß deshalb zu deren Veröffentlichung die Genehmigung der Regierung eingeholt werden. Manuskripte oder Kunstwerke, welche im Besitze von Akademien, Museen oder anderen öffentlichen Anstalten sind, dürfen auch nur mit Genehmigung der betreffenden Direktion veröffentlicht resp. vervielfältigt werden. Ebenso ist zur Veröffentlichung oder Vervielfältigung eines Werkes die Genehmigung der Regierung eines Einzelstaates einzuholen, wenn dieser Eigentümer des Werkes ist.

Die von der Regierung herausgegebenen Werke sind zehn Jahre von ihrer Veröffentlichung an geschützt. Die Regierung kann jedoch diese Schutzfrist nach eigenem Ermessen verlängern oder auch beschränken.

Das Recht am litterarischen und künstlerischen Eigentum verjährt zehn Jahre nach Erscheinen des Werkes, das Aufführungsrecht verjährt vier Jahre nach der ersten Aufführung. Die Vervielfältigung eines nützlichen Werkes kann von der Regierung angeordnet werden, wenn der Urheber oder dessen Rechtsnachfolger die Vervielfältigung unterläßt; doch wird der Urheber dafür entschädigt.

Dieses Gesetz ist ohne Rücksicht auf die Nationalität des Verfassers auf alle im Gebiete der mexikanischen Republik erscheinenden Werke anwendbar, sowie auch auf alle im Auslande erscheinenden Werke, deren Verfasser im Inlande wohnen und die in diesem Gesetze vorgeschriebenen Formalitäten erfüllen.

Der Übersetzer eines in fremder Sprache geschriebenen Werkes genießt die Rechte eines Urhebers. Im Falle der Reziprozität werden ausländische Autoren ebenso geschützt wie inländische. Der zwischen Mexiko und Frankreich geschlossene Freundschafts-, Handels- und Schiffahrtsvertrag vom 27. November 1887 (in Frankreich promulgiert durch Dekret vom 23. April 1888) enthält im § 21 Absatz 7 folgende Bestimmung:

In bezug auf das litterarische und künstlerische Eigentum genießen die Bürger der beiden vertragschließenden Länder gegenseitig die Rechte der meistbegünstigten Nation.

Weitere Verträge, den Urheberrechtsschutz betreffend, hat Mexiko nicht abgeschlossen.

Monaco.

Allerhöchste Verordnung über den Schutz von Werken der Litteratur und Kunst vom 27. Februar 1889. Unter „Werke der Litteratur und Kunst" versteht man: Bücher, Broschüren oder andere Schriftwerke, dramatische oder dramatisch-musikalische Werke, musikalische Kompositionen mit oder ohne Text, Werke der zeichnenden, malenden oder plastischen Kunst, Stiche, Lithographien, Photographien, Abbildungen, geographische Karten, Pläne, Skizzen, der Geographie, Topographie, Architektur oder sonst einer Wissenschaft dienende plastische Darstellung, überhaupt jedes litterarische, wissenschaftliche oder künstlerische Erzeugnis, welches durch Druck oder sonst ein Vervielfältigungsverfahren veröffentlicht werden kann.

Der Urheber eines Werkes der Litteratur und Kunst hat während der Zeit seines Lebens, und nach seinem Tode haben fünfzig Jahre lang dessen Rechtsnachfolger das ausschließliche Recht der Vervielfältigung oder öffentlichen Aufführung des Werkes. Der Vorbehalt des Aufführungsrechtes muß bei musikalischen Werken, wenn diese veröffentlicht sind, am Titel oder an der Spitze des Werkes bemerkt sein. Bei musikalischen Werken, zu welchen ein Text gehört, kann der Komponist über seine Schöpfung unabhängig vom Dichter verfügen, ebenso wie der Dichter den Text beliebig verwerten kann. Die beiden Autoren dürfen aber mit keinem neuen Mitarbeiter unterhandeln, um zur Komposition einen andern Text oder zum Texte eine andere Komposition herstellen zu lassen. Übersetzungen werden wie Originalwerke geschützt. Bei einem von mehreren hergestellten Werke, bei welchem die von den einzelnen Mitarbeitern gelieferten Teile nicht unterschieden werden können, richtet sich die Schutzfrist nach dem Tode des zuletzt sterbenden Autors. Posthume Werke sind fünfzig Jahre nach ihrem Erscheinen geschützt, jedoch dürfen sie nicht mit Werken desselben Verfassers, welche bereits Gemeingut geworden sind, zusammen veröffentlicht werden.

Der Verleger anonymer oder pseudonymer Werke wird als Urheber geschützt, unbeschadet der Rechte, auf die der wahre Autor Anspruch hat, sobald er sich meldet. Das Urheberrecht kann Gegenstand eines beliebigen Rechtsgeschäftes sein, unveröffentlichte Werke dürfen aber nicht gepfändet werden.

Als Verletzung des Urheberrechtes wird nicht betrachtet: Der mit Quellenangabe veranstaltete Abdruck oder die Übersetzung einzelner Artikel aus Zeitungen oder sonstigen periodischen Erscheinungen, wenn der Abdruck vom Autor oder Verleger nicht speziell verboten ist; für politische Erörterungen oder Tagesneuigkeiten ist ein solches Verbot unwirksam. Gestattet sind auch Sammlungen zum Zwecke des Unterrichts oder sonst einem litterarischen Zwecke. Zu bürgerlichen oder religiösen Feierlichkeiten, zur Gratisaufführung im Freien, sowie zu Aufführungen, deren Erträgnis einem wohltätigen Zwecke bestimmt ist, dürfen musikalische Kompositionen ohne Genehmigung des Urhebers benützt werden.

Um den Schutz dieses Gesetzes in Anspruch nehmen zu können, muß der Autor eines Werkes oder dessen Rechtsnachfolger beim Sekretariat der Regierung eine Erklärung einreichen, worüber er eine das Datum der Einreichung tragende Bescheinigung empfängt. Diese Erklärung muß enthalten: 1. Den Titel des litterarischen Werkes, oder wenn es ein Kunstwerk ist, eine eingehende Beschreibung desselben; 2. den Namen des Autors und des Verlegers oder den Namen des letzteren allein, wenn es sich um ein anonymes oder pseudonymes Werk handelt; 3. ihre Nationalität; 4. Ort und Datum der ersten Veröffentlichung; 5. wenn der Autor tot ist, die Zeit seines Ablebens. Vor Erfüllung dieser Formalität, welcher innerhalb des der Veröffentlichung folgenden Jahres bei Strafe des Verfalls des Urheberrechtes nachgekommen werden muß, können keinerlei gerichtliche Schritte wegen Verletzung des Urheberrechtes unternommen werden. Der Drucker ist außerdem noch für Erfüllung der ihm nach § 267 des Strafgesetzbuches auferlegten Verpflichtungen haftbar. Diesem Paragraphen zufolge muß der Drucker vor Beginn des Druckes eine Erklärung einreichen, worin er anzeigt, daß er den Druck des

Werkes beabsichtigt, und vor der Ausgabe des Werkes muß er zwei Exemplare desselben beim Sekretariat hinterlegen. Auf Unterlassung einer jeden dieser beiden Verpflichtungen ist eine Strafe von 500 Franks und im Wiederholungsfalle von 1000 Franks gesetzt.

Als Verletzung des Urheberrechtes gilt auch die Veröffentlichung von Adaptationen, Arrangements, sofern diese nicht den Charakter eines Originalwerkes an sich tragen; ferner die auf einem Werke der Litteratur oder Kunst angebrachte fälschliche Nennung des Autors oder die Nachahmung dessen Monogramms. Die Benützung musikalischer Kompositionen zu mechanischen Musikwerken ist gestattet.

Vergehen gegen dieses Gesetz, sowie auch die Ausstellung, der Verkauf, Import oder Export widerrechtlicher Vervielfältigungen wird mit Strafe von 100 bis 2000 Franks geahndet. Die Nachdrucksexemplare, sowie die zu deren Herstellung dienenden Platten oder sonstigen Vorrichtungen werden konfisziert. Die unberechtigte Aufführung eines dramatischen, musikalischen oder dramatisch-musikalischen Werkes wird mit Strafe von 50 bis 500 Franks belegt und außerdem wird die Einnahme konfisziert. Wenn eine Konfiskation verfügt wird, so wird das Ergebnis derselben dem Autor oder dessen Rechtsnachfolger ausgefolgt, unbeschadet der weiteren Ansprüche auf Schadenersatz. Gerichtliche Verfolgung tritt nur auf Antrag des verletzten Autors oder dessen Rechtsnachfolger ein.

Jeder Autor kann, wenn sein Urheberrecht verletzt wurde, Zivilklage auf Schadenersatz erheben. Das Gericht kann vom Kläger Erlag einer Kaution fordern. Ist der Kläger ein Ausländer, so muß er stets Kaution erlegen, und einen Ort im Lande wählen, wohin ihm die Prozeßakten rechtsgültig zugestellt werden können.

Monaco ist der Berner Konvention beigetreten.

Niederlande.

Das litterarische Eigentum ist durch das Gesetz vom 28. Juni 1881 geregelt. Dieses Gesetz beschäftigt sich jedoch nur mit Schriftwerken, während Urheber von Kunstwerken zu dem ziemlich illusorischen Gesetz vom 25. Januar 1817 Zuflucht nehmen müssen. Bemerkt sei noch, daß das letztere Gesetz Bildhauern gar keinen Schutz gewährt. Das Gesetz von 1881 bestimmt folgendes:

Das Recht durch den Druck Schriftwerke, Stiche, geographische Karten, musikalische Kompositionen, Theaterstücke und Reden zu veröffentlichen, und dramatisch-musikalische Werke oder Theaterstücke öffentlich aufführen zu lassen, steht ausschließlich dem Urheber oder dessen Rechtsnachfolgern zu. Als öffentliche Aufführung gilt es, wenn der Zutritt dazu durch Zahlung eines Eintrittsgeldes erlangt werden kann. Als Urheber gelten: Personen, deren individueller Thätigkeit die Gegenstände des Urheberrechtes entsprungen sind; Herausgeber, welche das Erscheinen eines durch die Mitarbeiterschaft mehrerer entstandenen Werkes veranlassen; Vereine, Gesellschaften oder sonstige Korporationen, wenn sie als Herausgeber von Werken thätig sind; Übersetzer in bezug auf ihre Übersetzung.

Gesetze, Verordnungen, überhaupt alle Publikationen der öffentlichen Behörden sollen nicht unter den Schutz des Urheberrechtes. Ausnahmsfälle hiervon werden durch königliche Verordnung bestimmt. Das Übersetzungsrecht muß sich der Urheber bei bereits veröffentlichten Werken und Reden auf Titel oder Umschlag der Originalausgabe vorbehalten. Dieser Vorbehalt muß auch die Sprachen nennen, für welche er giltig sein soll, und muß die Übersetzung innerhalb drei Jahren nach Veröffentlichung des Originalwerkes erschienen sein. Ist ein Werk in mehreren Sprachen zugleich erschienen, so wird eine Ausgabe als Originalausgabe angesehen, während die übrigen als Übersetzungen betrachtet werden. Der Urheber kann am Titel oder Umschlag die Originalausgabe bezeichnen, fehlt jedoch diese Bezeichnung, so wird die in der Muttersprache des Urhebers verfaßte Ausgabe als Original betrachtet.

Zitate, kurze Auszüge zum Zwecke der Kritik, sind gestattet. Journalartikel dürfen mit Quellenangabe nachgedruckt werden, wenn an der Spitze des Artikels kein Nachdruckverbot steht. Berichte über öffentlich gehaltene Reden dürfen gebracht werden. Das Urheberrecht ist als bewegliches Eigentum angesehen, kann ganz oder teilweise übertragen oder vererbt werden, jedoch ist es keiner Pfändung unterworfen.

Das Urheberrecht wird nur dann anerkannt, wenn der Autor, Verleger oder Drucker des Werkes zwei Exemplare desselben an das Justizministerium sendet. Der Absender muß auf dem Titel oder Umschlag seine eigenhändige Unterschrift anbringen, sowie Angabe des Wohnortes und Zeit der Veröffentlichung; diese Anmeldung muß beim Justizministerium innerhalb des Monats, in welchem das Werk erscheint, gemacht werden. Die Sendung muß ferner von einer Erklärung des Druckers begleitet sein, welche bestätigt, daß das Werk in seiner innerhalb des Königreichs gelegenen Druckerei gedruckt worden ist. Das betreffs des Übersetzungsrechtes schon früher Gesagte ist auch noch zu berücksichtigen. Das Justizministerium stellt über den Empfang eine Bescheinigung aus und nimmt die Eintragung der ausgefolgten Bescheinigungen in ein besonderes Register vor. Jedermann hat das Recht, das Register gratis einzusehen und Auszüge oder Abschriften auf seine Kosten anzufertigen. Der Nederlandsche Staatscourant bringt monatlich eine Liste der eingereichten Werke und Übersetzungen. Nach Drucklegung dramatisch-musikalischer oder dramatischer Werke verliert der Urheber das ausschließliche Aufführungsrecht dieser Werke, wenn er sich dieses Recht nicht auf dem Titel oder am Umschlage ausdrücklich vorbehalten hat.

Das Urheberrecht an den durch Druck veröffentlichten Werken ist fünfzig Jahre nach der ersten Ausgabe, vom Datum der Bescheinigung über die erfolgte Abgabe der Pflichtexemplare an gerechnet, geschützt. Lebt der Autor noch nach Ablauf dieser Frist, so bleibt das Werk bis an sein Lebensende geschützt. Durch Druck noch nicht veröffentlichte Werke, Reden und Vorträge sind während der Lebenszeit des Autors und dreißig Jahre nach dessen Tod geschützt. Das Aufführungsrecht dramatischer Werke, wenn diese noch nicht durch Druck veröffentlicht sind, ist bis dreißig Jahre nach dem Tode des Autors geschützt. Durch Druck veröffentlichte dramatische Werke sind zehn Jahre lang nach dem Datum der Bescheinigung über die Abgabe der Pflichtexemplare gegen öffentliche Aufführung geschützt. Das Übersetzungsrecht an noch nicht veröffentlichten Werken und Vorträgen ist ebenso lange geschützt wie das Urheberrecht an diesen Werken. Ein fünfzigjähriger Schutz gegen Übersetzung, vom Datum der Bescheinigung über die Abgabe der Pflichtexemplare an gerechnet, ist den durch Druck veröffentlichten Werken gewährt. Für Werke, welche in mehreren Teilen oder Fortsetzungen erscheinen, wird die Schutzfrist für jeden Teil besonders berechnet.

Auf Verletzung des Urheberrechtes sind folgende Strafen gesetzt: Widerrechtliche Veröffentlichung eines Werkes wird mit 50 Cents bis 2000 Gulden bestraft, der Verkäufer eines unrechtmäßig veröffentlichten Werkes wird, wenn er Kenntnis davon hatte, daß die Veröffentlichung eine unrechtmäßige war, mit Strafe von 50 Cents bis 600 Gulden belegt. Alle Exemplare des unrechtmäßig veröffentlichten Werkes, sowie die zu deren Herstellung dienenden Platten, Matrizen rc. werden konfisziert, und außer der Strafe steht dem verletzten Urheber der Zivilrechtsweg zur Klage auf Schadenersatz offen. Strafverfolgung wegen Übertretung des Urheberrechtes erfolgt nur auf Antrag des Verletzten; dieser kann auch die beschlagnahmten Exemplare, Platten rc. ausgefolgt verlangen, doch muß der Antrag hierzu innerhalb acht Tagen nach Fällung des Urteils gestellt werden, und wird der Wert der konfiszierten Sachen bei der Schadenersatzklage in Anrechnung gebracht. Werden vom Kläger die beschlagnahmten Exemplare, Platten rc. nicht verlangt, so erfolgt Unbrauchbarmachung derselben. Dienen unrechtmäßig hergestellte Exemplare Privatpersonen zum eigenen Gebrauche, so dürfen sie nicht konfisziert werden. Stellt sich nach erfolgter Beschlagnahme die Unschuld des Angeklagten heraus, so steht diesem ein Schadenersatzanspruch an den Kläger zu.

Die Bestimmungen des Gesetzes erstrecken sich auf alle innerhalb der Niederlande und Niederländisch-Indien mittelst der Presse veröffentlichten Werke, und auf die innerhalb desselben Gebietes gehaltenen Reden, wenn die Urheber der Werke innerhalb der Niederlande oder Niederländisch-Indien ihren Wohnsitz haben. Die in Niederländisch-Indien mittelst der Presse veröffentlichten Werke sind in einem Exemplare behufs Eintragung bei der Justizverwaltung einzureichen. Dort sind alle jene Formalitäten zu erfüllen, welche dieses Gesetz für die in den Niederlanden veröffentlichten Werke dem Justizministerium vorschreibt. Die Eintragungen der in Niederländisch-Indien erfolgten Publikationen werden im offiziellen niederländischen Journale und in der Java-Zeitung veröffentlicht.

Nicaragua.

Nicaragua hat kein Gesetz zum Schutze des Urheberrechtes und hat auch noch keine Litterarkonvention abgeschlossen. Nicaragua hat aber das Projekt des zwischen den fünf Republiken von Mittelamerika geschlossenen Vertrages (siehe Costarica, Seite 14) genehmigt. Auch verhindert der Mangel einer einheimischen Urheberrechts-Gesetzgebung nicht den Abschluß von Litterarkonventionen, wie der Vertrag zwischen Frankreich und Salvador (siehe Frankreich, Seite 35 dieses Bandes) beweist.

Nordamerika
(Vereinigte Staaten).

Das Urheberrecht, eigentlich Verlagsrecht (Copyright), ist in den Paragraphen 4948 bis 4971 der revidierten Statuten (Revised statutes) der vereinigten Staaten enthalten.

Das Verlagsrecht steht ausschließlich den Bürgern der Vereinigten Staaten von Nordamerika, oder Personen, welche daselbst ihren bleibenden Aufenthalt haben, zu. Unter Verlagsrecht ist zu verstehen, das alleinige Recht, ein Werk zu drucken, verlegen, vollenden, ausführen, verkaufen rc., oder wenn es ein dramatisches Werk ist, dasselbe öffentlich aufzuführen; kurz, das Verlagsrecht ist das alleinige Recht, ein Werk der Litteratur oder Kunst auf irgend eine Weise zu benutzen oder zu verwerten.

Gegenstände des Verlagsrechtes sind Bücher, Land- und Seekarten, dramatische oder musikalische Werke, Stiche und Abbildungen aller Art, Photographien, Gemälde, Zeichnungen, Chromos, Statuen und Bildhauerarbeiten, Modelle oder Entwürfe, welche als Werke der bildenden Künste ausgeführt werden sollen.

Die Dauer des Verlagsrechtes ist achtundzwanzig Jahre vom Datum der gesetzmäßigen Eintragung des betreffenden Werkes ab gerechnet. Nach Ablauf dieser Frist steht es dem zeitweiligen Besitzer des Verlagsrechtes frei, dasselbe für einen weiteren Zeitraum von vierzehn Jahren zu erneuern.

Die Formalitäten zur Erlangung des Verlagsrechtes sind folgende:

a) Vor der Veröffentlichung muß ein gedrucktes Exemplar des Titels des Buches oder sonstigen zu schützenden Gegenstandes oder eine Beschreibung des betreffenden Bildes oder Modells, der Zeichnung, Statue rc. im Bureau des Bibliothekars des Kongresses (Office of the Librarian of Congress) niedergelegt werden;

b) jedes Buch muß auf dem Titel oder auf der unmittelbar folgenden Seite (Rückseite des Titelblattes), und jedes andere Werk (z. B. Karten, Musikalien, Stiche, Photographien, Statuen, Bildhauerarbeiten) an einer sichtbaren Stelle folgende Inschrift in englischer Sprache tragen: „Entered according to the Act of Congress, in the year —, by A. B., in the office of the Librarian of Congress at Washington.“ (Gemäß Kongreßbeschluß, im Bureau des Bibliothekars des Kongresses zu Washington, von A. B. im Jahre — eingetragen) oder nach Belieben:

„Copyrigth, 18—, by A. B.“ (Verlagsrecht erworben, 18— von A. B.). Andere Wendungen, wenn auch ähnlichen Sinnes, sind nicht zulässig; auch ist es verboten, diese Inschrift auf Gegenständen anzubringen, für welche thatsächlich kein Verlagsrecht erworben ist.

c) Innerhalb zehn Tage nach der Veröffentlichung müssen zwei Exemplare des betreffenden Buches oder sonstigen Gegenstandes, oder eine Photographie des Bildes, der Zeichnung, der Statue oder eines sonstigen zu schützenden Erzeugnisses der bildenden Künste beim Bibliothekar des Kongresses niedergelegt werden. Die Gebühr für die Eintragung beträgt 50 Cents. Durch Nichterfüllung dieser Vorschriften verwirkt man sein Verlagsrecht.

Übertretungen in Betreff des Verlagsrechtes werden in folgender Weise bestraft: Das Drucken, Einführen oder Verlegen von Nachdrucken, oder der Verkauf von Exemplaren, von welchen man weiß, daß sie Nachdrucke sind, wird durch Verwirkung der fraglichen Exemplare und durch Bezahlung eines vom Gerichtshof zu bestimmenden Schadenersatzes bestraft. Nachdruck, Nachahmung, gänzliche oder teilweise Benutzung geschützter Karten, Musikalien, Photographien, Bilder, Statuen 2c., mit der Absicht, das Gesetz zu umgehen, hat zur Folge die Verwirkung der Platten 2c. und eine Geldstrafe von 1 Dollar für jeden vorgefundenen Bogen der nachgedruckten Karten 2c., oder von 10 Dollars für jedes Exemplar des Bildes der Statue 2c. Die unberechtigte öffentliche Aufführung eines geschützten dramatischen Werkes ist mit Schadenersatz bis zu 100 Dollars für die erste und 50 Dollars für jede folgende Vorstellung zu sühnen. Wer ein Manuskript unbefugterweise veröffentlicht, muß dem Verfasser den ihm dadurch zugefügten Schaden ersetzen.

Die Verjährungsfrist für Anklagen aus diesem Gesetze beträgt zwei Jahre.

Verträge oder Abkommen mit fremden Ländern die Werke der Litteratur und Kunst betreffend existieren nicht. Will nun ein deutscher Autor (resp. ein Autor Europas) sein Urheberrecht in den Vereinigten Staaten wahren, so bieten sich ihm folgende Wege dar: Entweder er läßt sein Werk bei einem Verleger erscheinen, welcher auch in den Vereinigten Staaten ein Zweiggeschäft besitzt, welches dort die zur Wahrung des Verlagsrechts nötigen Eintragungen bewirkt, oder er nennt auf dem Titel des Werkes eine Person als Mitarbeiter, welche in den Vereinigten Staaten das Bürgerrecht hat, oder dort ansässig ist. Diese Person ist dann in der Lage, durch Erfüllung der

Formalitäten das Verlagsrecht des Werkes in Amerika zu schützen. Auch kann man den Vertrieb des Werkes einem Buchhändler in Amerika geben, der am Titelblatte als Mitverleger genannt wird und als solcher die Formalitäten zur Wahrung des Rechtsschutzes besorgt.

Norwegen.

Die Urheberrechts-Gesetzgebung besteht gegenwärtig aus folgenden Gesetzen:

Gesetz vom 8. Juni 1876 über den Rechtsschutz des sogenannten litterarischen Eigentums;

Gesetz vom 12. Mai 1877 über den Schutz des künstlerischen Eigentums;

Gesetz vom 12. Mai 1877 über den Schutz der Photographien;

Gesetz vom 20. Juni 1882 betreffend die Eintragung der Druckschriften und Abgabe derselben an die Universitätsbibliothek.

Im nachstehenden Aufsatze sind diese vier Gesetze zusammen gefaßt.

Die Vervielfältigung von Schriftwerken jeder Art, geographischen, topographischen, technischen, naturgeschichtlichen oder anderen Karten und Abbildungen steht nur dem Urheber derselben zu. Dies Recht schließt auch das Aufführungsrecht dramatischer, musikalischer und dramatisch-musikalischer Werke in sich. Der Urheber eines Werkes der Kunst besitzt auch das ausschließliche Recht von diesem Werke Einzelkopien (Handkopien) herzustellen, sowie auch es durch Stich, Lithographie, Photographie oder einem beliebigen anderen Verfahren zu vervielfältigen.

Der Herausgeber eines aus Beiträgen mehrerer bestehenden Werkes wird als Urheber des Gesamtwerkes betrachtet, unbeschadet der Rechte, welche die einzelnen Mitarbeiter an ihren Beiträgen haben. Der Übersetzer eines Werkes wird in Bezug auf seine Übersetzung als Urheber betrachtet, sofern durch die Übersetzung dieses Gesetz nicht verletzt wurde. Die Übersetzung in einen Dialekt gilt als Vervielfältigung, zu welcher die Erlaubnis des Urhebers des Originalwerkes einzuholen ist. In dieser Beziehung gelten norwegisch, schwedisch und dänisch als Dialekte einer und derselben Sprache. Als verbotene Vervielfältigung gilt auch: a) die Übersetzung eines noch unveröffentlichten Werkes; b) wenn ein Werk in einer toten Sprache veröffentlicht wurde, die Übersetzung und Veröffentlichung desselben in einer lebenden Sprache;

c) wenn ein Werk in mehreren Sprachen zugleich veröffentlicht wurde, die Übersetzung und Veröffentlichung in eine dieser Sprachen.

Der Verfertiger einer Photographie hat das ausschließliche Recht der Vervielfältigung und des Verkaufes derselben, wenn er auf jedem Exemplare das Wort „emberettigot“ (ausschließliches Recht), das Jahr der ersten Ausgabe und seinen Namen anbringt; ist die Photographie die Reproduktion eines Kunstwerkes, so muß auch der Urheber des Originalwerkes auf der Photographie genannt sein.

Das Urheberrecht kann bei Lebzeiten beliebig übertragen oder testamentarisch vermacht werden. Stirbt der Urheber ohne ein Testament zu hinterlassen, so geht das Urheberrecht ohne Rücksicht auf die gesetzliche Erbfolge auf den Ehegatten über und sodann erst kommen die gesetzlichen Bestimmungen über die Erbfolge zur Geltung. Die Erben können über das Urheberrecht ebenso frei verfügen wie der Autor.

Das Urheberrecht an Werken der Litteratur und Kunst, sowie das Aufführungsrecht dramatischer und musikalischer Werke ist während der Lebenszeit des Autors und fünfzig Jahre nach dessen Tod geschützt. Ein Werk, welches durch die Mitarbeiterschaft mehrerer entstanden ist, wobei aber der von einem jeden Mitarbeiter gelieferte Teil nicht erkennbar ist, wird bis fünfzig Jahre nach dem Tode des am längsten lebenden Mitarbeiters geschützt. Die von Instituten, wissenschaftlichen Gesellschaften herausgegebenen Werke, sowie anonyme und pseudonyme Werke sind nach ihrem Erscheinen fünfzig Jahre lang geschützt. Wenn sich der Autor anonymer oder pseudonymer Werke innerhalb dieses Zeitraumes durch Eintragung seines Namens in das Register nennt, so wird die Schutzfrist bis auf fünfzig Jahre nach seinem Tode verlängert.

Der Schutz gegen unberechtigte Vervielfältigung von Photographien währt fünf Jahre von dem der ersten Vervielfältigung folgenden ersten Januar an gerechnet, wenn der Urheber nicht vor Ablauf dieser Frist stirbt, in welchem Falle die Schutzfrist mit dem Tode des Urhebers endigt.

Ein von mehreren Urhebern hergestelltes dramatisches Werk darf nur mit Erlaubnis aller Mitarbeiter aufgeführt werden; zur Aufführung eines dramatisch-musikalischen Werkes genügt jedoch die Erlaubnis des Komponisten oder des Dichters allein, je nachdem, ob der musikalische oder der textliche Teil den wichtigeren Bestandteil des Gesamtwerkes bildet. Wer das Aufführungsrecht vom Autor oder

Komponisten eines Werkes erhalten hat, darf, sofern nicht das Gegenteil bedungen wurde, die Aufführung beliebig wiederholen. Die Rezitierung eines dramatischen Werkes ohne jede szenische Einrichtung wird nicht als öffentliche Aufführung betrachtet.

Der Verkauf eines Werkes der Kunst schließt nicht den Verkauf des Vervielfältigungsrechtes in sich, ausgenommen den Fall, wenn es sich um Bildnisse oder Büsten handelt, welche auf Bestellung angefertigt worden sind. Ist das Recht, von einem Kunstwerke Einzelkopien (Handkopien) herstellen zu dürfen, vom Urheber des Werkes veräußert worden, so darf der Künstler dennoch, wenn das Gegenteil nicht ausdrücklich bedungen ist, von dem Werke Kopien mit der Hand herstellen oder einen andern zu deren Herstellung ermächtigen.

Bestellte Photographien dürfen nur mit Erlaubnis des Bestellers vervielfältigt werden.

Als Verletzung des Urheberrechtes wird nicht betrachtet: Die Zitierung kurzer Stellen aus litterarischen Werken oder einzelner Phrasen aus musikalischen Kompositionen; die in einem größeren Sammelwerke erfolgte Aufnahme bereits veröffentlichter Poesien oder kurzer Prosastücke, sofern das Gesamtwerk nach einem besonderen Plane zu einem speziellen Zwecke zusammengestellt ist, und seit der ersten Veröffentlichung der darin aufgenommenen Stücke mindestens ein Jahr verflossen ist; der Nachdruck von Dichtungen, wenn diese als Text zu einer musikalischen Komposition dienen; die nur zur Erläuterung des Textes dienende Aufnahme von Zeichnungen und Abbildungen in einem Schriftwerke, oder eine zu Unterrichtszwecken dienende Sammlung von Zeichnungen verschiedener Urheber. Außer bei kurzen Zitaten ist in allen anderen Fällen Quellenangabe zur Bedingung gemacht. Die in periodischen Druckschriften veröffentlichten Artikel können mit Ausnahme der größeren litterarischen oder wissenschaftlichen Aufsätze, deren Nachdruck speziell verboten ist, in anderen periodischen Druckschriften mit Quellenangabe nachgedruckt werden.

Bei Kunstwerken gilt es nicht als Verletzung des Urheberrechtes: wenn ein Werk der zeichnenden Kunst durch die Plastik, oder ein plastisches Kunstwerk durch die zeichnende Kunst vervielfältigt wird, unter der Voraussetzung, daß diese Vervielfältigung nicht durch ein mechanisches Verfahren, wie z. B. durch die Photographie, erfolgt; wenn das Kunstwerk als Modell zu einem Industrie-Erzeugnisse dient; wenn die Kopie eines Kunstwerkes nur zur Erläuterung eines Schriftwerkes dient. Gestattet ist auch die Vervielfältigung von Kunstwerken, welche sich auf öffentlichen Plätzen, an der Außenseite von Gebäuden oder in öffentlichen Sammlungen befinden.

Die in öffentlichen Versammlungen gehaltenen Reden, die Beratungen der gesetzgebenden Körperschaften, Gesetze, gerichtliche Urteile dürfen veröffentlicht werden. Ferner ist die Veröffentlichung von Schriften gestattet, welche fünf Jahre lang im Buchhandel vergriffen waren. Wenn vom Urheber oder dessen Rechtsnachfolger durch Eintragung in das Register das bevorstehende Erscheinen einer neuen Auflage angezeigt ist, so darf kein anderer einen Neudruck veranstalten, vorausgesetzt, daß der vom Autor angekündigte Neudruck innerhalb des Jahres, in dem die erste Anzeige erfolgte, auch erscheint. Wenn jemand das Aufführungsrecht eines dramatischen Werkes erwirbt, und er fünf Jahre hintereinander keine Aufführung des Werkes veranstaltet, so ist der Autor berechtigt, von dem Vertrage zurückzutreten.

Wer absichtlich oder aus Fahrlässigkeit eine unberechtigte Vervielfältigung eines Werkes der Litteratur oder Kunst veranstaltet, zu dem Zwecke, diese innerhalb oder außerhalb Norwegens zu verbreiten, wird zu einer Strafe von 10 bis 1000 Kronen (11 Mark 20 Pf. bis 1120 Mark) verurteilt. Der gleichen Strafe unterliegt der Verbreiter der Nachdrucksexemplare, sowie auch derjenige, welcher absichtlich oder aus Fahrlässigkeit, und ohne hierzu berechtigt zu sein, die öffentliche Aufführung eines dramatischen oder musikalischen Werkes veranstaltet. Auf die unberechtigte Vervielfältigung einer Photographie, sowie auch auf die Verbreitung dieser Vervielfältigungen ist eine Strafe von 10 bis 200 Kronen (11 Mark 20 Pf. bis 224 Mark) gesetzt. Die widerrechtlichen Vervielfältigungen werden beschlagnahmt und dem verletzten Urheber ausgefolgt. Dieser ist auch zu einem Schadenersatzanspruche berechtigt, dessen Höhe nach dem abgesetzten Teile der Nachdrucksausgabe zum Buchhändlerpreise der rechtmäßigen Ausgabe berechnet wird. Die zum Nachdrucke dienenden Platten, Steine ꝛc. werden beschlagnahmt und vernichtet. Die Unterlassung einer vom Gesetze vorgeschriebenen Quellenangabe wird mit 1 bis 100 Kronen (1 Mark 12 Pf. bis 112 Mark) bestraft.

Die Universitätsbibliothek in Christiania ist verpflichtet, ein Register zu führen, in welches jedes neue Verlagswerk, wofür der Schutz des Urheberrechtes beansprucht wird, Aufnahme finden kann. Von jeder Druckschrift oder neuen Auflage ist ein gebundenes Exemplar sofort nach der Veröffentlichung zu hinterlegen. Ferner hat der Drucker von allen im Laufe des Jahres gedruckten Schriftwerken, Musikalien, Kupferstichen, Lithographien 2c. bis längstens Ende Januar des nächsten Jahres ein fehlerfreies und vollständiges Pflichtexemplar der Universitätsbibliothek zu Christiania zu übergeben. Die rechtzeitig eingesandten Exemplare werden mit demjenigen Betrage bezahlt, welcher den Ladenpreis von 10 Kronen (11 Mark 20 Pf.) übersteigt. In diesem Falle ist der Sendung eine Rechnung beizugeben. Bei Feststellung des die genannte Summe übersteigenden Betrages kommen von bruchstückweise erscheinenden Werken nur die während des verflossenen Kalenderjahres erschienenen Teile zur Berechnung. Für Tageszeitungen und andere öffentliche Blätter tritt Vergütung nicht ein. Die Sendungen genießen Portofreiheit, wenn sie den postalischen Bestimmungen entsprechen. Die Bibliothek hat sobald als möglich, jedenfalls vor dem 1. August jeden Jahres, ein Verzeichnis aller bis zum 1. Februar eingesandten inländischen Werke öffentlich bekannt zu machen. Für jedes nicht hinterlegte Exemplar ist eine Strafe von 2 bis 50 Kronen (2 Mark 24 Pf. bis 56 Mark) festgesetzt.

Die Schutzfristen beginnen vom 1. Januar, welcher dem Ereignisse folgt, der den Anfang der Schutzfrist bedingt. (Tod des Autors, Erscheinen des Werkes 2c.) Mangels anderer Vertragsbestimmung darf der Verleger eines Werkes nicht mehr als eine Auflage in der Höhe von tausend Exemplaren herstellen. Bei anonymen oder pseudonymen Werken ist der Herausgeber oder Verleger berechtigt, die Interessen des Autors zu wahren. Die Verfolgung wegen Nachdruck tritt nur auf Antrag des Verletzten ein. Klage wegen Verletzung des Urheberrechtes ist nur innerhalb eines Jahres, nachdem der Verletzte hiervon Kenntnis erhielt, zulässig; die Strafverfolgung verjährt zwei Jahre, nachdem die erste Verbreitung, der Nachdruck oder die öffentliche Aufführung stattgefunden hat. Die zivilrechtliche Verfolgung (Beschlagnahme der Nachdrucksexemplare, Zerstörung der Nachdrucksvorrichtungen, Schadenersatzanspruch) ist so lange möglich, als Nachdrucksexemplare oder Vorrichtungen zu deren Herstellung vorhanden sind und das Werk noch nicht Gemeingut geworden ist.

Dies Gesetz ist auf alle Werke norwegischer Autoren, sowie auf Werke, die bei norwegischen Verlegern erschienen sind, anwendbar. Unter der Bedingung der Reziprozität kann der Rechtsschutz durch königliche Verordnung auch auf Autoren, die in anderer Länder ausgedehnt werden.

Norwegen hat nur mit Frankreich einen Vertrag zum Schutze des Urheberrechtes geschlossen, der auch für Schweden bindend ist. Siehe Frankreich, Seite 35.

Österreich.

Der vollständige Abdruck der österreichischen Urheberrechts- und Preßgesetzgebung, sowie auch Kommentar derselben, befindet sich im ersten Bande dieses Werkes. Derselbe Band enthält auch den zwischen Österreich und Ungarn abgeschlossenen Litterarvertrag, während die übrigen Litterarkonventionen, die auch für Ungarn bindend sind, am Schlusse dieses Bandes abgedruckt sind.

Paraguay.

Die Verfassung vom 24. November 1870 bestimmt im § 19 „Jeder Urheber oder Erfinder besitzt während der vom Gesetze festgestellten Zeit das ausschließliche Eigentum an seinem Werke, seiner Erfindung oder Entdeckung.“ Bisher ist weder ein Spezialgesetz zum Schutze des geistigen Eigentums erlassen, noch eine Litterarkonvention abgeschlossen worden.

Persien.

Ein Schutz des geistigen Eigentums besteht in Persien nicht. Alle zur Veröffentlichung gelangenden Bücher unterliegen der Zensur und bedürfen eines Stempels des Ministeriums als Zeichen des „imprimatur“. Auf diese mehr polizeiliche Aufsicht beschränkt sich die Thätigkeit des „Ministeriums der Presse“, welches dafür eine Abgabe zu erheben berechtigt ist. Diese Abgabe besteht in Geld, nicht aber in Exemplaren der betreffenden Schrift.

Peru.

Die Unverletzbarkeit des geistigen Eigentums ist durch die Verfassung gewährleistet, jedoch ist im Interesse des Gemeinwohls Expropriation gegen eine vorher festzustellende Entschädigung zulässig. In Ausführung der Verfassung wurde das Gesetz über das litterarische Eigentum vom 3. November 1849 erlassen.

Die Urheber von Schriftwerken, geographischen Karten und musikalischen Kompositionen jeder Art haben das ausschließliche Recht, diese Erzeugnisse im ganzen Landesgebiete zu verkaufen oder zu verbreiten. Das Urheberrecht ist ganz oder teilweise übertragbar, und ist während der Lebenszeit des Autors und zwanzig Jahre nach dessen Tod zu gunsten der Erben oder anderer Rechtsnachfolger geschützt. Der rechtmäßige Besitzer eines posthumen Werkes genießt dreißigjährigen Schutz des litterarischen Eigentums.

Von jeder Druckschrift, jedem Stich ꝛc. sind zwei Pflichtexemplare abzugeben, wovon eines bei der öffentlichen Bibliothek und eines bei der Präfektur des Departements, wo das Werk erscheint, einzureichen ist. Die Autoren anonymer oder pseudonymer Werke haben bei der Präfektur ein verschlossenes Kouvert abzugeben, welches ihren wahren Namen enthält.

Die Veröffentlichung oder der Verkauf einer widerrechtlichen Vervielfältigung wird mit 200 bis 500 Piaster (800 bis 2000 Mark) bestraft. Die Strafsumme, sowie auch die Nachdrucksexemplare, die der Beschlagnahme unterliegen, werden dem verletzten Autor ausgefolgt. Die im Auslande hergestellten und in Peru eingeführten Nachdrucksexemplare werden gleichfalls zu gunsten des verletzten Autors beschlagnahmt.

Der Verfasser einer Übersetzung wird wie der Urheber eines Originalwerkes geschützt, wenn er die vom Gesetze vorgeschriebenen Formalitäten (Abgabe der Pflichtexemplare) erfüllt.

Nach Ablauf der Schutzfristen werden die betreffenden Werke Gemeingut. Internationale Verträge hat Peru nicht abgeschlossen.

Portugal.

Bestimmungen über das litterarische und künstlerische Eigentum sind im bürgerlichen Gesetzbuche vom 1. Juli 1867 §§ 570 bis 612 enthalten. Die Strafbestimmungen sind aus dem Strafgesetzbuche vom Jahre 1886 §§ 457, 458 und 460 zu entnehmen.

Jeder hat das Recht, mittelst Buchdruck, der Lithographie, der szenischen Kunst oder sonst einem Verfahren seine litterarischen Arbeiten zu veröffentlichen, ohne einer vorherigen Autorisation, Kautionserlegung oder sonstigen direkten oder indirekten Beschränkung in der freien Ausübung dieses Rechtes gehindert zu sein, unbeschadet jedoch der Verantwortlichkeit, welche jedermann dem Gesetze gegenüber zu tragen hat. Dasselbe gilt betreffs des Übersetzungsrechtes. Von der Regierung veröffentlichte Gesetze, Verordnungen rc. dürfen genau nach der offiziellen Ausgabe nachgedruckt werden; ebenso die in den gesetzgebenden Körperschaften und bei sonstigen offiziellen Anlässen gehaltenen Reden. Eine teilweise oder vollständige Sammlung der Vorträge eines Redners darf nur mit Ermächtigung desselben herausgegeben werden. Öffentliche Vorträge der Lehrer, Professoren, Prediger dürfen nur auszugsweise mitgeteilt werden, während es zum vollständigen Abdrucke der Ermächtigung des betreffenden Redners bedarf. Manuskripte dürfen in keinem Falle ohne Bewilligung des Autors veröffentlicht werden. Das Urheberrecht an Briefen verbleibt dem Schreiber derselben. Zitate oder kurze Auszüge mit Nennung des Autors sind gestattet; ebenso Abdruck aus Zeitschriften, wobei jedoch die Quelle angegeben werden muß. Mitarbeiter an periodischen Unternehmungen oder Sammelwerken dürfen, mangels einer gegenteiligen Abmachung, ihre Arbeiten auch anderweitig veröffentlichen. Im Urheberrecht ist das Übersetzungsrecht mit einbegriffen. Für die Autoren anonymer oder pseudonymer Werke gelten dieselben gesetzlichen Bestimmungen, sobald der wahre Name des Autors, dessen Rechtsnachfolger oder Erben festgestellt wird. Weigert sich der Inhaber des Urheberrechtes an einem vergriffenen Werke dieses neu herauszugeben, so kann er von seinem Rechte expropriiert werden. Eine solche Expropriation kann jedoch nur vom Staate gegen eine angemessene Entschädigung vorgenommen werden und nur unter denselben Bedingungen, unter welchen laut den bezüglichen gesetzlichen Bestimmungen Expropriationen im allgemeinen Interesse stattfinden dürfen. Der Verleger eines Werkes darf ohne Zustimmung des Autors keinerlei Änderung weder im Texte, noch am Titel des Werkes vornehmen. Der Verleger, welcher das Manuskript eines Werkes behufs Veröffentlichung erworben hat, ist verpflichtet, mangels anderer Abmachung, das Werk bis längstens im darauffolgenden Jahre nach Annahme desselben erscheinen zu lassen, und für die eventuelle regelmäßige Fortsetzung Sorge zu tragen, widrigenfalls der Autor Anspruch auf Schadenersatz hat. Stirbt der Träger eines Urheberrechtes ohne Erben zu hinterlassen, so wird dadurch das Werk zum Nachdrucke frei, unbeschadet der Rechte, welche Gläubiger am Nachlasse haben. Das Urheberrecht ist unverjährbar.

Dramatische Autoren genießen außer den vorstehenden, sich auf den Druck ihrer Werke beziehenden Rechten noch folgende:

Zur Aufführung eines dramatischen Werkes in einem Theater, welches Eintrittsgeld erhebt, bedarf es der vorherigen schriftlichen Ermächtigung von seiten des Urhebers oder dessen Rechtsnachfolgers. Der Urheber kann seine Autorisation zur Aufführung beschränken, entweder auf eine gewisse Zeit, oder auf einen bestimmten Umkreis oder auf eine besondere Anzahl von Bühnen. Wird diese Beschränkung übertreten, so fällt die aus der Aufführung erwachsene Nettoeinnahme demjenigen zu, dessen Autorisation zur Aufführung nötig gewesen wäre. Die Gläubiger des Theaterunternehmers können den dem Urheber gehörigen Teil der Einnahme nicht pfänden. Der Urheber darf das Aufführungsrecht seines Werkes in jedem Orte nur einer Bühne überlassen. Auch darf er keine Nachahmung seines Werkes in demselben Orte aufführen lassen. Führt der Theaterunternehmer das Stück, dessen Aufführungsrecht er erworben hat, in der festgesetzten Zeit nicht auf, so kann der Urheber über sein Werk wieder frei verfügen.

Der Urheber eines musikalischen Werkes, einer Zeichnung, einer Malerei, eines Werkes der plastischen Kunst oder eines Stiches hat das ausschließliche Recht der Vervielfältigung seines Werkes. Für die Vervielfältigungen gelten dieselben Rechte wie für Schriftwerke. Betreffs der Aufführung musikalischer Werke und der Ausstellung von Werken der bildenden Kunst an Stätten, wozu gegen Erlag eines Eintrittsgeldes Zutritt zu erlangen ist, gelten dieselben Bestimmungen wie für die Aufführung dramatischer Werke.

Das Urheberrecht ist während der Lebenszeit des Autors und fünfzig Jahre nach dessen Tod geschützt. Ausländische Autoren sind in ihrem Übersetzungsrechte nur zehn Jahre nach Erscheinen des Originalwerkes geschützt, unter der Bedingung, daß die Übersetzung innerhalb der ersten drei Jahre begonnen wird. Der Übersetzer, einerlei ob dieser Portugiese oder Ausländer ist, genießt für seine Übersetzung einen dreißigjährigen Schutz des Urheberrechtes, was nicht verhindert, daß eine andere Person eine neue Übersetzung des Originalwerkes veranstalten kann. Die vom Staate oder von öffentlichen Anstalten herausgegebenen Werke sind bis fünfzig Jahre nach Erscheinen des letzten Teiles geschützt. Wenn die verschiedenen Teile der Veröffentlichung aber verschiedene Stoffe behandeln, so wird die fünfzigjährige Schutzfrist für jeden Teil besonders berechnet. Bei einem von mehreren genannten Autoren verfaßten Werke währt die Schutzfrist des Gesamtwerkes bis fünfzig Jahre nach dem Tode des zuletzt sterbenden Mitarbeiters. Ist das Gesamtwerk von einer Person redigiert und herausgegeben, so gilt der Herausgeber als Urheber des Gesamtwerkes. Der Verleger wird nach Maßgabe des Verlagsvertrages ebenso geschützt wie der Urheber; in Fällen jedoch, in welchen die Länge der Schutzfrist von der Lebenszeit des Autors abhängig gemacht ist, wird an dieser Bestimmung nichts geändert. Der Verleger eines posthumen Werkes genießt bis fünfzig Jahre nach der Veröffentlichung den Schutz des Urheberrechtes. Der Verleger eines Werkes, dessen Autor nicht bekannt ist, und der sich auch auf die gesetzmäßig vorgeschriebene Art nicht bekannt macht, genießt einen dreißigjährigen Schutz des Urheberrechtes, welche Schutzfrist vom Erscheinen des letzten Teiles des Werkes gerechnet wird.

Zur Wahrung des Urheberrechtes sind folgende Förmlichkeiten zu erfüllen. Vor der Ausgabe des Werkes sind in zwei Exemplaren einzureichen: Schriftwerke bei der öffentlichen Bibliothek zu Lissabon; dramatische oder musikalische Werke resp. Werke, welche dramatische oder musikalische Litteratur behandeln, beim königlichen Konservatorium zu Lissabon; Werke der zeichnenden, malenden oder plastischen Kunst (eventuell Zeichnungen der Originale) bei der Akademie der schönen Künste zu Lissabon. Über die Hinterlegung wird dem Urheber eine Empfangsbestätigung ausgestellt, und erfolgt Eintragung der deponierten Werke in ein bestimmtes Register. Monatlich werden die erfolgten Eintragungen in dem offiziellen Organe der Regierung bekannt gemacht. Auszüge aus dem Register gelten mangels eines unumstößlichen gegenteiligen Beweises bei Rechtsstreitigkeiten als Beweis des Urheberrechtes an einem bestimmten Werke.

Widerrechtlicher Nachdruck oder Vervielfältigung eines Werkes wird mit Beschlagnahme der gesamten unrechtmäßig hergestellten Exemplare und Ausfolgung derselben an den verletzten Urheber geahndet. Für die bereits abgesetzten Exemplare muß der volle Verkaufspreis oder der dafür abgeschätzte Preis dem rechtmäßigen Urheber ausgefolgt werden. Ist die Auflagehöhe der widerrechtlich hergestellten Ausgabe nicht festzustellen, so werden außer der beschlagnahmten Anzahl noch 1000 Exemplare als verkauft angenommen. Den Verkäufer oder Importeur von unrechtmäßigen Nachdrucken trifft die gleiche Ahndung wie den Verleger selbst. Beide sind solidarisch verantwortlich. Wer Briefe unrechtmäßig veröffentlicht, ist dem Urheber derselben oder dessen Erben zum Schadenersatz verpflichtet.

Der Verletzer des Urheberrechtes ist nicht nur civilrechtlich verantwortlich, sondern kann auch auf Antrag des Verletzten strafrechtlich verfolgt werden. Als Strafe ist für die unberechtigte Vervielfältigung eines Werkes der Litteratur oder Kunst 30 bis 300 Milreis (135 bis 1350 Mark) angesetzt. Der gleichen Strafe unterliegt, wer einen im Auslande hergestellten Nachdruck eines portugiesischen Werkes in Portugal einführt. Der Verkauf der widerrechtlichen Vervielfältigung wird mit 10 bis 100 Milreis (45 bis 450 Mark) bestraft. Derselben Strafe unterliegt die unberechtigte Aufführung eines dramatischen oder musikalischen Werkes. Die Einnahme wird beschlagnahmt und ebenso wie die gleichfalls der Beschlagnahme unterliegenden Nachdrucksexemplare und die zu deren Herstellung dienenden Vorrichtungen dem verletzten Autor ausgefolgt.

Rumänien.

Rumänien besitzt ein Preßgesetz vom 1./13. April 1862, welches in den §§ 1 bis 11 das litterarische und künstlerische Eigentum anerkennt und dessen Ausführungsbestimmungen durch Dekret Nr. 1087 vom Jahre 1863 festgestellt sind. Die Strafbestimmungen sind im Strafgesetzbuche vom Jahre 1864 §§ 339 bis 342 enthalten, welche nur eine Reproduktion der §§ 425 bis 429 des französischen Code penal sind. Der Rechtszustand ist jedoch ein sehr zweifelhafter, weil die Anschauungen der rumänischen Gerichte über die Anwendung resp. der Giltigkeit des Gesetzes vom Jahre 1862 sehr geteilt sind. Nach einer Entscheidung (vom 23. September 1880) soll das Urheberrecht gar nicht geschützt sein, weil der § 30 der Verfassung vom Jahre 1866 alle früheren gesetzlichen Bestimmungen, die den Grundsätzen der Verfassung widersprechen, aufhebt. Eine andere Entscheidung (vom 17. März 1867) beruft sich auf § 19 der Verfassung vom Jahre 1866, welcher das Eigentum jeder Art für unverletzlich erklärt. Dieser Paragraph in Verbindung mit den §§ 339 bis 342 Strafgesetzbuches sprechen sich für Anerkennung des geistigen Eigentums aus, welches, da eine Bestimmung über Schutzfristen fehlt, immerwährend geschützt werden muß. Diesen beiden Gesetzesauslegungen gegenüber sei noch eine dritte Anschauung erwähnt, nach welcher das Preßgesetz vom Jahre 1862, soweit es die Anerkennung des Urheberrechtes ausspricht (§§ 1 bis 11), durch die Verfassung vom Jahre 1866 nicht aufgehoben sei, weil der Urheberrechtsschutz den Grundsätzen der Verfassung nicht zuwider laufe.

Nachstehend geben wir den Inhalt der bezüglich ihrer Giltigkeit so zweifelhaften ersten elf Paragraphen des Preßgesetzes vom Jahre 1862. Statt des § 9 dieses Gesetzes, welcher von der Abgabe der Pflichtexemplare handelt, reproduzieren wir die §§ 1 bis 3 des Gesetzes vom 2. April 1885, das bezüglich der Pflichtexemplare andere Bestimmungen festsetzt.

Die Urheber von Schriftwerken jeder Art, musikalischen Kompositionen, Maler oder Zeichner, welche ihre Bilder oder Zeichnungen lithographieren lassen, besitzen das ausschließliche Recht, ihre Werke innerhalb des Königreiches zu vervielfältigen und zu verkaufen. Dieses Recht ist übertragbar und wird nach dem Tode der Urheber noch zehn Jahre lang zu gunsten der Erben oder sonstigen Rechtsnachfolger geschützt. Auf Grund des Vorstehenden sind auch Zeitungen oder andere periodische Druckschriften als Eigentum der Herausgeber derselben geschützt. Der Nachdruck einzelner Zeitungsartikel ist in andern Zeitungen gestattet, mit Ausnahme größerer wissenschaftlicher oder litterarischer Arbeiten, deren Nachdruck durch eine Bemerkung an der Spitze des Artikels besonders verboten ist. Das Recht der Aufführung dramatischer Werke ist ebenso lange geschützt wie das Recht der Vervielfältigung. Übersetzungen sind nur geschützt, wenn sie nach dem Text des Originals hergestellt sind. Zum Zwecke der Kritik oder zur Erläuterung sind Auszüge aus andern Schriftwerken gestattet.

Alle ohne ausdrückliche schriftliche Erlaubnis des Urhebers hergestellten Exemplare eines geschützten Werkes sind auf Antrag des verletzten Urhebers und zu dessen gunsten von der Verwaltungsbehörde zu beschlagnahmen. Der Nachdrucker hat noch außerdem den Preis von 1000 Exemplaren der Originalausgabe als

Schadenersatz zu bezahlen. Der Verkäufer eines Nachdruckes hat als Schadenersatz dem verletzten Urheber den Preis von 200 Exemplaren zu bezahlen.

Jeder Buchdrucker ist verpflichtet jedwedes Buch, Broschüre, Zeitung, überhaupt jedwede Druckarbeit, welche in seinem Atelier ausgeführt worden, in je drei Exemplaren der Zentralbibliothek in Bukarest, der Bibliothek der rumänischen Akademie, sowie der Zentralbibliothek in Jassy zuzuschicken.

Jeder Autor oder rumänische Verleger, welcher ein Buch, wie im vorhergehenden Absatz bestimmt, herausgiebt, ist denselben Verpflichtungen unterworfen. Jeder Drucker, Autor oder rumänische Verleger, der diese Verpflichtungen nicht erfüllt, wird mit einer Strafe von 100 bis 500 Neulei (80 bis 400 Mark) bestraft. Das Strafmaß wird durch das Tribunal festgesetzt und zwar ohne Apell.

Die Strafen gegen Nachdruck sind nach §§ 339 bis 342 des Strafgesetzbuches vom Jahre 1864 folgende:

Jede Verletzung des Urheberrechtes, sowie auch Einführung von Werken, welche im Auslande gedruckt sind, und wodurch die Rechte eines rumänischen Urhebers verletzt sind, wird mit Strafe von 100 bis 2000 Franks geahndet. Der Verkäufer widerrechtlich hergestellter Werke wird mit Strafe von 25 bis 50 Franks belegt. Außerdem wird die nachgedruckte Auflage, sowie die zu deren Herstellung dienenden Platten, Matern ꝛc. beschlagnahmt. Jede widerrechtliche Aufführung eines dramatischen oder musikalischen Werkes wird an dem Direktor oder Unternehmer der Aufführung mit Strafe von 50 bis 500 Franks geahndet, und außerdem wird die gesamte Einnahme mit Beschlag belegt. Das Ergebnis der in den vorhergehenden Bestimmungen verfügten Konfiskationen wird dem verletzten Urheber zur Deckung seines Anspruchs auf Schadenersatz übermittelt.

Rußland.

Rußland untersteht keiner einheitlichen Urheberrechts-Gesetzgebung, da Finnland (siehe Seite 24 dieses Bandes) sein besonderes Urheberrecht hat. Für das übrige Rußland (mit Ausschluß von Finnland) ist das Urheberrecht durch das Reglement über Zensur und Presse vom Jahre 1886 geregelt. Für die kaiserlichen Theater wird das Aufführungsrecht an dramatischen und dramatisch-musikalischen Werken auf Grund des Reglements vom 13. November 1827 erworben. Das Reglement vom Jahre 1886 wird noch durch die Prozeßordnung §§ 718 bis 724, 1412, 1413 und das Strafgesetzbuch vom Jahre 1886 §§ 1683 bis 1685 ergänzt. Das Reglement über Zensur und Presse bestimmt folgendes:

Der Autor oder der Übersetzer eines Buches, sowie auch Maler, Bildhauer, Architekten, Graveure, Photographen, überhaupt alle, welche sich mit irgend einem Zweige der schönen Kunst beschäftigen, haben das ausschließliche Recht, ihre Werke durch irgend ein Verfahren zu vervielfältigen, und wenn es sich um musikalische Werke handelt, diese Werke öffentlich aufzuführen oder deren Aufführung zu gestatten. Das ausschließliche Recht des Urhebers wird während der Lebenszeit des Urhebers und fünfzig Jahre nach seinem Tode geschützt. Die ersten Herausgeber von Volksliedern, Sprichwörtern, Erzählungen ꝛc., welche nur in mündlicher Überlieferung vorhanden waren, ebenso die ersten Herausgeber alter Manuskripte werden als Urheber betrachtet und dementsprechend geschützt. Die nach dem Tode des Autors erscheinenden Werke oder Übersetzungen werden fünfzig Jahre nach ihrem ersten Erscheinen geschützt.

Nur auf Grund eines in gesetzmäßiger Form abgeschlossenen schriftlichen Vertrages mit dem Autor oder Übersetzer darf ein Werk vom Verleger herausgegeben werden. Für jede neue Auflage bedarf es eines neuen Vertrages. Wer Urheberrechte erbt, muß innerhalb eines Jahres nach dem Tode des Erblassers den Beweis des rechtmäßigen Besitzes der Rechte erbringen. Weilt der Erbe im Auslande, so wird ihm eine zweijährige Frist zur Erbringung dieses Beweises eingeräumt. Akademien oder sonstige Gesellschaften genießen in bezug auf die von ihnen herausgegebenen Werke einen fünfzigjährigen Schutz des Urheberrechtes; diese Frist wird vom Erscheinen des letzten Bandes oder Teiles an gerechnet.

Die aus kleineren Arbeiten mehrerer Autoren zusammengestellten Werke (Journale, Almanachs ꝛc.) darf der Verleger in der gleichen Form beliebig vervielfältigen; Sonderausgaben der einzelnen Beiträge zu veranstalten ist nur den Autoren derselben gestattet. Privatbriefe dürfen nur mit Genehmigung der beiden korrespondierenden Personen (oder mit Genehmigung ihrer Erben) veröffentlicht werden. Manuskripte oder sonstige nicht zur Veröffentlichung bestimmte Privatpapiere sind ebenso geschützt wie gedruckte Werke.

Das Übersetzungsrecht ist frei

unter der Bedingung, daß der Text des Originals nicht verändert wird. Für Werke, zu deren Herstellung viel wissenschaftliche Studien nötig waren, kann das Übersetzungsrecht durch eine Bemerkung am Titelblatte vorbehalten werden, jedoch muß die Übersetzung innerhalb zwei Jahre, nachdem die Erlaubnis zum Drucke des Originals erteilt wurde, erscheinen.

Zur Wahrung des Urheberrechtes an Werken der Kunst muß der Künstler sein Werk zu einem Notar oder zum zuständigen Gerichte bringen und die ausführliche Beschreibung des Werkes daselbst eintragen lassen. Von dieser Eintragung muß sich der Autor ein legalisiertes Zeugnis geben lassen, welches sein Urheberrecht an dem Werke anerkennt. Eine Kopie dieses Zeugnisses hat der Künstler der kaiserlichen Akademie der schönen Künste einzusenden, welche nun auf Kosten des Urhebers das von diesem erworbene Recht bekannt macht. Ist das Kunstwerk so groß, daß es sich schlecht transportieren läßt, so muß der Notar behufs Eintragung in das Atelier des Künstlers gehen. Kunstwerke, welche durch ein Druckverfahren vervielfältigt werden, müssen in zwei Exemplaren bei der Akademie eingereicht werden.

Als verbotener Nachdruck gilt es: Wenn jemand ein veröffentlichtes Werk als zweite, dritte ꝛc. Auflage bezeichnet, ohne den für jede Auflage nötigen schriftlichen Vertrag geschlossen zu haben; wenn jemand einen Nachdruck oder eine Übersetzung im Auslande herstellt und in Rußland einführt, ohne vom russischen Verleger vorher die schriftliche Erlaubnis erhalten zu haben; wenn ein Journalist eine geschützte Ausgabe unter dem Vorwande eines Berichtes oder einer Kritik durch fortgesetzte kurze Zitate oder Auszüge nachdruckt; wenn jemand ein bereits übersetztes Werk nochmals übersetzt, diese neue Übersetzung aber mehr als zwei Drittel des Textes der früheren Übersetzung wörtlich wiederholt. Als verbotene Nachbildung ist anzusehen: Die mit der Hand (als Einzelkopie) oder durch ein anderes beliebiges Verfahren veranstaltete Vervielfältigung eines Kunstwerkes; die Entlehnung von Gruppen, Plänen ꝛc. von anderen Werken der Malerei, Skulptur oder Architektur. Verboten ist auch der Nachdruck einer veröffentlichten oder unveröffentlichten musikalischen Komposition; die Herausgabe einer öffentlich gespielten fremden Komposition, wie auch die Herausgabe eines Arrangements oder einer Transposition derselben; die öffentliche Aufführung unveröffentlichter musikalischer Kompositionen oder die Aufführung bereits gedruckter Musikstücke, wenn sich auf den gedruckten Exemplaren der Komponist das Aufführungsrecht ausdrücklich unter Androhung gerichtlicher Verfolgung vorbehalten hat. Opern und Oratorien sind aber auch ohne solchen Vorbehalt gegen öffentliche Aufführung geschützt.

Es ist jedoch gestattet: Der Nachdruck von politischen Neuigkeiten, Zitate oder kurze Auszüge, wenn der Nachdruck nicht mehr als einen Druckbogen nach der letzten Ausgabe des Originals gerechnet, umfaßt und die Quelle angegeben ist; die Zusammenstellung von Chrestomatien oder andern zum Unterrichte dienenden Werken, auch wenn die nachgedruckten Teile in ihrer Gesamtheit mehr als einen Druckbogen umfassen; Zitate oder Auszüge aus Büchern, selbst wenn der nachgedruckte Teil mehr als einen Druckbogen umfaßt, jedoch weniger als ein Drittel des Gesamttextes beträgt; die Nachbildung der von der Regierung angekauften oder in ihrem Auftrage ausgeführten Kunstwerke, welche in Gotteshäusern, kaiserlichen Palästen, Museen oder sonstigen öffentlichen Anstalten aufgestellt oder angebracht sind; die Benützung von Werken der Kunst zur Verzierung von Erzeugnissen der Manufaktur oder des Gewerbes; die Vervielfältigung von Werken der zeichnenden und malenden Kunst durch die Plastik und vice versa.

Der Verkauf eines Kunstwerkes schließt nicht den Verkauf des Vervielfältigungsrechtes in sich. Das Vervielfältigungsrecht der auf Bestellung ausgeführten Kunstwerke gebührt dem Besteller. Einzelne Werke, deren Vervielfältigungsrecht der Autor übertragen hat, darf dieser nur in einer Gesamtausgabe seiner Werke wieder veröffentlichen. Wer bei der Veröffentlichung eines Werkes den Zensurvorschriften nicht nachkommt, verliert alle Urheberrechte an dem Werke.

Die Zensurkomitees und einzelnen Zensoren sind verpflichtet, bei dem Erscheinen neugedruckter Bücher, Journale, Zeitungen und anderer Druckerzeugnisse von den Herausgebern derselben zu verlangen: Zwei Exemplare, welche für die Zensurbehörden gefordert werden, zwei Exemplare für die kaiserliche öffentliche Bibliothek, wenn das Werk in nicht weniger als 600 Exemplaren erscheint, doch nur ein Exemplar, wenn es in geringerer Anzahl gedruckt wird; ein Exemplar für die Alexander-Universität in Helsingfors und ein Exemplar für die kaiserliche Akademie der Wissenschaften; außerdem ein Exemplar von Werken — mit allen Beilagen und Supplementen —, welche sich auf Geographie, Topographie, Statistik, Reisen, Geschichte, Archäologie, Naturwissenschaften, Mathematik, Astronomie beziehen, oder in das Gebiet der Kriegswissenschaften gehören oder irgend eine Beziehung zu denselben haben, mit Ausnahme von periodischen, nicht speziellen Werken, für die Bibliothek des Generalstabs; ein Exemplar von Karten, statistischen Tabellen, Beschreibungen und anderen auf das Seewesen bezüglichen speziellen Werken: für die hydrographische Hauptverwaltung des Marineministeriums; ein Exemplar von Zeitungen, Journalen und Almanachen für das Polizeidepartement im Ministerium des Innern.

Die Moskauer Museen, das öffentliche und das Rumjanzowsche, haben das Recht, unentgeltlich zu erhalten: 1. je ein Exemplar von allem, was in Rußland durch Privatleute oder durch Staatsinstitute gedruckt, graviert und lithographiert wird; 2. je ein Exemplar in Rußland photographierter Handschriften und Bücher und 3. je ein Exemplar der konfiszierten oder durch Zensurbehörden oder Zollämter angehaltenen ausländischen Werke, welche zu diesen Behörden in mehreren Exemplaren gelangen.

Exemplare von Büchern, periodischen Werken, Broschüren und Separatabdrücken aus periodischen und Sammelwerken, mit allen zugehörigen Beilagen, ebenso Exemplare von Tafeln, Gravüren, Lithographien, geographischen Karten, Plänen, photographierten Handschriften und Büchern u. a. m. werden in die Museen gesandt: wenn sie von Druckereien, lithographischen und metallographischen Anstalten an die lokalen Zensurbehörden geliefert werden, durch diese Behörden; wenn sie auf Anordnung von Regierungsbehörden und Personen herausgegeben werden, durch diese Behörden und Personen; wenn sie endlich auf allerhöchsten Befehl gedruckt werden durch diejenige Druckerei, in der sie gedruckt worden sind. Die Pflichtexemplare sind von allen neuen Auflagen, die von neuem genehmigt werden müssen, abzugeben. Im Weigerungsfalle tritt zwangsweise Beitreibung ein.

Verfolgung wegen Verletzung des Urheberrechtes tritt nur auf Antrag des verletzten Urhebers oder Verlegers ein. Die widerrechtlich hergestellten Exemplare unterliegen der Beschlagnahme, und der Schuldige ist dem Verletzten zu Schadenersatz verpflichtet. Außerdem setzt das Strafgesetzbuch vom Jahre 1886 folgende Strafen fest:

Wer ein fremdes Werk als sein eigenes ausgiebt und die bezüglichen Urheberrechte ausübt, wird nach einer entfernten Provinz (ausgenommen Sibirien) verbannt oder zu Haft von sechs Monaten bis zu einem Jahre verurteilt; Personen, welche körperlichen Strafen nicht unterworfen sind, werden zu einer Gefängnisstrafe von 8 bis 16 Monaten verurteilt. Wer sich im Besitze eines noch unveröffentlichten fremden Werkes (Manuskript, Bild rc.) befindet und dieses, ohne hierzu berechtigt zu sein, veröffentlicht, wird mit Gefängnis von 2 bis 8 Monaten bestraft. Der gleichen Strafe unterliegt, wer eine neue Auflage eines Werkes herausgiebt, ohne mit dem Urheber darüber Vertrag abgeschlossen zu haben, oder wer das Urheberrecht an einem Werke verkauft, ohne hierzu berechtigt zu sein. Wer in einer Zeitschrift, einem Buche rc. ein fremdes Werk teilweise nachdruckt, jedoch in größerem Umfange als es das Gesetz gestattet, wird zu einer Geldstrafe verurteilt, welche jedoch das doppelte des Preises der Gesamtauflage jenes Buches, welches den Nachdruck enthält, nicht überschreiten darf.

Als verbotener Nachdruck wird auch bestraft, wenn ein russischer Komponist das Verlagsrecht an seiner Komposition einem russischen Verleger, und für das Ausland einem ausländischen Verleger überträgt und der Komponist von der im Auslande erschienenen Ausgabe mehr als zehn Exemplare in Rußland einführt und verbreitet.

Betreffs der dramatischen Werke und Opern, welche zur Aufführung auf den kaiserlichen Bühnen bestimmt sind, setzt das Reglement vom 13. November 1827 folgendes fest:

Alle dramatischen Werke und Opern, welche von den Autoren den kaiserlichen Theatern zur öffentlichen Aufführung überlassen werden, sind nach folgendem Schema in fünf Klassen einzuteilen.

I. Klasse; Originalwerke in 4 oder 5 Akte und in Versen, sowie die Musik großer Opern.

II. Klasse; Originalwerke in 3 Akte und in Versen, Prosastücke in 4 oder 5 Akte, in Versen übersetzte Stücke in 4 oder 5 Akte, die Musik mittlerer Opern.

III. Klasse; ein- oder zweiaktige Originallustspiele in Versen, dreiaktige Originalwerke in Prosa oder ebenso lange Melodramen, Übersetzungen guter Prosastücke in 4 oder 5 Akte, Original-Possen in 3 Akte, die Musik zu Operetten.

IV. Klasse; ein- oder zweiaktige Originalwerke in Prosa, Übersetzungen ebenso langer Lustspiele in Versen, Übersetzungen guter Prosastücke in 2 oder 3 Akte, Original-Possen in 1 oder 2 Akte.

V. Klasse; Übersetzungen kurzer einaktiger Prosastücke oder Possen.

Autoren, deren Stücke auf einer der kaiserlichen Bühnen der beiden Hauptstädte zur Aufführung gelangen, erhalten während ihrer Lebenszeit einen Anteil von der durch jede Aufführung erzielten Einnahme, oder nach gegenseitiger Übereinkunft zwischen dem Autor und der Theaterdirektion eine einmalige Abfindung für das Aufführungsrecht. Der dem Autor zukommende Teil der Einnahme oder die Abfindungssumme beträgt:

Klassen:	Teil der Einnahme.	Maximum der Abfindungssumme.
I. Klasse	1/10	4000
II. Klasse	1/15	2500
III. Klasse	1/20	2000
IV. Klasse	1/30	1000
V. Klasse	—	500

Die Abfindungssummen werden in Papierrubel gezahlt, welche ein Drittel des Wertes der Silberrubel gelten. (1 Silberrubel = 3 Mark 20 Pf.)

Der dem Autor zukommende Teil der Einnahme wird von zwei Drittel der Bruttoeinnahme berechnet, da ein Drittel für die Kosten der Aufführung angesetzt wird. Wird ein kurzes Stück mit einer Oper oder einem Ballett zusammen aufgeführt, so wird der dem Autor des kurzen Stückes zukommende Anteil der größeren Aufführungskosten wegen von der Hälfte der Bruttoeinnahme berechnet. Zugkräftige Stücke müssen im ersten Jahre mindestens sechsmal und in den folgenden Jahren mindestens zweimal aufgeführt werden.

Autoren, welche zwei Stücke erster Klasse und vier Stücke zweiter Klasse geschrieben haben, die noch auf dem Repertoire und mindestens sechsmal nacheinander gegeben worden sind, haben Anspruch auf freien Eintritt zu allen zu gunsten des Fiskus gegebenen russischen Vorstellungen. Autoren von sechs Stücken der dritten und der vierten Klasse können, sofern diese Stücke fortlaufend auf dem Repertoire sind, für alle zu gunsten des Fiskus gegebenen russischen Vorstellungen während der Zeit von ein bis drei Jahren freien Eintritt ins Theater erhalten. Auf diese Vergünstigungen haben jedoch nur jene Autoren Anspruch, welche nicht durch eine einmalige Zahlung abgefunden worden sind.

Alle Honorarzahlungen für dramatisch-musikalische Werke werden dem Komponisten ausgefolgt, welcher die Verpflichtung hat, den Verfasser des Textes zu entschädigen. Die Theaterdirektion ist auch ermächtigt, für einen zu vereinbarenden Preis, welcher jedoch den der dritten Klasse nicht überschreiten darf, Übersetzungen von Opern zu kaufen, zu welchen die Musik bereits komponiert ist, oder Originalstücke zu erwerben, zu welchen die Musik von den Musikdirektoren der Theater komponiert wird. Wird von einer Bühne dem Autor eine Abfindungssumme gezahlt, so wird das Stück Eigentum aller kaiserlichen Bühnen. Zum Benefiz eines Künstlers aufgeführte Stücke oder Opern werden nach der Aufführung Eigentum des Theaters.

Rußland hatte mit Frankreich am 6. April 1861 eine Konvention zum gegenseitigen Schutze des Eigentums an Werken des Geistes und der Kunst abgeschlossen. Diese Konvention ist aber seit 14. Juli 1887 außer Kraft. Gegenwärtig sind zwischen Frankreich und Rußland Verhandlungen zum Abschlusse einer neuen Litterarkonvention im Gange.

San Marino.

San Marino hat kein Gesetz zum Schutze des geistigen Eigentums. Ein mit Italien am 27. März 1872 abgeschlossener Freundschaftsvertrag bestimmt jedoch in § 35, daß „die Republik den in Italien anerkannten Grundsätzen betreffs des litterarischen Eigentums vollständig beistimmt, und sich verpflichtet, auf ihrem Gebiete jede Vervielfältigung eines in Italien veröffentlichten Werkes der Litteratur oder der Kunst zu verhindern."

San Salvador.

Das bürgerliche Gesetzbuch vom Jahre 1880 bestimmt im § 610: „Die Erzeugnisse des Talentes oder des Geistes sind das Eigentum ihrer Urheber. Dieses Eigentum ist durch besondere Gesetze geregelt."

Bis heute ist noch kein Gesetz zum Schutze des geistigen Eigentums erlassen worden. San Salvador hat aber den zwischen den fünf Republiken Mittelamerikas projektierten Handelsvertrag mit unterzeichnet. (Siehe Costarica Seite 14.)

Der mit Frankreich geschlossene Litterarvertrag vom 2. Juni 1880 setzt, da Salvador kein eigenes Urheberrechtsgesetz hat, auch die Rechte und Pflichten fest, welche die Urheber beider Länder genießen. In bezug auf den Träger des Urheberrechtes, Person und Umfang desselben, Übersetzungsrecht, Schutzfrist und Strafbarkeit sind die allgemeinen Grundsätze des französischen Urheberrechtes aufgestellt. Um Schritte gegen etwaigen Nachdruck zu thun, muß der Verfasser eine Bescheinigung von der zuständigen Behörde vorlegen, welche bestätigt, daß sein Werk im Ursprungslande gesetzmäßigen Schutz genießt.

Am 23. Juni 1884 hat San Salvador einen Vertrag mit Spanien geschlossen. Die Bedingungen dieses Vertrages entsprechen den Vorschriften, welche das spanische Gesetz für den Abschluß von Litterarkonventionen vorschreibt. (Siehe Spanien, Seite 106.)

Schweden.

Die schwedische Urheberrechts-Gesetzgebung besteht aus folgenden Gesetzen:

Gesetz vom 3. Mai 1867, betreffend die Vervielfältigung von Kunstwerken;

Gesetz vom 10. August 1877, betreffend das litterarische Eigentum;

Gesetz vom 10. August 1877, betreffend die Ausdehnung des Gesetzes vom 3. Mai 1877;

Gesetz vom 10. Januar 1883, betreffend Änderung der §§ 3, 10 und 21 des Gesetzes vom 10. August 1877 über das litterarische Eigentum.

Nachstehend geben wir den Inhalt der bezüglichen Gesetze.

Der Urheber hat das ausschließliche Recht der Vervielfältigung seiner Schriftwerke und Werke der Kunst, einerlei, ob diese bereits gedruckt sind oder nicht. Als Schriftwerke werden im Sinne dieses Gesetzes betrachtet: musikalische Kompositionen, naturgeschichtliche Abbildungen, Land- oder Seekarten, architektonische Pläne oder andere Zeichnungen und Abbildungen, welche ihrem Wesen nach nicht als Kunstwerke zu betrachten sind. Das Vervielfältigungsrecht an Werken der Kunst ist während der Lebenszeit des Autors und zehn Jahre nach seinem Tode geschützt. Schriftwerke sind während der Lebenszeit des Autors und fünfzig Jahre nach seinem Tode gegen Nachdruck geschützt. Anonyme, pseudonyme und posthume Schriftwerke, sowie Werke, welche von Gesellschaften herausgegeben werden, sind fünfzig Jahre vom ersten Erscheinen an geschützt. Wenn mehrere Autoren an einem Werke arbeiten, so wird die Schutzfrist vom Tode des am längsten lebenden gerechnet. Wenn sich der Autor eines anonymen oder pseudonymen Werkes vor Ablauf der für diese Werke festgesetzten Schutzfrist nennt, so wird der Schutz auf fünfzig Jahre nach seinem Tode verlängert.

Bei Werken, die in mehreren Teilen erscheinen, wird die Schutzfrist vom Erscheinen des letzten Teiles an gerechnet, sofern zwischen der Herausgabe der einzelnen Teile nicht mehr als drei Jahre verflossen sind.

Bezüglich des Übersetzungsrechtes ist zu bemerken, daß Schwedisch, Norwegisch und Dänisch als Dialekte einer Sprache angesehen werden, eine Übersetzung aus dem Schwedischen ins Norwegische oder Dänische also als Nachdruck betrachtet wird. Wird ein Werk in mehreren Sprachen (welche jedoch am Titel angegeben werden müssen) zugleich herausgegeben, so wird jede Ausgabe als Werk für sich betrachtet. Das Übersetzungsrecht als Teil des Urheberrechtes muß sich der Autor ausdrücklich am Titel des Werkes vorbehalten. Auch müssen die Sprachen genannt sein, für welche dieser Vorbehalt Geltung haben soll; der Autor genießt in diesem Falle einen fünfjährigen Schutz des Übersetzungsrechtes. Der Übersetzer genießt für seine Übersetzung das Urheberrecht im ganzen Umfange, was nicht verhindert, daß ein anderer eine andere Übersetzung desselben Werkes herausgeben kann. Der Herausgeber eines periodischen oder Sammelwerkes gilt für das aus Beiträgen Mehrerer zusammengestellte Werk als Urheber, ohne jedoch die einzelnen Beiträge apart veröffentlichen zu dürfen. Ein Jahr nach der ersten Veröffentlichung dürfen aber die einzelnen Arbeiten von den Autoren anderweitig verwendet werden. Sämtliche dem Urheber zustehende Rechte kann der Autor oder dessen Rechtsnachfolger beliebig übertragen, jedoch gilt eine solche Übertragung, wenn nicht ausdrücklich etwas anderes bedungen wurde, immer nur für eine Auflage in der Höhe von 1000 Exemplaren.

Alle Fristen laufen vom 1. Januar, welcher dem Ereignisse, das den Beginn der Frist bedingt, folgt.

Gestattet ist die Zitierung eines Werkes zum Zwecke der Kritik oder der Kommentierung, Zusammenstellung kleinerer Arbeiten zu einem der religiösen Erbauung oder Unterrichtszwecken dienenden Gesamtwerke; auch ist der Nachdruck, wenn derselbe als Text zu einer Melodie dient, gestattet. In all diesen Fällen ist jedoch der Autor, wenn das Originalwerk dessen Namen nennt, anzuführen. Kleinere Mitteilungen dürfen Zeitschriften voneinander mit Quellenangabe abdrucken, größere Arbeiten jedoch nur dann, wenn das Original kein Nachdrucksverbot enthält.

Das Urheberrecht schließt auch das Aufführungsrecht theatralischer Werke in sich, ohne Kostüme und ohne sonstigen szenischen Apparat ist jedoch die Aufführung jedem gestattet.

Das ausschließliche Aufführungsrecht muß besonders bedungen sein, doch fällt dieses an den Autor zurück, wenn der Erwerber des Rechts während fünf Jahre keinen Gebrauch davon gemacht hat.

Die Erlaubnis zu jeder Art von Reproduktion und Verkauf der Reproduktion von Werken der Kunst ist vom Autor des Werkes zu erwerben und ist es dem Autor freigestellt, wie vielen Personen und unter welchen Bedingungen oder Beschränkungen er diese Erlaubnis erteilen will. Der Verkauf des Originalwerkes schließt nicht den Verkauf des Vervielfältigungsrechtes in sich. Gestattet ist jedoch die Reproduktion der dem Staate oder den Kommunen gehörigen Kunstwerke, sowie auch solcher Werke, welche auf öffentlichen Plätzen oder auf der Außenseite von Gebäuden angebracht sind. Ferner dürfen Handwerker oder Fabrikanten Werke der Kunst als Modelle zur Verzierung von Gebrauchsgegenständen benützen.

Widerrechtlicher Nachdruck von Schriftwerken wird mit Strafe von 20 bis 1000 Kronen belegt. Der Kläger hat außerdem Recht auf die widerrechtlich hergestellten Exemplare des Werkes, wobei ihm noch der Preis für die bereits verkaufte Anzahl ausgefolgt werden muß. Als Maßstab gilt der Buchhändlerpreis der letzten rechtmäßigen Ausgabe. Widerrechtliche Aufführung eines Bühnenwerkes unterliegt derselben Geldstrafe und außerdem wird die gesamte Bruttoeinnahme beschlagnahmt, ohne jeden Abzug für ein eventuell zugleich aufgeführtes anderes Stück. Ist es nicht möglich, die vorstehenden Grundsätze zur Berechnung des Schadenersatzes in Anwendung zu bringen, so wird ein anderer gerecht erscheinender Maßstab angenommen, der Minimalbetrag des Schadenersatzes ist jedoch fünfzig Kronen. Alle Platten oder sonstiges Material, welches zum widerrechtlichen Nachdruck diente, sowie Kopien des unrechtmäßig aufgeführten Bühnenwerkes werden konfisziert und derart behandelt, daß kein weiterer Mißbrauch damit getrieben werden kann. Mit Strafe bis zur Maximalhöhe von 100 Kronen wird belegt, wer in Fällen, wo vom Gesetze Quellenangabe oder Nennung des Autors vorgeschrieben ist, dieses unterläßt. Wer wissentlich ein unrechtmäßig hergestelltes Werk verkauft oder behufs Verkauf aus dem Auslande einführt, verfällt denselben Strafen wie der Nachdrucker. Die gleichen Strafen sind auch auf die unrechtmäßige Vervielfältigung von Werken der Kunst gesetzt. Bestreitet ein der unrechtmäßigen Vervielfältigung eines Kunstwerkes Angeklagter seine Schuld, so hat ein in Übereinstimmung der streitenden Teile angerufenes Sachverständigen-Gutachten zu entscheiden; andernfalls entscheidet die Akademie der schönen Künste. Der Gerichtshof hat die den Sachverständigen zu unterbreitenden streitigen Fragen aufzustellen.

Jeder schwedische Bürger genießt den Schutz des Gesetzes. Jedes von einem schwedischen Verleger herausgegebene anonyme oder pseudonyme Werk wird als von einem Bürger Schwedens herrührend angesehen, sofern nicht das Gegenteil festgestellt wird. Hat ein Schriftwerk mehrere Urheber, so bedarf es zu dessen Drucklegung oder Aufführung der Autorisation eines jeden einzelnen; bei dramatisch-musikalischen Werken genügt jedoch die Autorisation des Librettisten oder des Komponisten, je nach dem Umstande, ob der Text oder die Musik die Hauptsache des Werkes ist. Manuskripte in Händen des Urhebers, dessen Witwe oder Erben können für Schulden nicht beschlagnahmt und im Falle eines Konkurses auch nicht zur Konkursmasse geworfen werden.

Das Gesetz gestattet unter der Bedingung der Reziprozität die Anwendung desselben auf Urheber anderer Länder. Eine derartige Abmachung ist jedoch bisher nur mit Frankreich unterm 25. Februar 1884 geschlossen worden. Die Abmachung geht dahin, daß die Urheber beider Länder in jedem Lande den Einheimischen gleichgestellt werden. Will der aus einem der Vertrag schließenden Länder stammende Urheber im andern Lande zur Verfolgung seines Rechtes die Hülfe der Gerichte in Anspruch zu nehmen, so bedarf er dazu nur ein Zeugnis der kompetenten Behörde seines Ursprungslandes, welches bestätigt, daß das in Frage stehende Schriftwerk oder Kunstwerk ein Originalwerk sei, und in dem Lande, wo dasselbe veröffentlicht wurde, den gesetzlichen Schutz gegen Nachdruck oder Vervielfältigung genießt. Französische Bürger erhalten dieses Zeugnis beim Ministerium des Innern im bureau de la librairie und muß dasselbe von der schwedisch-norwegischen Gesandtschaft in Paris beglaubigt werden; schwedischen Bürgern wird das Zeugnis vom Justizministerium ausgestellt und von der französischen Gesandtschaft in Stockholm beglaubigt.

Schweiz.

Der vollständige Abdruck der schweizer Urheberrechts-Gesetzgebung befindet sich im ersten Bande dieses Werkes. Derselbe Band enthält auch die zwischen der Schweiz und Deutschland abgeschlossenen Litterarkonventionen, während die übrigen Litterarkonventionen am Schlusse dieses Bandes abgedruckt sind.

Spanien.

Spanien gewährt durch sein Gesetz vom 10. Januar 1879 dem geistigen Eigentum den weitgehendsten Schutz.

Das geistige Eigentum (Propriedad intelectual) steht dem Urheber aller Werke der Litteratur oder Kunst zu, welche durch irgend ein Verfahren vervielfältigt werden können. Der Staat, Behörden, Gesellschaften, Vereine ꝛc. können, wenn sie Herausgeber von Werken der Litteratur oder Kunst sind, als Urheber betrachtet werden. Das geistige Eigentum wird während der Lebenszeit des Autors und achtzig Jahre nach dessen Tod geschützt. Das bei Lebzeiten des Autors übertragene geistige Eigentum fällt 25 Jahre nach dem Tode des Autors, wenn dieser Erben hinterlassen hat, für die übrigen 55 Jahre der Schutzfrist den Erben zu. Die Verleger anonymer oder pseudonymer Werke werden, so lange sich die Autoren nicht nennen, in bezug auf die von ihnen verlegten Werke als Urheber betrachtet und dementsprechend geschützt. Ebenso gilt der Herausgeber eines posthumen Werkes als Urheber.

Auszüge oder Abschriften aus Prozeßakten dürfen nur mit Bewilligung des Gerichtshofes, der den Prozeß verhandelte, veröffentlicht werden. Es ist ganz ins Belieben des Gerichtes gestellt, wem oder wie vielen Personen, eventuell unter welchen Beschränkungen er die Erlaubnis zur Veröffentlichung geben will. Rechtsanwälte dürfen die von ihnen hergestellten Schriftstücke oder Plaidoyers nur mit Erlaubnis des Gerichtes und Zustimmung ihrer Klienten veröffentlichen.

Zu jeder einzelnen Aufführung eines dramatischen oder musikalischen Werkes bedarf es einer vorherigen speziellen Ermächtigung des Autors. Sind mehrere Autoren Urheber des Werkes (z. B. Dichter und Komponist), so muß zur Gesamtaufführung jeder seine besondere Ermächtigung erteilen und steht es jedem einzelnen Mitarbeiter am Werke frei, die Ermächtigung für seinen Teil zu versagen und über die von ihm gelieferte Arbeit beliebig zu verfügen. Mangels anderer Abmachung entfällt vom Honorar für die Aufführung eines dramatisch-musikalischen Werkes die Hälfte auf den Komponisten und die Hälfte auf den Librettisten. Nach der öffentlichen Aufführung eines dramatischen oder musikalischen Werkes darf keine Abschrift desselben ohne Erlaubnis des Urhebers verkauft oder verliehen werden, wenn das Werk noch nicht im Druck erschienen ist. Auch darf keine Änderung, Streichung ꝛc. an dem Werke ohne vorhergehende Erlaubnis des Autors vorgenommen werden.

Der Verleger eines anonymen oder pseudonymen Werkes genießt alle Rechte des Autors. Dieser tritt jedoch in seine Rechte, sobald er sich meldet. Wie weit der Verleger posthumer Werke geschützt ist, sagt das Gesetz nicht; jedenfalls läßt sich annehmen, daß hier derselbe Rechtsschutz wie für den Verleger anonymer oder pseudonymer Werke in Kraft tritt.

Gesetze, Dekrete, königliche Verordnungen, Reglements und sonstige Bekanntmachungen der öffentlichen Behörden dürfen von Journalen oder sonstigen Publikationen, in welchen die Kommentierung, Zitierung oder Kritisierung der Gesetze wichtig erscheint, veröffentlicht werden. Die Gesetze für sich oder eine Kollektion derselben zu drucken, ist nur mit Erlaubnis der Regierung gestattet.

Der Eigentümer eines Journals kann an dem Inhalte des Blattes alle Rechte des Urhebers erwerben, wenn er jeden vollendeten Jahrgang des Journals in drei Exemplaren beim Register einreicht und als litterarisches Erzeugnis eintragen läßt. Dasselbe kann der Autor oder Übersetzer einzelner Artikel thun, indem er am Ende des Jahres eine Kollektion seiner Arbeiten eintragen läßt, wenn ihm dies nicht der Vertrag mit dem Verleger des Blattes verbietet. Zeitungsartikel oder Telegramme dürfen von andern Zeitungen nur dann (und zwar mit Quellenangabe) nachgedruckt werden, wenn das Original (entweder am Ende des Artikels oder am Kopfe des Blattes) kein Nachdrucksverbot enthält.

Wissenschaftliche, litterarische oder künstlerische Werke, sowie in Akademien oder sonstigen Körperschaften gehaltene Reden und Vorträge kann der Autor in einer Kollektion entweder alle zusammen oder einige derselben selbst dann veröffentlichen, wenn er einen Teil davon schon anderweitig verkauft hat.

Um den Schutz des Gesetzes über

das geistige Eigentum zu genießen, müssen die betreffenden Werke bei dem vom Ministerium des Innern (fomento) geführten allgemeinen Register des geistigen Eigentums zur Eintragung gelangen. Diese Eintragung wird in den Provinzialhauptstädten durch die Bibliotheken oder wo diese fehlen, durch Unterrichtsanstalten bewerkstelligt, welche gleichfalls ein Register über das geistige Eigentum führen, und wo die angemeldeten Werke in chronologischer Ordnung zur Eintragung gelangen.

Behufs Eintragung sind drei Exemplare des Werkes zu überreichen; eines bleibt in der Provinzialhauptstadt (Bibliothek oder Institut), das andere kommt ans Ministerium des Innern und das dritte Exemplar wird der Nationalbibliothek einverleibt. Über die erfolgte Eintragung wird eine Bestätigung ausgestellt, wonach dann bei der Zivilbehörde der Antrag zu stellen ist, dieselbe möge dem Ministerium des Innern von der im Provinzialregister erfolgten Eintragung Mitteilung machen. Ungedruckte dramatische oder musikalische Werke brauchen nach erfolgter öffentlicher Aufführung behufs Eintragung nur in einem (geschriebenen) Exemplare eingereicht zu werden. Bei dramatisch-musikalischen Werken ist der litterarische und der musikalische Teil mit Begleitung apart geschrieben einzureichen. Alle Eintragungen geschehen kostenfrei. Bilder, Statuen, Bas- oder Hochreliefs, architektonische oder topographische Modelle, überhaupt Werke der malenden oder plastischen Kunst bedürfen der Eintragung nicht, genießen aber dennoch denselben Schutz wie Schriftwerke. Die eintragspflichtigen Werke sind innerhalb eines Jahres vom Erscheinungstage an gerechnet zur Eintragung anzumelden, widrigenfalls sie des gesetzlichen Schutzes verlustig gehen.

Jede Übertretung des Gesetzes betreffend das geistige Eigentum wird mit Gefängnis von ein bis vier Monaten und Geldstrafe in der dreifachen Höhe des verursachten Schadens oder mit nur einer dieser beiden Strafen geahndet. Die Strafen sind anwendbar auf Personen, welche 1. gesetzlich geschützte spanische Werke, deren erste Veröffentlichung im Auslande erfolgte, in Spanien reproduzieren; 2. Titel oder Frontispice eines Werkes fälschen oder eine ausländische Ausgabe als in Spanien erschienen bezeichnen; 3. Titel derartig fälschen, daß ein Irrtum zwischen alter und neuer Ausgabe erregt wird; 4. ausländische Werke einschmuggeln; in diesem Falle hat der Fiskus noch seinen Anspruch auf den hinterzogenen Zollbetrag; 5. die Rechte ausländischer Autoren verletzen, wenn mit dem betrefsenden Lande eine Konvention abgeschlossen ist, welche betreffs des geistigen Eigentums Reziprozität vorschreibt. Als erschwerender Umstand kommt bei der Verurteilung in Betracht, wenn der Titel oder Text des widerrechtlich veröffentlichten Werkes geändert wurde oder wenn Reproduktion im Auslande bewerkstelligt wurde und nachher Einführung in Spanien erfolgte. Auf Antrag des dazu Berechtigten hat jede Lokalbehörde die Aufführung eines dramatischen oder musikalischen Werkes zu verbieten resp. den aus der Aufführung erlangten Erlös mit Beschlag zu belegen, bis das dem geistigen Eigentümer des Werkes zustehende Honorar erlegt oder sichergestellt ist.

Das internationale Recht über das geistige Eigentum ist durch die Paragraphen 50 und 51 des spanischen Gesetzes geregelt. Diese beiden Paragraphen bilden die Basis aller mit Spanien geschlossenen und etwa noch zu schließenden Verträge. Die beiden Paragraphen lauten:

§ 50. Die Angehörigen jener Staaten, deren Gesetzgebung den Spaniern das Recht des geistigen Eigentums in demselben Umfange zuerkennt wie es in diesem Gesetze festgestellt ist, genießen auch in Spanien das aus diesem Gesetze entspringende Recht, ohne daß ein Staatsvertrag oder sonst eine diplomatische Handlung nötig wäre.

§ 51. Im Laufe des Monats nach der Promulgation des gegenwärtigen Gesetzes wird die Regierung die mit Frankreich, England, Belgien, Sardinien, Portugal und Niederlande geschlossenen Litterarkonventionen bekannt machen und wird sich bemühen, mit soviel Nationen als möglich neue Verträge abzuschließen, jedoch immer festhaltend an den Vorschriften dieses Gesetzes und mit Zugrundelegung folgender Bestimmungen: 1. Vollständige Reziprozität zwischen den beiden kontrahierenden Teilen. 2. Verpflichtung, sich gegenseitig als meistbegünstigte Nation zu behandeln. 3. Jeder Autor oder dessen Rechtsnachfolger, welcher durch Erfüllung gesetzlich vorgeschriebener Formalitäten sein Recht in einem der beiden kontrahierenden Länder gesichert hat, sichert sich damit zugleich sein Recht in dem anderen Lande ohne neue Formalitäten erfüllen zu müssen. 4. Sind in jedem Lande der Druck, Verkauf, Einfuhr oder Ausfuhr von Werken, geschrieben in der Sprache oder einem Dialekte des andern Landes verboten, wenn der Inhaber des geistigen Eigentums nicht seine Autorisation erteilt hat.

Spanien hat Konventionen abgeschlossen mit **Belgien** am 26. Juni 1880, **Frankreich** am

16. Juni 1880, Italien am 28. Juni 1880, Großbritannien am 11. August 1880, Portugal am 9. August 1880, San Salvador am 23. Juni 1884, Kolumbia am 28. November 1885. Spanien ist auch der Berner Konvention beigetreten.

Serbien.

Das serbische bürgerliche Gesetzbuch vom Jahre 1844 bestimmt im Titel XXVI, Buch II, § 720, daß betreffs der Veröffentlichung von Büchern und der Beziehungen zwischen Autoren und Verleger ein besonderes Reglement ausgearbeitet wird. Ferner wurde bei Unterzeichnung des zwischen Serbien und Frankreich geschlossenen Freundschafts-, Handels- und Schiffahrtsvertrages vom 18. Januar 1883 dem Vertrage eine mitunterzeichnete Erklärung beigefügt, welche bestimmt, daß die beiden Regierungen die litterarischen, künstlerischen und industriellen Erzeugnisse beider Länder zu schützen wünschen und sich verpflichten, in kürzester Frist eine diesbezügliche Konvention abzuschließen.

Bis heute ist jedoch in Serbien noch kein Gesetz zum Schutze des Urheberrechtes erlassen, und ist auch mit keinem Lande eine Litterarkonvention abgeschlossen worden.

Südafrikanische Republik.

Urheberrechtsgesetz vom 23. Mai 1887. Der Urheber und seine Rechtsnachfolger haben das ausschließliche Recht, durch Druck Schriftwerke, Zeichnungen, Karten, musikalische, dramatische Werke und mündliche Vorträge zu veröffentlichen oder dramatisch-musikalische und dramatische Werke öffentlich aufzuführen. Öffentliche Aufführungen sind solche, zu welchen man gegen Zahlung eines Eintrittsgeldes Zutritt hat. Der Herausgeber eines aus Beiträgen mehrerer bestehenden Werkes wird als Urheber betrachtet.

Das ausschließliche Recht des Urhebers wird bei durch Druck veröffentlichten Werken fünfzig Jahre, von der Eintragung an gerechnet, geschützt. Wenn der Autor nach Ablauf dieser Frist noch lebt, so währt der Schutz bis zum Tode des Autors. Unveröffentlichte Werke sind während der Lebenszeit des Autors und dreißig Jahre nach seinem Tode geschützt. Das Aufführungsrecht an dramatisch-musikalischen und dramatischen Werken, welche noch nicht durch Druck veröffentlicht worden sind, ist während der Lebenszeit des Autors und dreißig Jahre nach seinem Tode geschützt; sind die Werke aber bereits durch Druck veröffentlicht worden, so währt der Schutz zehn Jahre von der Eintragung an gerechnet. Das Übersetzungsrecht an unveröffentlichten Werken ist ebensolange wie das Urheberrecht geschützt, an veröffentlichten Werken währt der Schutz jedoch nur fünf Jahre von der Eintragung an gerechnet. Das Übersetzungsrecht für bestimmte Sprachen muß aber am Titel des Werkes vorbehalten sein, und muß die Übersetzung innerhalb drei Jahre nach Herausgabe des Originals erscheinen. Bei Lieferungswerken werden alle Fristen für jede Lieferung besonders berechnet. Erscheint das Werk in mehreren Sprachen zugleich, so wird eine der Ausgaben als Original und die übrigen Ausgaben werden als Übersetzungen betrachtet. Es steht dem Autor frei, die Originalausgabe zu bezeichnen; fehlt eine solche Bezeichnung, so wird die in der Muttersprache des Autors erschienene Ausgabe als Original betrachtet.

Bei anonymen oder pseudonymen Werken gilt der Verleger als Urheber.

Der Nachdruck von Gesetzen, Bekanntmachungen rc. des Staates und der Behörden ist gestattet. Erlaubt sind auch kurze Zitate oder Auszüge zum Zwecke der Kritik, der Polemik, und aus periodischen Blättern ist der Abdruck mit Quellenangabe gestattet, wenn an der Spitze der Artikel kein besonderes Nachdrucksverbot steht oder wenn bezüglich derselben die Formalität der Eintragung nicht erfüllt worden ist.

Das Recht des Urhebers an einem durch den Druck veröffentlichten Werke erlischt, wenn der Urheber (oder seine Rechtsnachfolger), der Herausgeber oder Drucker nicht drei Exemplare des Werkes, welche sämtlich auf dem Titelblatt oder in Ermangelung dessen auf dem Umschlag die eigenhändige Namensunterschrift mit Angabe seines Wohnortes und des Zeitpunktes der Herausgabe tragen, binnen zwei Monate nach dem Erscheinen — hinsichtlich der Übersetzung unter Beachtung der für das Erscheinen derselben gestellten Frist — dem Registrator einreicht. Zugleich mit der Einreichung muß eine von dem Drucker abgegebene beeidigte Erklärung, daß das Werk in seiner in dieser Republik gelegenen Druckerei gedruckt worden ist, vorgelegt werden. Über die erfolgte Hinterlegung der Pflichtexemplare wird eine Bescheinigung ausgefolgt. Eine Abschrift dieser Bescheinigung wird in ein Register eingetragen, welches von jedem eingesehen werden kann und wovon Auszüge verlangt werden können. Der Staatscourant bringt monatlich eine Liste der eingetragenen Werke.

An durch Druck veröffentlichten dramatisch-musikalischen und dramatischen Werken ist das Aufführungsrecht nur dann geschützt, wenn auf dem Titelblatte oder dem Umschlage der ersten Ausgabe ein diesbezüglicher Vorbehalt bemerkt ist.

Für jede Verletzung des Urheberrechtes ist der Thäter, wie auch der Verkäufer, Verbreiter von Nachdruckexemplaren und derjenige, der solche zum Zwecke des Verkaufes auf Lager hält, dem verletzten Urheber oder dessen Rechtsnachfolger zu Schadenersatz verpflichtet. Der Urheber oder seine Rechtsnachfolger können die Beschlagnahme der Nachdruckexemplare zu ihren gunsten oder auch Vernichtung derselben verlangen. Die Beschlagnahme kann aber nicht auf einzelne Exemplare ausgedehnt werden, welche sich bereits zum Zwecke des persönlichen Gebrauches in Privatbesitz befinden.

Tunis.

Gesetz über das litterarische und künstlerische Eigentum vom 15. Juni 1889. Alle innerhalb des Landes erschienenen Werke der Litteratur oder Kunst, sowie Werke, welche in Ländern erschienen sind, mit denen Tunis eine Litterarkonvention abgeschlossen hat, sind ohne Unterschied der Nationalität des Urhebers während der Lebenszeit desselben und fünfzig Jahre nach seinem Tode gegen jede Vervielfältigung, Verkauf, öffentliche Aufführung oder sonstige Verbreitung zu gunsten des Urhebers, seiner Erben oder anderer Rechtsnachfolger geschützt.

Unter „Werke der Litteratur und Kunst“ versteht man Bücher, Broschüren oder andere Schriftwerke, dramatische oder dramatisch-musikalische Werke, musikalische Kompositionen mit oder ohne Text, Werke der zeichnenden, malenden oder plastischen Kunst, Stiche, Lithographien, Abbildungen, geographische Karten, Pläne, Skizzen und plastische Erzeugnisse bezug habend auf die Geographie, Topographie, Architektur oder irgend eine Wissenschaft, überhaupt alle litterarischen, wissenschaftlichen oder künstlerischen Erzeugnisse, welche durch Druck oder sonst ein Vervielfältigungsverfahren veröffentlicht werden können. Im Urheberrecht ist auch das Recht der Übersetzung, sowie auch das ausschließliche Recht der

Arrangements musikalischer Kompositionen inbegriffen.

Gestattet sind kurze Zitate zum Zwecke der Kritik, der Polemik oder des Unterrichtes; ebenso dürfen Zeitungsartikel, an deren Spitze kein Nachdrucksverbot steht, von anderen Zeitungen mit Quellenangabe nachgedruckt werden.

Die öffentliche Aufführung oder Ausstellung eines Werkes ist nur mit vorheriger schriftlicher Genehmigung des Urhebers gestattet. Jede Verletzung des Urheberrechtes ist ein Vergehen, welches mit Strafe von 50 bis 2000 Piaster (25 bis 1000 Mark) geahndet wird. Der gleichen Strafe unterliegt, wer im Bewußtsein der Widerrechtlichkeit unberechtigte Vervielfältigungen verkauft, zum Verkaufe ausstellt, auf Lager hält oder wenn sie im Auslande hergestellt sind, in Tunis einführt.

Alle widerrechtlichen Vervielfältigungen, sowie die zu deren Herstellung dienenden Vorrichtungen unterliegen der Beschlagnahme; ebenso wird die aus einer unberechtigten Aufführung erzielte Einnahme beschlagnahmt. Das Ergebnis der Konfiskation wird dem verletzten Urheber ausgefolgt.

Einer Geldstrafe von 100 bis 2000 Piaster (50 bis 1000 Mark) und Gefängnis von 3 Monaten bis zu 2 Jahren, oder einer dieser beiden Strafen unterliegt derjenige, welcher ein Werk der Litteratur oder Kunst mit dem Namen oder Monogramm eines andern Urhebers bezeichnet. Wer im Bewußtsein der Widerrechtlichkeit diese Erzeugnisse feilhält, einführt oder sonstwie verbreitet, unterliegt der gleichen Strafe. Die gefälschten Erzeugnisse unterliegen in jedem Falle der Beschlagnahme.

Die Vervielfältigung musikalischer Kompositionen durch mechanische Musikwerke ist gestattet. Die Lokalbehörden sind auf Antrag des verletzten Urhebers oder dessen Bevollmächtigten verpflichtet, zur Konstatierung oder Unterdrückung eines Vergehens gegen das Urheberrecht einzuschreiten. Für die aus diesem Gesetze entspringenden Klagen sind nur die französischen Gerichte zuständig.

Tunis ist der Berner Konvention beigetreten.

Türkei.

Der Schutz des Urheberrechtes beschränkt sich nur auf solche Werke, für welche ein Privilegium erworben wurde. Nur in der Türkei gedruckte Werke können auf Grund eines Privilegiums geschützt werden. Auch findet die türkische Gesetzgebung nur Anwendung bei Streitfällen zwischen Türken, sowie auch zwischen Türken und Ausländern. Streitigkeiten zwischen Franzosen hat die französische Konsulargerichtsbarkeit nach den französischen Gesetzen zu entscheiden, während für Streitigkeiten zwischen einem Franzosen und einem andern Ausländer die Konsulargerichtsbarkeit des Beklagten zuständig ist.

Die türkische Gesetzgebung bezüglich des Urheberrechtes besteht in folgenden Gesetzen:

Reglement über den Druck der Bücher vom 8. Redscheb 1289 (11. September 1872) nebst Zusatzartikel;

Nachtrag hierzu vom 20. Safer 1292 (28. März 1875);

Buchdruckerordnung vom 9. Dschemasi-ul-ewel 1305 (10. Januar 1888);

Strafgesetzbuch vom 28. Silhidsche 1274, § 241.

Diese Gesetze bestimmen folgendes:

Jedermann hat das Recht, Bücher jeder Art drucken zu lassen. Jeder Urheber hat während der Zeit seines Lebens das ausschließliche Privilegium zum Drucke seiner Werke. Das Privilegium kann er beliebig übertragen, der Verlagsvertrag muß aber beim Unterrichtsministerium angemeldet werden. Die Regierung kann den Druck von Werken, deren Erscheinen sie für nötig erachtet, veranstalten, jedoch muß der Urheber dafür entschädigt werden. Der Druck eines Werkes in einer größeren Anzahl von Exemplaren als vereinbart worden war, ist verboten und wird an dem Schuldigen als Diebstahl bestraft.

Auf Verlangen erhält jeder Urheber ein Privilegium, welches ihm vierzig Jahre lang, vom ersten Erscheinen des Werkes an gerechnet, das ausschließliche Urheberrecht gewährt. Das Privilegium ist beliebig übertragbar. Das Privilegium für Übersetzungen währt nur zwanzig Jahre. Es kann jedoch noch während des Privilegienschutzes dasselbe Originalwerk von einer anderen Person aufs neue übersetzt werden.

Nach Ableben des Besitzers eines Privilegiums und wenn auch keine Erben mehr vorhanden sind, kann man einen vierjährigen Privilegienschutz für eine „große Ausgabe" des Werkes erwerben. Als „große Ausgabe" ist es anzusehen, wenn das Werk im ganzen mindestens 800 Seiten und mindestens 37 Zeilen pro Seite enthält. Die große Ausgabe eines Werkes, welches Karten, Pläne, Zeichnungen rc. enthält, muß mindestens 21 Zeilen pro Seite und wenigstens 50 Tafeln und insgesamt nicht weniger als 200 Seiten enthalten. Die Werke, welche in großer Ausgabe erscheinen, können in eine beliebige Anzahl von Bänden, Lieferungen rc. eingeteilt werden. Wenn ein Werk, für welches ein Privilegium erteilt wurde, nicht längstens innerhalb eineinhalb Jahren erscheint, so ist das Privilegium verfallen und es kann einer beliebigen andern Person übertragen werden. Ist an dem verzögerten Erscheinen des Werkes der Drucker schuld, so ist dieser dem ehemaligen Besitzer des Privilegiums zu Schadenersatz verpflichtet.

Wer ein privilegiertes Werk nachdruckt oder nachdrucken läßt, unterliegt einer Strafe von 5 bis 200 Medjidies in Gold (95 bis 3800 Mark). Die Nachdrucksexemplare werden zu gunsten des verletzten Autors konfisziert. Der Import von Nachdrucksexemplaren, welche im Auslande hergestellt sind, wird mit Geldstrafe von 5 bis 100 Medjidies in Gold (95 bis 1900 Mark) belegt, und wer im Bewußtsein der Widerrechtlichkeit Nachdrucksexemplare verkauft, hat eine Geldstrafe von 1 bis 25 Medjidies in Gold (19 bis 475 Mark) verwirkt.

Zu jeder Drucksache gehört die Genehmigung des Ministeriums des öffentlichen Unterrichts. Zwei Exemplare sind vor der Verbreitung des Werkes an das oben genannte Ministerium in Konstantinopel, beziehentlich die Ortsbehörden in der Provinz abzugeben, mit Angabe des Titels und der Größe der Auflage. Wer ohne Genehmigung des Ministeriums und ohne die Pflichtexemplare abzugeben eine Drucksache herstellt, verfällt in eine Strafe von 5 bis 15 Medjidies in Gold (95 bis 285 Mark). Zur Einführung von Drucksachen und Druckutensilien aus dem Auslande und selbständigen Provinzen bedarf es ministerieller Genehmigung.

Ungarn.

Der vollständige Abdruck des ungarischen Gesetzes über das Autorrecht und das Verlagsrecht befindet sich im ersten Bande dieses Werkes. Derselbe Band enthält auch den österreichisch-ungarischen Litterarvertrag. Die Litterarverträge, welche Österreich abgeschlossen hat und sich im Anhange dieses Bandes abgedruckt finden, sind auch für Ungarn bindend.

Uruguay.

Das bürgerl. Gesetzb. (in Kraft seit 1. Jan. 1869) § 443 bestimmt: „Die Erzeugnisse des Talentes und des Geistes sind das Eigentum ihrer Urheber. Dieses Eigentum untersteht besonderen Gesetzen."

Bisher ist noch kein besonderes Gesetz über das Eigentum an Werken der Litteratur und Kunst erlassen worden; auch hat Uruguay keine Litterarkonventionen abgeschlossen.

Venezuela.

Gesetz über das geistige Eigentum vom 12. Mai 1887. Das geistige Eigentum (Propriedad intelectual) steht dem Urheber aller Werke der Litteratur oder Kunst zu, welche durch irgend ein Verfahren vervielfältigt werden können. Der Staat, Behörden, Gesellschaften, Vereine etc. können, wenn sie Herausgeber von Werken der Litteratur oder Kunst sind, als Urheber betrachtet werden.

Das geistige Eigentum wird immerwährend geschützt. Das während der Lebenszeit des Autors übertragene geistige Eigentum fällt 25 Jahre nach dem Tode des Autors, wenn dieser Erben hinterlassen hat, den Erben zu. Die Verleger anonymer oder pseudonymer Werke werden, solange sich die Autoren nicht nennen, in bezug auf die von ihnen verlegten Werke als Urheber betrachtet und dementsprechend geschützt. Ebenso genießt der Herausgeber eines posthumen Werkes denselben Rechtsschutz, als ob er Urheber desselben wäre.

Auszüge oder Abschriften aus Prozeßakten dürfen nur mit Bewilligung des Gerichtshofes, der den Prozeß verhandelte, veröffentlicht werden. Advokaten dürfen die von ihnen hergestellten Schriftstücke oder Plaidoyers nur mit Erlaubnis des Gerichtes und Zustimmung ihrer Klienten veröffentlichen.

Zu jeder einzelnen Aufführung eines dramatischen oder musikalischen Werkes bedarf es einer vorherigen speziellen Ermächtigung des Autors. Sind mehrere Autoren Urheber des Werkes (z. B. Dichter und Komponist), so muß zur Gesamtaufführung jeder seine besondere Ermächtigung erteilen und steht es jedem einzelnen Mitarbeiter am Werke frei, die Ermächtigung für seinen

Teil zu versagen und über die von ihm gelieferte Arbeit beliebig zu verfügen. Mangels anderer Abmachung entfällt vom Honorar für die Aufführung eines dramatisch-musikalischen Werkes die Hälfte auf den Komponisten und die Hälfte auf den Librettisten. Nach der öffentlichen Aufführung eines dramatischen oder musikalischen Werkes darf keine Abschrift desselben ohne Erlaubnis des Urhebers verkauft oder verliehen werden, wenn das Werk noch nicht im Druck erschienen ist. Auch darf keine Änderung, Streichung &c. an dem Werke ohne vorhergehende Erlaubnis des Autors vorgenommen werden.

Der Verleger eines anonymen oder pseudonymen Werkes genießt alle Rechte des Autors. Dieser tritt jedoch in seine Rechte, sobald er sich meldet. Wieweit der Verleger posthumer Werke geschützt ist, sagt das Gesetz nicht; jedenfalls läßt sich annehmen, daß hier derselbe Rechtsschutz wie für den Verleger anonymer oder pseudonymer Werke in Kraft tritt.

Gesetze, Dekrete, königliche Verordnungen, Reglements und sonstige Bekanntmachungen der öffentlichen Behörden dürfen von Journalen oder sonstigen Publikationen, in welchen die Kommentierung, Zitierung oder Kritisierung der Gesetze wichtig erscheint, veröffentlicht werden. Die Gesetze für sich oder eine Kollektion derselben zu drucken, ist nur mit Erlaubnis der Regierung gestattet.

Der Eigentümer eines Journals kann an dem Inhalte des Blattes alle Rechte des Urhebers erwerben, wenn er jeden vollendeten Jahrgang des Journals in drei Exemplaren beim Register einreicht und als litterarisches Erzeugnis eintragen läßt. Dasselbe kann der Autor oder Übersetzer einzelner Artikel thun, indem er am Ende des Jahres eine Kollektion seiner Arbeiten eintragen läßt, wenn ihm dies nicht der Vertrag mit dem Verleger des Blattes verbietet. Zeitungsartikel oder Telegramme dürfen von andern Zeitungen nur dann (und zwar mit Quellenangabe) nachgedruckt werden, wenn das Original (entweder am Ende des Artikels oder am Kopfe des Blattes) kein Nachdrucksverbot enthält. Zeichnungen, Stiche, Lithographien, musikalische Werke, Romane, wissenschaftliche, litterarische oder künstlerische Werke, dürfen auch dann nicht nachgedruckt werden, wenn kein Nachdrucksverbot an der Spitze des Werkes steht.

Wissenschaftliche, litterarische oder künstlerische Werke, sowie in Akademien oder sonstigen Körperschaften gehaltene Reden und Vorträge kann der Autor in einer Kollektion entweder alle zusammen oder einige derselben selbst dann veröffentlichen, wenn er einen

Teil davon schon anderweitig verkauft hat.

Um den Urheberrechtsschutz beanspruchen zu können, müssen vier mit Namensunterschrift versehene Exemplare eines jeden wissenschaftlichen, litterarischen oder künstlerischen Werkes beim Ministerium des öffentlichen Unterrichts eingereicht werden. Diese Pflichtexemplare müssen auch von Stichen, Lithographien, architektonischen Zeichnungen, geographischen oder geologischen Karten, überhaupt von Zeichnungen jeder Art abgegeben werden. Das Unterrichtsministerium und die in der Provinz empfangsberechtigten Bibliotheken und Unterrichtsanstalten führen ein chronologisches Register über die angemeldeten Artikel. Jede Eintragung in das Register muß folgende Angaben enthalten: Titel des Werkes; — zu welcher Klasse es gehört; — Vor- und Zuname des Autors, Übersetzers, Bearbeiters ꝛc.; — Vor- und Zuname und Wohnort des Eigentümers; — die Anstalt, wo die Vervielfältigung hergestellt wurde, sowie die Art der Vervielfältigung; — Druckort und -Jahr; — Ausgabe und Auflagehöhe; — wie viel Bände, Format und Seitenzahl der Bände; — Datum der Veröffentlichung und alle sonstigen Angaben, welche zur näheren Bezeichnung des Werkes dienen können.

Von den vier eingelieferten Exemplaren bleibt eins zur Aufbewahrung im Institut, ein anderes im Ministerium, das dritte erhält die Bibliothek der Universität Caracas, das vierte die Bibliothek der Venezolanischen Akademie. Ungedruckte dramatische oder musikalische Werke brauchen nach erfolgter öffentlicher Aufführung behufs Eintragung nur in einem (geschriebenen) Exemplare eingereicht zu werden. Bei dramatisch-musikalischen Werken ist der litterarische und der musikalische Teil mit Begleitung apart geschrieben einzureichen. Alle Eintragungen geschehen kostenfrei. Bilder, Statuen, Bas- oder Hochreliefs, architektonische oder topographische Modelle, überhaupt Werke der malenden oder plastischen Kunst bedürfen der Eintragung nicht, genießen aber dennoch denselben Schutz wie Schriftwerke. Auf Grund der Empfangsbescheinigung des Instituts und des Zeugnisses über die erfolgte Eintragung in das Staats- oder Sektionalregister haben die Eigentümer sich an die Zivilverwaltung zu wenden, welche dem Unterrichtsministerium die Mitteilung über die Registrierung macht und an dasselbe die drei Pflichtexemplare (für Ministerium und Bibliotheken) abführt. Die eintragspflichtigen Werke sind innerhalb eines Jahres vom Erscheinungstage an gerechnet zur

Eintragung anzumelden, widrigenfalls sie des gesetzlichen Schutzes verlustig gehen.

Jede Übertretung des Gesetzes betreffend das geistige Eigentum wird, wenn der verursachte Schaden 50 Bolivar (40 Mark) übersteigt, zu Geldstrafe in der doppelten Höhe des verursachten Schadens, oder zu einer Gefängnisstrafe von vier bis achtzehn Monaten verurteilt. Im Rückfalle tritt zu diesen Strafen noch Verbannung ins Landesinnere während ein bis drei Jahren hinzu. Die Strafen sind anwendbar auf Personen, welche 1. gesetzlich geschützte venezolanische Werke, deren erste Veröffentlichung im Auslande erfolgte, in Venezuela reproduzieren; 2. Titel oder Frontispice eines Werkes fälschen oder eine ausländische Ausgabe als in Venezuela erschienen bezeichnen; 3. Titel derartig fälschen, daß ein Irrtum zwischen alter und neuer Ausgabe erregt wird; 4. ausländische Werke einschmuggeln; in diesem Falle hat der Fiskus noch seinen Anspruch auf den hinterzogenen Zollbetrag; 5. die Rechte ausländischer Autoren verletzen, wenn mit dem betreffenden Lande eine Konvention abgeschlossen ist, welche betreffs des geistigen Eigentums Reziprozität vorschreibt; 6. wenn an der Spitze des Werkes angegeben ist, daß die gesetzlich vorgeschriebenen Formalitäten erfüllt seien, während dies nicht der Fall ist. Die aus der unberechtigten Aufführung eines Werkes erzielte Bruttoeinnahme wird beschlagnahmt und dem verletzten Urheber ausgefolgt. Außerdem wird der Schuldige zu einer Geldstrafe in der halben Höhe der Bruttoeinnahme verurteilt. Die Strafsumme wird zur Unterstützung des nationalen Elementarunterrichtes verwendet. Auf Antrag des dazu Berechtigten hat jede Lokalbehörde die Aufführung eines dramatischen oder musikalischen Werkes zu verbieten resp. den aus der Aufführung erlangten Erlös mit Beschlag zu belegen, bis das dem geistigen Eigentümer des Werkes zustehende Honorar erlegt oder sichergestellt ist.

Unter der Bedingung der materiellen Reziprozität wird Ausländern derselbe Rechtsschutz gewährt wie Inländern, ohne daß es hierzu eines Vertrages bedarf.

Konventionen.

Die Berner Konvention.

Seit dem Erlaß des französischen Dekretes vom 28. März 1852, welches jeden auf französischem Boden verübten Nachdruck, auch wenn dieser an ausländischen Werken begangen wird, als Vergehen erklärt, ist eine Bewegung im Gange, deren Endziel die internationale Anerkennung des Urheberrechtes ist; die große Zahl der Litterarkonventionen, die zu Bern am 9. September 1886 geschlossene „Übereinkunft betreffend die Bildung eines internationalen Verbandes zum Schutze von Werken der Litteratur und Kunst", welchem Verbande bereits 11 Staaten (darunter vier Großmächte) angehören, sind die Früchte jener Bewegung. Auch auf die Landesgesetzgebungen macht das internationale Urheberrecht seinen Einfluß geltend, und es ist vorauszusehen, daß die Litterarkontionen in nicht zu ferner Zeit den Urheberrechtsschutz aller Länder auf eine gemeinsame Grundlage zurückführen werden. Vorläufig gehen die Bestrebungen dahin, die Schutzfristen für alle Länder gleich zu gestalten.

Die Berner Übereinkunft, welche die bedeutendste Errungenschaft auf dem Gebiete des internationalen Urheberrechtsschutzes darstellt, hat in vielen Punkten eine Erleichterung des internationalen litterarischen Verkehrs zwischen den bedeutendsten Nationen Europas herbeigeführt, so daß in den meisten Fällen (wenn auch nicht immer) die Bestimmungen dieser Übereinkunft einen weiteren Schutz gewähren, als die früher geschlossenen Litterarkonventionen.

Als besondere Vorteile sind hervorzuheben:

1. Der Urheberrechtsschutz wird dem Urheber des Werkes gewährt, wenn er nur die Formalitäten erfüllt, welche im (dem Verbande angehörigen) Ursprungslande zur Wahrung des Urheberrechts vorgeschrieben sind. Als Urheber

gilt, solange nicht das Gegenteil bewiesen wird, ohne weiteres derjenige, der am Titel des Werkes als Urheber bezeichnet ist.

Das Übersetzungsrecht ist für alle Länder des Verbandes ohne einer besonderen Formalität (Vorbehalt) zu bedürfen, geschützt. Bezüglich des Übersetzungsrechtes kommt aber in manchen Ländern der § 15 und der Zusatzartikel der Berner Übereinkunft zur Geltung, worin bestimmt ist, daß besondere Abkommen zwischen den dem Verbande beigetretenen Regierungen soweit Geltung haben, als sie den Urhebern weitergehende Rechte als ihnen durch den Verband gewährt wird, einräumen und sofern sie den Bestimmungen der Übereinkunft nicht zuwiderlaufen.

Nachstehend geben wir einen kurzen Kommentar zu den einzelnen Paragraphen der Berner Übereinkunft. Wir vermieden die Einfügung desselben in der Konvention selbst, da dies die Übersicht beeinträchtigt. Beim praktischen Gebrauche wird ja der Kommentar nur in zweifelhaften Fällen nachgeschlagen, während der zusammenhängende Wortlaut häufiger benötigt wird.

Art. 1. Bezüglich der Fassung dieses Artikels erhoben sich bei der Berner Konferenz zwischen den Delegierten der verschiedenen Nationen Differenzen wegen der Benennung des Rechtes, welches den Gegenstand der Konvention bildet. Die Bezeichnungen „litterarisches und künstlerisches Eigentum“, oder „geistiges Eigentum“ wurden für das Objekt der Konvention vorgeschlagen, vom Vertreter Deutschlands aber entschieden bekämpft. Es wurde deshalb in der zweiten Konferenz zur Beratung der Berner Konvention ausdrücklich verabredet, daß der Ausdruck „Schutz des Urheberrechts an Werken der Litteratur und Kunst“ die gleiche Bedeutung habe wie „Schutz des litterarischen und künstlerischen Eigentums“, und überhaupt jede dem Verbande angehörige Nation die im eigenen Gesetze gewählte Bezeichnung (wie z. B. „Urheberrecht“, „Propriété littéraire et artistique“, „Copyright“, „diritti degli autori“ rc.) in der redaktionellen Fassung der Konvention ausgedrückt ist.

Der deutsche Wortlaut „zum Schutze des Urheberrechts“, der dem französischen Texte „pour la protection des droits des auteurs“ nicht ganz entspricht, ist auch auf ausdrückliche Erklärungen in den Vorberatungen zurückzuführen. Der deutsche Vertreter hatte die redaktionelle Änderung „du droit d'auteur“ vorgeschlagen, was aber mit der Begründung zurückgewiesen wurde, daß der gewöhnliche Sprachgebrauch „droit d'auteur“ nur auf Behebung des Autorhonorars bezieht, während die Konvention doch das Urheberrecht im allgemeinen schützen soll. Es ist deshalb im französischen Texte, um Mißverständnisse zu vermeiden, der Plural angenommen worden, während in der deutschen Sprache, in welcher ein solches Mißverständnis nicht zu befürchten ist, der Wortlaut dem Antrage des deutschen Vertreters entsprechend redigiert ist.

Art. 2 Abs. 1. Also nur die Bürger (nicht Bewohner) der Verbandsländer können den durch die Konvention gebotenen Schutz in Anspruch nehmen. (Siehe Art. 3.) Es ist jedoch vereinbart, daß es jedem Verbandslande freisteht, durch seine Gesetzgebung den Ausländern weitere Rechte zu gewähren. Auch ist in Protokollen ausdrücklich anerkannt, daß die Nationalität des Rechtsnachfolgers eines Urhebers unberücksichtigt bleibt.

Art. 2 Abs. 2. Über die Wirkungen des verschiedenen Rechtsschutzes resp. der verschiedenen Schutzfristen siehe Band 1 dieses Werkes, Seite 85, der Artikel Reziprozität.

Art. 3. Bildet nur eine Abschwächung der strengen Bestimmungen des Art. 1. Das Wort „Verleger" (éditeur) ist im weitesten Sinne zu gebrauchen, so daß z. B. ein Theater- oder Konzertunternehmer auch als Verleger zu betrachten ist.

Art. 4. Wissenschaftliche Erzeugnisse, welche nicht vervielfältigt werden können, sind nicht geschützt. Der Ausdruck „alle anderen Schriftwerke" bezeichnet, der Wissenschaft und der Gerichtspraxis zufolge, nur solche Schriften, welche das Ergebnis der eigenen geistigen Thätigkeit des Verfassers sind, und sich zur litterarischen Verwertung eignen. Bezüglich der Photographien und der choreographischen Werke siehe Schlußprotokoll 1 und 2.

Art. 5 Abs. 2 ist auf Romane oder Erzählungen anzuwenden, welche in Zeitungen veröffentlicht werden. Solche in Fortsetzungen erscheinende Romane sind nicht als Zeitungsartikel anzusehen, die dem Art. 7 der Konvention unterstehen, sondern es sind in Lieferungen erscheinende Werke, bezüglich deren die Art. 2, 5, 10 und 11 anwendbar sind.

Art. 7. Es ist ausdrücklich anerkannt worden, daß der Ausdruck Artikel politischen Inhalts sich nur auf die Politik des Tages bezieht, nicht aber auf Abhandlungen oder Essais auf dem Gebiete der Politik, des Staatsrechtes oder der Volkswirtschaft, welche in wissenschaftlichem Geiste ausgearbeitet sind. Auch ist es verboten, eine Sammlung der in einem Journale veröffentlichten Artikel herauszugeben.

Art. 8 ist eigentlich nur eine Anerkennung der Landesgesetze, soweit sich diese über die berührten Gegenstände aussprechen. Diese besondere Anerkennung der Landesgesetzgebung war nötig im Hinblick auf Art. 15 und dem Zusatzartikel der Konvention, welche die Bestimmungen der Landesgesetzgebung und anderer Konventionen nur soweit anerkennen, als dadurch den Urhebern größere Rechte eingeräumt werden. Die Erlaubnis des Nachdruckes zu gewissen Zwecken ist aber eine Beschränkung des Urheberrechtes.

Art. 9. Das Aufführungsrecht dramatischer oder dramatisch-musikalischer Werke im Original oder in Übersetzung und das Vervielfältigungsrecht dieser Werke in Original oder in Übersetzung sind zwei von einander vollständig unabhängige und verschiedene Rechte.

Art. 10. Dieser Paragraph widerspricht im Absatz 1 manchen Landesgesetzen. In England z. B. ist die Dramatisierung eines Romanes ohne Genehmigung des Autors gestattet. Nach Absatz 2 ist im Verkehre zwischen zwei Staaten, welche diesbezüglich verschiedene gesetzliche Bestimmungen haben, nach den Grundsätzen der Reziprozität (siehe Band 1, Seite 85) stets die Gesetzgebung jenes Landes anwendbar, welches den Autoren geringeren Schutz gewährt.

Art. 11 Abs. 3 bezieht sich nur auf die Prozeßordnung eines jeden Landes, hat aber nichts mit Formalitäten zu thun, welche zur Wahrung des internationalen Urheberrechtes nötig wären. Siehe Art. 2 der Konvention und Seite 40, Spalte 2 in diesem Bande.

Art. 14. Die Konvention ist am 5. Dezember 1887 in Kraft getreten. Siehe Schlußprotokoll 4.

Art. 19 Abs. 2. Frankreich, Spanien und Großbritannien haben von diesem Rechte Gebrauch gemacht, infolgedessen die Berner Konvention auch auf die Kolonien dieser Länder ausgedehnt ist. Siehe Vollziehungsprotokoll.

Schlußprotokoll 4. Hierüber schreibt v. Orelli:*)

„Werke, welche infolge des Mangels einer diesbezüglichen Konvention gar keinen Schutz gegen Nachbildung und Nachdruck, Aufführung, Übersetzung ꝛc. genossen haben, erhalten diesen Schutz, insofern derselbe nach dem neuen Vertrag begründet wird.

In den meisten Litterarkonventionen findet sich die Bestimmung, daß die vor Abschluß der Vertrages in dem andern Land bereits hergestellten Vervielfältigungen, sowie die Vorrichtungen dazu von dem Nachdrucksverbot ausgenommen und durch Stempelung und Inventarisierung kenntlich gemacht werden.

*) Der internationale Schutz des Urheberrechtes. Hamburg 1887. (Seite 49, 52, 53.)

In der ersten internationalen Konferenz in Bern im Jahr 1884 wurde diese Frage der Retroaktivität eingehend besprochen. Der ursprüngliche Entwurf der Association littéraire et artistique Internationale hatte ganz einfach das (vom theoretischen Standpunkt aus gewiß richtige) Prinzip aufgestellt: „Der gegenwärtige Vertrag findet auf alle Werke Anwendung, welche in ihrem Ursprungslande im Momente des Inkrafttretens des erwähnten Vertrags noch nicht Gemeingut (dans le domaine public) geworden sind.“ Dieser Satz hätte eine ganze Reihe von Übergangsbestimmungen notwendig gemacht, welche die genaue Kenntnis der speziellen Verhältnisse in den einzelnen Unionsstaaten (also nicht bloß in Frankreich und Deutschland, sondern auch in England, Spanien, Italien u. s. f.) voraussetzten. Vor dieser fast unüberwindlichen Schwierigkeit schrak die Konferenz zurück und man begnügte sich diese rückwirkende Kraft zwar als Prinzip hinzustellen, aber beizufügen, daß in der Anwendung die einzelnen Modalitäten in gemeinschaftlichem Einverständnis festzusetzen seien unter den einzelnen Staaten der Union gemäß den bereits geschlossenen oder künftig erst abzuschließenden Stipulationen. In Ermanglung von solchen sei hierfür immer die Gesetzgebung des einzelnen Staates maßgebend, wo die Reproduktion, die Aufführung rc. stattfindet.

Es ist selbstverständlich und kann auch als eine Folge der rückwirkenden Kraft bezeichnet werden, daß Werke, welche nach den bisherigen Verträgen einen kürzeren Schutz gegen Nachdruck u. s. f. genossen haben, nun des längern Schutzes teilhaftig werden. Diese Verlängerung der Schutzfrist kommt auch solchen Werken zu gut, welche bereits Gemeingut geworden sind. (Siehe die Einleitung.)

Übereinkunft,

betreffend

die Bildung eines internationalen Verbandes zum Schutze von Werken der Litteratur und Kunst.

(Die Auswechselung der Ratifikationsurkunden hat am 5. September 1887 in Bern stattgefunden; die Übereinkunft ist somit am 5. Dezember 1887 in Kraft getreten.)

Seine Majestät der Deutsche Kaiser, König von Preußen, Seine Majestät der König der Belgier, im Namen Seiner Katholischen Majestät des Königs von Spanien Ihre Majestät die Königin-Regentin von Spanien, der Präsident der Französischen Republik, Ihre Majestät die Königin des Vereinigten Königreichs von Großbritannien und Irland, Kaiserin von Indien, der Präsident der Republick Haïti, Seine Majestät der König von Italien, der Präsident der Republik Liberia*), der Bundesrat der Schweizerischen Eidgenossenschaft, Seine Hoheit der Bey von Tunis**), gleichmäßig von dem Wunsche beseelt, in wirksamer und möglichst gleichmäßiger Weise das Urheberrecht an Werken der Litteratur und Kunst zu schützen, haben den Abschluß einer Übereinkunft zu diesem Zweck beschlossen (folgen die Namen der Bevollmächtigten):

Art. 1. Die vertragschließenden Länder bilden einen Verband zum Schutze des Urheberrechts an Werken der Litteratur und Kunst.

Art. 2. Die einem der Verbandsländer angehörigen Urheber oder ihre Rechtsnachfolger genießen in den übrigen Längern für ihre Werke, und zwar sowohl für die in einem der Verbandsländer veröffentlichten, als für die überhaupt nicht veröffentlichten, diejenigen Rechte, welche die betreffenden Gesetze den inländischen Urhebern gegenwärtig einräumen oder in Zukunft einräumen werden.

Der Genuß dieser Rechte ist von der Erfüllung der Bedingungen und Förmlichkeiten abhängig, welche durch die Gesetzgebung des Ursprungslandes des Werkes vorgeschrieben sind; derselbe kann in den übrigen Ländern die Dauer

---

*) Die Republik Liberia hat die Übereinkunft nicht ratifiziert.

**) Ferner seit 20. Juni 1888 auch die Großherzogl. Luxemburgische Regierung und seit dem 30. Mai 1889 das Fürstentum Monaco.

des in dem Ursprungslande gewährten Schutzes nicht übersteigen.

Als Ursprungsland des Werkes wird dasjenige angesehen, in welchem die erste Veröffentlichung erfolgt ist, oder wenn diese Veröffentlichung gleichzeitig in mehreren Verbandsländern stattgefunden hat, dasjenige unter ihnen, dessen Gesetzgebung die kürzeste Schutzfrist gewährt.

In Ansehung der nicht veröffentlichten Werke gilt das Heimatsland des Urhebers als Ursprungsland des Werkes.

Art. 3. Die Bestimmungen der gegenwärtigen Übereinkunft finden in gleicher Weise auf die Verleger von solchen Werken der Litteratur und Kunst Anwendung, welche in einem Verbandslande veröffentlicht sind, und deren Urheber einem Nichtverbandslande angehört.

Art. 4. Der Ausdruck „Werke der Litteratur und Kunst" umfaßt Bücher, Broschüren und alle anderen Schriftwerke; dramatische und dramatisch-musikalische Werke, musikalische Kompositionen mit oder ohne Text; Werke der zeichnenden Kunst, der Malerei, der Bildhauerei; Stiche, Lithographien, Illustrationen, geographische Karten; geographische, topographische, architektonische oder sonstige wissenschaftliche Pläne, Skizzen und Darstellungen plastischer Art; überhaupt jedes Erzeugnis aus dem Bereiche der Litteratur, Wissenschaft oder Kunst, welches im Wege des Druckes oder sonstiger Vervielfältigung veröffentlicht werden kann.

Art. 5. Den einem Verbandslande angehörigen Urhebern oder ihren Rechtsnachfolgern steht in den übrigen Ländern, bis zum Ablauf von zehn Jahren, von der Veröffentlichung des Originalwerkes in einem der Verbandsländer an gerechnet, das ausschließliche Recht zu, ihre Werke zu übersetzen oder die Übersetzung derselben zu gestatten.

Bei den in Lieferungen veröffentlichten Werken beginnt die Frist von zehn Jahren erst mit dem Erscheinen der letzten Lieferung des Originalwerkes.

Bei Werken, welche aus mehreren, in Zwischenräumen erscheinenden Bänden bestehen, sowie bei fortlaufenden Berichten oder Heften, welche von litterarischen oder wissenschaftlichen Gesellschaften oder von Privatpersonen veröffentlicht werden, wird jeder Band, jeder Bericht oder jedes Heft bezüglich der zehnjährigen Schutzfrist als ein besonderes Werk angesehen.

In den in diesem Artikel vorgesehenen Fällen gilt für die Berechnung der Schutzfristen als Tag der Veröffentlichung der 31. Dezember des Jahres, in welchem das Werk erschienen ist.

Art. 6. Rechtmäßige Übersetzungen werden wie Originalwerke

geschützt. Sie genießen demzufolge rücksichtlich ihrer unbefugten Vervielfältigung in den Verbandsländern den in den Art. 2 und 3 festgesetzten Schutz.

Wenn es sich indessen um ein Werk handelt, betreffs dessen das Recht zur Übersetzung allgemein feststeht, so steht dem Übersetzer kein Einspruch gegen die Übersetzung des Werkes durch andere Schriftsteller zu.

Art. 7. Artikel, welche in einem Verbandslande in Zeitungen oder periodischen Zeitschriften veröffentlicht sind, können im Original oder in Übersetzung in den übrigen Verbandsländern abgedruckt werden, falls nicht die Urheber oder Herausgeber den Abdruck ausdrücklich untersagt haben. Bei Zeitschriften genügt es, wenn das Verbot allgemein an der Spitze einer jeden Nummer der Zeitschrift ausgesprochen ist.

Dies Verbot soll jedoch bei Artikeln politischen Inhalts oder bei dem Abdruck von Tagesneuigkeiten und „vermischten Nachrichten" keine Anwendung finden.

Art. 8. Bezüglich der Befugnis, Auszüge oder Stücke aus Werken der Litteratur und Kunst in Veröffentlichungen, welche für den Unterricht bestimmt oder wissenschaftlicher Natur sind, oder in Chrestomathien aufzunehmen, sollen die Gesetzgebungen der einzelnen Verbandsländer und die zwischen ihnen bestehenden oder in Zukunft abzuschließenden besonderen Abkommen maßgebend sein.

Art. 9. Die Bestimmungen des Art. 2 finden auf die öffentliche Aufführung dramatischer oder dramatisch-musikalischer Werke Anwendung, gleichviel, ob diese Werke veröffentlicht sind oder nicht.

Die Urheber von dramatischen oder dramatisch-musikalischen Werken, sowie ihre Rechtsnachfolger werden gegenseitig, während der Dauer ihres ausschließlichen Übersetzungsrechtes, gegen die öffentliche, von ihnen nicht gestattete Aufführung einer Übersetzung ihrer Werke geschützt.

Die Bestimmungen des Art. 2 finden gleichfalls Anwendung auf die öffentliche Aufführung von nicht veröffentlichten und solchen veröffentlichten musikalischen Werken, bei denen der Urheber auf dem Titelblatt oder an der Spitze des Werkes ausdrücklich die öffentliche Aufführung untersagt hat.

Art. 10. Zu der unerlaubten Wiedergabe, auf welche die gegenwärtige Übereinkunft Anwendung findet, gehört insbesondere auch diejenige nicht genehmigte indirekte Aneignung eines Werkes der Litteratur oder Kunst, welche mit verschiedenen Namen, wie „Adaptationen, musikalische Arrangements" 2c. bezeichnet zu werden pflegt, sofern dieselbe lediglich die Wiedergabe eines solchen Werkes in derselben oder einer anderen

Form, mit unwesentlichen Änderungen, Zusätzen oder Abkürzungen darstellt, ohne im übrigen die Eigenschaft eines neuen Originalwerkes zu besitzen.

Es besteht darüber Einverständnis, daß die Gerichte der verschiedenen Verbandsländer gegebenenfalls diesen Artikel nach Maßgabe der besonderen Bestimmungen ihrer Landesgesetze anzuwenden haben.

Art. 11. Damit die Urheber der durch die gegenwärtige Übereinkunft geschützten Werke bis zum Beweise des Gegenteils als solche angesehen und demgemäß vor den Gerichten der einzelnen Verbandsländer zur Verfolgung von unerlaubter Wiedergabe zugelassen werden, genügt es, wenn ihr Name in der üblichen Weise auf dem Werke angegeben ist.

Bei anonymen oder pseudonymen Werken ist der Verleger, dessen Name auf dem Werke steht, zur Wahrnehmung der dem Urheber zustehenden Rechte befugt. Derselbe gilt ohne weiteren Beweis als Rechtsnachfolger des anonymen oder pseudonymen Urhebers.

Im übrigen können die Gerichte eintretendenfalls die Beibringung einer von der zuständigen Behörde ausgestellten Bescheinigung fordern, durch welche die Erfüllung der im Sinne des Art. 2 von der Gesetzgebung des Ursprungslandes vorgeschriebenen Förmlichkeiten dargethan wird.

Art. 12. Jedes nachgedruckte oder nachgebildete Werk kann bei der Einfuhr in diejenigen Verbandsländer, in welchen das Originalwerk auf gesetzlichen Schutz Anspruch hat, beschlagnahmt werden.

Die Beschlagnahme findet statt nach den Vorschriften der inneren Gesetzgebung des betreffenden Landes.

Art. 13. Die Bestimmungen der gegenwärtigen Übereinkunft beeinträchtigen in keiner Beziehung das der Regierung eines jeden Verbandslandes zustehende Recht, durch Maßregeln der Gesetzgebung oder inneren Verwaltung die Verbreitung, die Darstellung oder das Feilbieten eines jeden Werkes oder Erzeugnisses zu gestatten, zu überwachen und zu untersagen, in betreff dessen die zuständige Behörde dieses Recht auszuüben haben würde.

Art. 14. Die gegenwärtige Übereinkunft findet, vorbehaltlich der gemeinsam zu vereinbarenden Einschränkungen und Bedingungen, auf alle Werke Anwendung, welche in ihrem Ursprungslande zur Zeit des Inkrafttretens der Übereinkunft noch nicht Gemeingut geworden sind.

Art. 15. Die Regierungen der Verbandsländer behalten sich das Recht vor, einzeln mit einander besondere Abkommen zu treffen, insoweit als diese Abkommen den Urhebern oder ihren Rechtsnachfolgern weitergehende Rechte, als

9*

ihnen solche durch den Verband gewährt werden, einräumen oder sonst Bestimmungen enthalten, welche der gegenwärtigen Übereinkunft nicht zuwiderlaufen.

Art. 16. Es wird ein internationales Amt unter dem Namen „Büreau des internationalen Verbandes zum Schutze von Werken der Litteratur und Kunst" errichtet.

Dieses Büreau, dessen Kosten von den Regierungen aller Verbandsländer getragen werden, wird unter den hohen Schutz der oberen Verwaltungsbehörde der Schweizerischen Eidgenossenschaft gestellt und versieht seinen Dienst unter deren Aufsicht. Seine Befugnisse werden gemeinsam von den Verbandsländern festgestellt.

Art. 17. Die gegenwärtige Übereinkunft kann Revisionen unterzogen werden, behufs Einführung von Verbesserungen, welche geeignet sind, das System des Verbandes zu vervollkommnen.

Derartige, sowie solche Fragen, welche in anderen Beziehungen die Entwickelung des Verbandes berühren, sollen auf Konferenzen erörtert werden, welche der Reihe nach in den einzelnen Verbandsländern durch Delegierte derselben abzuhalten sind.

Indessen bedarf eine jede Änderung der gegenwärtigen Übereinkunft zu ihrer Gültigkeit für den Verband der einhelligen Zustimmung der Verbandsländer.

Art. 18. Denjenigen Ländern, welche sich an der gegenwärtigen Übereinkunft nicht beteiligt haben und welche für ihr Gebiet den gesetzlichen Schutz der den Gegenstand dieser Übereinkunft bildenden Rechte gewährleisten, soll auf ihren Wunsch der Beitritt gestattet sein.

Dieser Beitritt soll schriftlich der Regierung der Schweizerischen Eidgenossenschaft und von dieser allen übrigen Regierungen bekannt gegeben werden.

Derselbe bewirkt von Rechtswegen die Unterwerfung unter alle verpflichtenden Bestimmungen und die Teilnahme an allen Vorteilen der gegenwärtigen Übereinkunft.

Art. 19. Die der gegenwärtigen Übereinkunft beitretenden Länder haben jederzeit auch das Recht, derselben für ihre Kolonien oder auswärtigen Besitzungen beizutreten.

Zu diesem Behufe können sie entweder eine allgemeine Erklärung abgeben, nach welcher alle ihre Kolonien oder Besitzungen in den Beitritt einbegriffen sind, oder diejenigen besonders benennen, welche darin einbegriffen, oder sich darauf beschränken, diejenigen zu bezeichnen, welche davon ausgeschlossen sein sollen.

Art. 20. Die gegenwärtige Übereinkunft soll drei Monate nach Auswechselung der Ratifikationsurkunden in Kraft treten und ohne zeitliche Beschränkung in

Kraft bleiben bis zum Ablaufe eines Jahres von dem Tage an gerechnet, an welchem die Kündigung derselben erfolgt sein wird.

Die Kündigung soll an die mit der Entgegennahme der Beitrittserklärungen beauftragte Regierung gerichtet werden. Sie übt ihre Wirkung nur in Ansehung des aufkündigenden Landes aus, während die Übereinkunft für die übrigen Verbandsländer verbindlich bleibt.

Art. 21. Die gegenwärtige Übereinkunft soll ratifiziert und die Ratifikationsurkunden sollen spätestens innerhalb eines Jahres zu Bern ausgetauscht werden.

Zu Urkund dessen haben die betreffenden Bevollmächtigten dieselbe vollzogen und ihre Insiegel beigedrückt.

So geschehen zu Bern, am neunten September des Jahres Eintausendachthundertundsechsundachtzig.

Zusatzartikel.

Die unter dem heutigen Datum abgeschlossene Übereinkunft berührt in keiner Weise die weitere Geltung der zwischen den vertragschließenden Ländern gegenwärtig bestehenden Abkommen, insoweit als diese Abkommen den Urhebern oder ihren Rechtsnachfolgern weitergehende Rechte, als ihnen solche durch den Verband gewährt werden, einräumen oder sonst Bestimmungen enthalten, welche dieser Übereinkunft nicht zuwiderlaufen.

Schlußprotokoll.

Im Begriff, zur Vollziehung der unter dem heutigen Datum abgeschlossenen Übereinkunft zu schreiten, haben die unterzeichneten Bevollmächtigten das Nachstehende verlautbart und verabredet:

1. In bezug auf Art. 4 ist man übereingekommen, daß diejenigen Verbandsländer, welche den photographischen Erzeugnissen den Charakter von Werken der Kunst nicht versagen, die Verpflichtung übernehmen, denselben die Vorteile der in der Übereinkunft vom heutigen Tage enthaltenen Bestimmungen von deren Inkrafttreten an zu teil werden zu lassen. Übrigens sind diese Länder, abgesehen von bestehenden oder noch abzuschließenden internationalen Abkommen, nur gehalten, die Urheber der bezeichneten Erzeugnisse in dem Maße zu schützen, in welchem dies nach ihrer Gesetzgebung angängig ist.

Die mit Genehmigung des Berechtigten angefertigte Photographie eines geschützten Kunstwerkes genießt in allen Verbandsländern den gesetzlichen Schutz im Sinne der gedachten Übereinkunft so lange, als das Recht zur Nachbildung des Originalwerkes dauert, und in den Grenzen der zwischen den Berechtigten abgeschlossenen Privatverträge.

2. In bezug auf Art. 9 ist man übereingekommen, daß diejenigen Verbandsländer, deren Gesetzgebung unter den dramatisch-musikalischen Werken auch die choreographischen Werke begreift, den letzteren ausdrücklich die Vorteile der in der Übereinkunft vom heutigen Tage enthaltenen Bestimmungen zu teil werden lassen.

Übrigens sollen die bei Anwendung der vorstehenden Bestimmung sich etwa ergebenden Zweifel der Entscheidung der betreffenden Gerichte vorbehalten bleiben.

3. Es besteht Einverständnis darüber, daß die Fabrikation und der Verkauf von Instrumenten, welche zur mechanischen Wiedergabe von Musikstücken dienen, die aus geschützten Werken entnommen sind, nicht als den Thatbestand der musikalischen Nachbildung darstellend angesehen werden sollen.

4. Die im Art. 14 der Übereinkunft vorgesehene gemeinsame Vereinbarung wird, wie folgt, getroffen:

Die Anwendung der Übereinkunft auf die zur Zeit ihres Inkrafttretens noch nicht Gemeingut gewordenen Werke soll in Gemäßheit der Abmachungen erfolgen, welche über diesen Punkt in den bestehenden oder zu dem Zweck abzuschließenden besonderen Abkommen enthalten sind.

In Ermangelung derartiger Abmachungen zwischen Verbandsländern werden die betreffenden Länder, ein jedes für sich, durch ihre innere Gesetzgebung über die Art und Weise der Anwendung des im Art. 14 enthaltenen Grundsatzes Bestimmung treffen.

5. Die Organisation des im Art. 16 der Übereinkunft vorgesehenen internationalen Büreaus soll durch ein Reglement festgestellt werden, dessen Ausarbeitung der Regierung der Schweizerischen Eidgenossenschaft übertragen wird.

Die Geschäftssprache des internationalen Büreaus ist die französische.

Das internationale Büreau sammelt Nachrichten aller Art, welche sich auf den Schutz des Urheberrechts an Werken der Litteratur und Kunst beziehen; es ordnet dieselben und veröffentlicht sie. Es stellt Untersuchungen an, welche von gemeinsamem Nutzen und von Interesse für den Verband sind, und giebt auf Grund der Dokumente, welche ihm die verschiedenen Regierungen zur Verfügung stellen werden, eine periodische Zeitschrift in französischer Sprache über die den Gegenstand des Verbandes betreffenden Fragen heraus.*) Die Regle-

*) Die erste Nummer dieser Zeitschrift ist am 15. Januar 1888 erschienen. Sie erscheint im Verlage von Jent & Reinert in Bern und führt den Titel: LE DROIT D'AUTEUR, organe officiel du Bureau de l'Union international pour la protection des œuvres littéraires et artistiques.

rungen der Verbandsländer behalten sich vor, nach erfolgter allseitiger Zustimmung das Büreau zur Veröffentlichung einer Ausgabe in einer oder mehreren anderen Sprachen zu ermächtigen, für den Fall, daß sich hierfür ein Bedürfnis durch die Erfahrung herausstellen sollte.

Das internationale Büreau hat sich jederzeit zur Verfügung der Verbandsmitglieder bereit zu halten, um denselben über Fragen, betreffend den Schutz von Werken der Litteratur und Kunst, die besonderen Auskünfte zu erteilen, deren sie etwa bedürfen.

Die Regierung des Landes, in welchem eine Konferenz tagen soll, bereitet unter Mitwirkung des internationalen Büreaus die Arbeiten dieser Konferenz vor.

Der Direktor des internationalen Büreaus wohnt den Konferenzsitzungen bei und nimmt an den Verhandlungen ohne beschließende Stimme teil. Er erstattet über seine Geschäftsführung einen Jahresbericht, welcher allen Verbandsmitgliedern mitgeteilt wird.

Die Kosten des Büreaus des internationalen Verbandes werden gemeinschaftlich von den vertragschließenden Ländern getragen. Bis zu neuer Beschlußfassung dürfen sie die Summe von 60000 Franken jährlich nicht übersteigen. Diese Summe kann nötigenfalls erhöht werden durch einfachen Beschluß einer der im Art. 17 vorgesehenen Konferenzen.

Behufs Festsetzung des Beitrags eines jeden Landes zu dieser Gesamtkostensumme werden die vertragschließenden und die etwa später dem Verbande beitretenden Länder in sechs Klassen geteilt, von denen eine jede in dem Verhältnis einer gewissen Anzahl von Einheiten beiträgt, nämlich:

die 1. Klasse 25 Einheiten
die 2. „ 20 „
die 3. „ 15 „
die 4. „ 10 „
die 5. „ 5 „
die 6. „ 3 „

Diese Koeffizienten werden mit der Zahl der Länder einer jeden Klasse multipliziert und die Summe der so gewonnenen Ziffern giebt die Zahl der Einheiten, durch welche der Gesamtkostenbetrag zu dividieren ist. Der Quotient ergiebt den Betrag der Kosteneinheit.

Jedes Land erklärt bei seinem Beitritt, in welche der oben genannten Klassen es einzutreten wünscht.

Die schweizerische Regierung stellt das Budget des Büreaus auf, überwacht dessen Ausgaben, leistet die nötigen Vorschüsse und stellt die Jahresrechnung auf, welche allen übrigen Regierungen mitgeteilt wird.

6. Die nächste Konferenz soll in Paris stattfinden nach Ablauf von vier bis sechs Jahren

seit Inkrafttreten der Übereinkunft.

Die französische Regierung wird innerhalb dieser Grenze nach vorgängigem Benehmen mit dem internationalen Büreau den Zeitpunkt bestimmen.

7. Betrifft die Auswechselung der Ratifikationsurkunden und erklärt das Schlußprotokoll als gleich kräftig wie die Übereinkunft selbst.

So geschehen zu Bern, am neunten September des Jahres Eintausendachthundertundsechsundachtzig.

Die vorstehende Übereinkunft nebst Zusatzartikel und das vorstehende Schlußprotokoll sind von den Vertragsstaaten mit Ausnahme von Liberia ratifiziert und sind die Ratifikationsurkunden gemäß Ziffer 7 des Schlußprotokolls in den Archiven der Regierung der Schweizerischen Eidgenossenschaft zu Bern am 5. September 1887 niedergelegt worden.

Vollziehungsprotokoll.

Die unterzeichneten Bevollmächtigten, welche sich heute zu dem Zweck versammelt haben, um zur Vollziehung der Übereinkunft, betreffend Bildung eines internationalen Verbandes zum Schutze von Werken der Litteratur und Kunst, zu schreiten, haben folgende Erklärungen ausgetauscht:

1. Bezüglich des im Art. 19 der Übereinkunft vorgesehenen Beitritts der Kolonien oder auswärtigen Besitzungen:

Die Bevollmächtigten Seiner katholischen Majestät des Königs von Spanien behalten ihrer Regierung das Recht vor, ihren Entschluß bei der Auswechselung der Ratifikationsurkunden bekannt zu geben.

Der Bevollmächtigte der französischen Republik erklärt, daß der Beitritt seines Landes den aller Kolonien Frankreichs in sich schließt.

Die Bevollmächtigten Ihrer Britischen Majestät erklären, daß der Beitritt Großbritanniens zu der Übereinkunft zum Schutze von Werken der Litteratur und Kunst das Vereinigte Königreich von Großbritannien und Irland sowie alle Kolonien und auswärtigen Besitzungen Ihrer Britischen Majestät umfaßt.

Indessen behalten sie der Regierung Ihrer Britischen Majestät das Recht vor, in der durch Art. 20 der Übereinkunft vorgesehenen Weise jederzeit die Kündigung getrennt für eine oder mehrere der folgenden Kolonien oder Besitzungen, nämlich: Indien, das Dominium Kanada, Neufundland, Kapland, Natal, Neu-

Süd-Wales, Viktoria, Queensland, Tasmanien, Süd-Australien, West-Australien und Neu-Seeland, erklären zu dürfen.

2. Bezüglich der Klassifikation der Verbandsländer in betreff ihrer Beitragspflicht zu den Kosten des internationalen Büreaus (Ziffer 5 des Schlußprotokolls):

Die Bevollmächtigten erklären, daß ihre betreffenden Länder in folgende Klassen eingereiht werden sollen, nämlich:

Deutschland	in die 1	Klasse,
Belgien	„ „ 3.	„
Spanien	„ „ 2.	„
Frankreich	„ „ 1.	„
Großbritannien	„ „ 1.	„
Haïti	„ „ 5.	„
Italien	„ „ 1.	„
Schweiz	„ „ 3.	„
Tunis	„ „ 6.	„ *)

Der Bevollmächtigte der Republik Liberia erklärt, daß die Vollmachten, welche er von seiner Regierung empfangen habe, ihn zur Unterzeichnung der Übereinkunft ermächtigen, daß er aber keine Instruktionen über die Klasse, in welche sein Staat betreffs der Beitragspflicht zu den Kosten des internationalen Büreaus einzutreten wünscht, erhalten habe. Demzufolge behält er über diese Frage die Entscheidung seiner Regierung vor, welche dieselbe bei der Auswechselung der Ratifikationsurkunden bekannt geben wird.

Zu Urkund dessen haben die betreffenden Bevollmächtigten das gegenwärtige Protokoll unterzeichnet.

So geschehen zu Bern, am neunten September des Jahres Eintausendachthundertundsechsundachtzig.

Bei Gelegenheit der Niederlegung der Ratifikationsurkunden hat der königlich spanische Bevollmächtigte bezüglich des im Art. 19 der Übereinkunft vorgesehenen Beitritts der Kolonien oder auswärtigen Besitzungen der Vertragsstaaten auf Grund des Absatzes 2, Ziffer 1 des vorstehenden Vollziehungsprotokolls namens seiner Regierung die Erklärung abgegeben, daß Spanien der Übereinkunft für sämtliche Besitzungen der spanischen Krone beitrete.

*) Luxemburg und Monaco (siehe 2. Fußnote auf Seite 128) sind in der 6. Klasse eingereiht.

Verordnung,

betreffend

die Ausführung der am 9. September 1886 zu Bern abgeschlossenen Übereinkunft wegen Bildung eines internationalen Verbandes zum Schutze von Werken der Litteratur und Kunst.

Vom 11. Juli 1888.

---

§ 1. Die zufolge des Art. 14 der vorbezeichneten Übereinkunft in Deutschland eintretende Anwendung derselben auf alle aus den übrigen Verbandsländern herrührenden, beim Inkrafttreten der Übereinkunft in ihrem Ursprungslande noch nicht Gemeingut gewordenen Werke unterliegt, soweit nicht nach Nummer 4 Absatz 2 des Schlußprotokolls bestehende Verträge Platz greifen, den nachstehenden Einschränkungen:

1. Der Druck der Exemplare, deren Herstellung bei dem Inkrafttreten der Übereinkunft erlaubterweise im Gange war, darf vollendet werden; diese Exemplare, sowie diejenigen, welche zu dem gedachten Zeitpunkt erlaubterweise hergestellt waren, dürfen verbreitet und verkauft werden. Ebenso dürfen die zu dem gedachten Zeitpunkt vorhandenen Vorrichtungen, wie Stereotypen, Holzstöcke und gestochene Platten aller Art, sowie lithographische Steine bis zum 31. Dezember 1891 benutzt werden.

2. Werke, welche vor dem Inkrafttreten der Übereinkunft in einem der übrigen Verbandsländer veröffentlicht sind, genießen den im Art. 5 der Übereinkunft vorgesehenen Schutz des ausschließlichen Übersetzungsrechtes nicht gegenüber solchen Übersetzungen, welche zu dem gedachten Zeitpunkt in Deutschland erlaubterweise bereits ganz oder teilweise veröffentlicht waren.

3. Dramatische oder dramatisch-musikalische Werke, welche in einem der übrigen Verbandsländer veröffentlicht oder aufgeführt und vor dem Inkrafttreten der Übereinkunft im Original oder in Übersetzung in Deutschland erlaubterweise öffentlich aufgeführt sind, genießen den Schutz gegen unerlaubte Aufführung im Original oder in einer Übersetzung nicht.

§ 2. Diese Verordnung tritt mit dem Tage ihrer Verkündigung in Kraft. Die Bestimmungen derselben gelten auch für die seit dem Inkrafttreten der Übereinkunft verflossene Zeit. Nach der Verkündigung dieser Verordnung unterliegt indessen die im § 1 Nummer 1 gewährte Befugnis zur Verbreitung und zum Verkauf von Exemplaren sowie zur Benutzung von Vorrichtungen der Bedingung, daß die Exemplare und Vorrichtungen mit einem besonderen Stempel versehen sind. Die Abstempelung muß spätestens am 1. November 1888 erfolgen. Die näheren Anordnungen in betreff der Abstempelung sowie in betreff der Inventarisierung der abgestempelten Exemplare und Vorrichtungen werden vom Reichskanzler erlassen.

§ 3. Im Falle des Beitritts anderer Länder auf Grund des Art. 18 der Übereinkunft finden die Bestimmungen im § 1 und § 2 sinngemäße Anwendung. Insoweit nach denselben das Inkrafttreten der Übereinkunft als Zeitpunkt entscheidet, ist statt dessen das des Beitritts maßgebend. Von letzterem Zeitpunkt an gerechnet ist die Benutzung der Vorrichtungen (§ 1 Nr. 1) vier Jahre lang gestattet und die Abstempelung (§ 2) binnen drei Monaten zu bewirken.

Urkundlich unter Unserer Höchsteigenhändigen Unterschrift und beigedrucktem Kaiserlichen Insiegel.

Gegeben Marmor-Palais, den 11. Juli 1888.

(L. S.) Wilhelm.

von Bismarck.

Bekanntmachung des Reichskanzlers,

betreffend Bestimmungen zur Ausführung der am 9. September 1886 zu Bern abgeschlossenen Übereinkunft wegen Bildung eines internationalen Verbandes zum Schutze von Werken der Litteratur und Kunst.

Auf Grund des § 2 der Verordnung vom 11. Juli 1888 (Reichs-Gesetzbl. S. 225), betreffend die Ausführung der am 9. September 1886 zu Bern abgeschlossenen Übereinkunft wegen Bildung eines internationalen Verbandes zum Schutze von Werken der Litteratur und Kunst, werden die nachfolgenden

Bestimmungen über die Abstempelung und Inventarifierung der daselbst bezeichneten Exemplare und Vorrichtungen

erlassen:

§ 1. Wer sich im Besitze von Exemplaren der im § 1 Nr. 1 der Verordnung bezeichneten Art von Werken der Litteratur und Kunst (Schriftwerken, Abbildungen, Zeichnungen, musikalischen Kompositionen, Werken der bildenden Künste), welche beim Inkrafttreten der Verordnung vom 11. Juli 1888 schon hergestellt waren, oder deren Herstellung zu dem gedachten Zeitpunkt im Gange war, befindet, hat die Exemplare, wenn er dieselben verkaufen oder verbreiten will, bis zum 1. November 1888 einschließlich der Polizeibehörde seines Wohnorts zur Abstempelung vorzulegen.

Sortimentsbuchhändler, Kommissionäre 2c., welche solche Exemplare besitzen, können dieselben namens der Verleger oder ihrer Auftraggeber zur Abstempelung vorlegen, ohne daß es einer besonderen Vollmacht bedarf.

§ 2. Die Polizeibehörde stellt ein genaues Verzeichnis der ihr vorgelegten Exemplare nach dem nachstehenden Muster A auf und bedruckt demnächst jedes einzelne Exemplar mit ihrem Dienststempel.

§ 3. Wer sich im Besitze von Vorrichtungen der im § 1 Nr. 1 der Verordnung bezeichneten Art (wie Stereotypen, Holzstöcke und gestochene Platten aller Art, sowie lithographische Steine) befindet und dieselben noch ferner, und zwar längstens bis zum 31. Dezember 1891, zur Herstellung von Exemplaren benutzen will, hat die Vorrichtungen bis zum 1. November 1888 einschließlich der Polizeibehörde seines Wohnorts zur Abstempelung vorzulegen.

Die Exemplare selbst, welche mit Hilfe der gestempelten Vorrichtungen erlaubterweise hergestellt sind, bedürfen eines Stempels nicht. Auf Verlangen sollen sie indessen ebenfalls abgestempelt werden.

Wer Exemplare der bezeichneten Art abgestempelt zu haben wünscht, hat dieselben bis zum 31. Dezember 1891 einschließlich der gedachten Behörde vorzulegen.

§ 4. Die Polizeibehörde stellt ein genaues Verzeichnis der ihr vorgelegten Vorrichtungen nach dem nachstehenden Muster B auf und bedruckt die Vorrichtungen demnächst unter thunlichster Schonung derselben mit ihrem Dienststempel, und zwar in einer Weise, welche die Erhaltung des Stempelzeichens möglichst sicherstellt.

Sie stellt ebenso ein genaues Verzeichnis der mit jenen Vorrichtungen hergestellten, ihr vorgelegten Exemplare nach dem im § 2 erwähnten Muster A auf und bedruckt demnächst jedes einzelne Exemplar mit ihrem Dienststempel.

§ 5. Ob die Herstellung der Exemplare und die Benutzung der Vorrichtungen erlaubt war, hat die Polizeibehörde nicht zu prüfen; dagegen hat dieselbe die Stempelung zu versagen, wenn sie ermittelt, daß die im § 1 und § 3 bezeichneten Exemplare oder die im § 3 bezeichneten Vorrichtungen beim Inkrafttreten der Verordnung vom 11. Juli 1888 noch nicht hergestellt waren, auch der Druck der Exemplare zu der angegebenen Zeit noch nicht im Gange war, oder die im § 3 bezeichneten Exemplare mit Hilfe ungestempelter Vorrichtungen hergestellt worden sind.

§ 6. Die Verzeichnisse werden binnen 6 Wochen nach ihrem Abschluß von der Polizeibehörde an die zuständige Centralbehörde im Geschäftswege eingereicht und von der letzteren aufbewahrt. Einer Anzeige, daß bei der Polizeibehörde Exemplare oder Vorrichtungen zur Abstempelung überhaupt nicht vorgelegt worden sind, bedarf es nicht.

§ 7. Für die Eintragung und Abstempelung der Exemplare und Vorrichtungen werden Kosten nicht erhoben.

§ 8. Die Vorschriften der Verordnung vom 11. Juli 1888, sowie die vorstehenden Bestimmungen finden insoweit keine Anwendung, als den an der Übereinkunft vom 9. September 1886 beteiligten Verbandsländern: Belgien, Frankreich, Großbritannien, Italien und der Schweiz gegenüber die mit denselben geschlossenen Spezialverträge Platz greifen.

Berlin, den 7. August 1888.

Der Reichskanzler,
In Vertr.: v. Schelling.

A.

Verzeichnis

der bei der unterzeichneten Polizeibehörde zur Abstempelung vorgelegten Exemplare.

Nr.	Tag der Vorlage.	Name oder Firma des Vorlegenden.	Titel der Schriftwerke, Abbildungen, Kompositionen u. s. w.	Zahl der abgestempelten Exemplare.

B.

Verzeichnis
der bei der unterzeichneten Polizeibehörde zur Abstempelung vorgelegten Vorrichtungen (Stereotypen, Holzstöcke, Platten, Steine rc.).

Nr.	Tag der Vorlage.	Name oder Firma des Vorlegenden.	Titel des Schriftwerkes, der Abbildung, der Komposition rc., auf welche die Vorrichtung sich bezieht.	Nähere Beschreibung (Platte, Form, Stein, Stereotypabguß rc.) der Vorricht. u. der. Größe.

Verträge zwischen dem Norddeutschen Bunde bezw. dem Deutschen Reiche und der Schweiz wegen gegenseitigen Schutzes der Rechte an litterarischen Erzeugnissen und Werken der Kunst

vom 13. Mai 1869 und 23. Mai 1881 siehe Band 1 Seite 223.

Die Übereinkunft zwischen Deutschland und Frankreich, betreffend den Schutz an Werken der Litteratur und Kunst

vom 19. April 1883.

An Stelle der früher zwischen Frankreich und einzelnen deutschen Staaten abgeschlossenen Litterarkonventionen ist seit dem 6. November 1883*) die nachstehende Übereinkunft zwischen Deutschland und Frankreich, betreffend den Schutz an Werken der Litteratur und Kunst, vom 19. April 1883 getreten:

Art. 1. Die Urheber von Werken der Litteratur oder Kunst sollen, gleichviel, ob diese Werke

*) Vgl. § 18 Abs. 2 der Übereinkunft und die Anmerkung zu demselben.

veröffentlicht sind oder nicht, in jedem der beiden Länder gegenseitig sich der Vorteile zu erfreuen haben, welche daselbst zum Schutze von Werken der Litteratur oder Kunst gesetzlich eingeräumt sind oder eingeräumt werden. Sie sollen daselbst denselben Schutz und dieselbe Rechtshilfe gegen jede Beeinträchtigung ihrer Rechte genießen, als wenn diese Beeinträchtigung gegen inländische Urheber begangen wäre.

Diese Vorteile sollen ihnen jedoch gegenseitig nur so lange zustehen, als ihre Rechte in dem Ursprungslande in Kraft sind, und sollen in dem anderen Lande nicht über die Frist hinaus dauern, welche daselbst den inländischen Urhebern gesetzlich eingeräumt ist.

Der Ausdruck „Werke der Litteratur oder Kunst" umfaßt Bücher, Broschüren oder andere Schriftwerke; dramatische Werke, musikalische Kompositionen, dramatisch-musikalische Werke; Werke der zeichnenden Kunst, der Malerei, der Bildhauerei; Stiche, Lithographien, Illustrationen, geographische Karten, geographische, topographische, architektonische oder naturwissenschaftliche Pläne, Skizzen und Darstellungen plastischer Art*) und überhaupt jedes Erzeugnis aus dem Bereiche der Litteratur, Wissenschaft oder Kunst.*)

Art. 2. Die Bestimmungen des Art. 1 sollen auch Anwendung finden auf die Verleger solcher Werke, welche in einem der beiden Länder veröffentlicht sind oder deren Urheber einer dritten Nation angehört.**)

Art. 3. Die gesetzlichen Vertreter oder Rechtsnachfolger***) der Urheber, Verleger, Übersetzer, Komponisten, Zeichner, Maler, Bildhauer, Kupferstecher, Architekten, Lithographen rc. sollen gegenseitig in allen Beziehungen dieselben Rechte genießen, welche die gegenwärtige Übereinkunft

---

*) Geographische, topographische, architektonische oder naturwissenschaftliche Darstellungen plastischer Art sind jedoch trotz ihrer ausdrücklichen Erwähnung im Art. 1 gegenwärtig im internationalen Verkehr zwischen Deutschland und Frankreich nicht gegen Nachbildung geschützt, da sie nicht unter § 43 des deutschen Gesetzes vom 11. Juni 1870 fallen. Der deutsche Verfertiger einer solchen Darstellung kann in Frankreich keinen Schutz gegen die Nachbildung der letzteren finden, weil er selbst in Deutschland gegen eine solche Nachbildung nicht geschützt ist, und die französische plastische Darstellung genießt in Deutschland keinen Schutz, weil die Nachbildung eben hier nicht verboten ist.

*) Wegen des Schutzes der photographischen Erzeugnisse siehe Nr. 3 des Schlußprotokolls vom 19. April 1883. Seite 151.

**) Vgl. § 61 des deutschen Gesetzes vom 11. Juni 1870 und § 21 des deutschen Gesetzes vom 9. Januar 1876.

***) Unter den Rechtsnachfolgern („les ayants-cause") sind auch die Erben des Urhebers, Verlegers rc. zu verstehen.

den Urhebern, Verlegern, Übersetzern, Komponisten, Zeichnern, Malern, Bildhauern, Kupferstechern, Architekten und Lithographen selbst bewilligt.

Art. 4. Es soll gegenseitig erlaubt sein, in einem der beiden Länder Auszüge oder ganze Stücke eines zum erstenmal in dem anderen Lande erschienenen Werkes zu veröffentlichen, vorausgesetzt, daß diese Veröffentlichung ausdrücklich für den Schul- oder Unterrichtsgebrauch bestimmt und eingerichtet oder wissenschaftlicher Natur ist.

In gleicher Weise soll es gegenseitig erlaubt sein, Chrestomathien, welche aus Bruchstücken von Werken verschiedener Urheber zusammengesetzt sind, zu veröffentlichen, sowie in eine Chrestomathie oder in ein in dem einen der beiden Länder erscheinendes Originalwerk eine in dem anderen Lande veröffentlichte ganze Schrift von geringerem Umfange aufzunehmen.

Es muß jedoch jedesmal der Name des Urhebers oder die Quelle angegeben sein, aus welcher die in den beiden vorstehenden Absätzen gedachten Auszüge, Stücke von Werken, Bruchstücke oder Schriften herrühren.*)

Die Bestimmungen dieses Artikels finden keine Anwendung auf die Aufnahme musikalischer Kompositionen in Sammlungen, welche zum Gebrauche für Musikschulen bestimmt sind,*) vielmehr gilt eine derartige Aufnahme, wenn sie ohne Genehmigung des Komponisten erfolgt, als unerlaubter Nachdruck.**)

Art. 5. Artikel, welche aus den in einem der beiden Länder erschienenen Zeitungen oder periodischen Zeitschriften entnommen sind, dürfen in dem anderen Lande im Original oder in Übersetzung gedruckt werden.

Jedoch soll diese Befugnis sich nicht auf den Abdruck, im Original oder in Übersetzung, von Feuilletonromanen oder von Artikeln über Wissenschaft oder Kunst beziehen.***)

Das gleiche gilt von anderen, aus Zeitungen oder periodischen Zeitschriften entnommenen größeren Artikeln, wenn die Urheber oder Herausgeber in der Zeitung oder in der Zeitschrift selbst, wo-

*) Zu Abs. 1, 2, 3 des Art. 4 vgl. § 7 litt. a des deutschen Gesetzes vom 11. Juni 1870.

*) Vgl. § 47 des Gesetzes vom 11. Juni 1870.

**) Für die erlaubte Benutzung von Werken der bildenden Künste kommen im internationalen Verkehr zwischen Deutschland und Frankreich nach dem Prinzip des Art. 1 der Übereinkunft die Vorschriften des § 6 des deutschen Gesetzes vom 9. Januar 1876 zur Anwendung.

***) Vgl. Art. 5 Abs. 2 der Berner Übereinkunft vom 9. September 1886 und die Bemerkung hierzu auf Seite 125 dieses Bandes.

rin dieselben erschienen sind, ausdrücklich erklärt haben, daß sie deren Nachdruck untersagen.

In keinem Falle soll die im vorstehenden Absatz gestattete Untersagung bei Artikeln politischen Inhalts Anwendung finden.

Art. 6. Das Recht auf Schutz der musikalischen Werke begreift in sich die Unzulässigkeit der sogenannten musikalischen Arrangements, nämlich der Stücke, welche nach Motiven aus fremden Kompositionen ohne Genehmigung des Urhebers gearbeitet sind.

Den betreffenden Gerichten bleibt es vorbehalten, die Streitigkeiten, welche bezüglich der Anwendung obiger Vorschrift etwa hervortreten sollten, nach Maßgabe der Gesetzgebung jedes der beiden Länder zu entscheiden.*)

Art. 7. Um allen Werken der Litteratur und Kunst den im Art. 1 vereinbarten Schutz zu sichern, und damit die Urheber der gedachten Werke, bis zum Beweise des Gegenteils, als solche angesehen und demgemäß vor den Gerichten beider Länder zur Verfolgung von Nachdruck und Nachbildung zugelassen werden, soll es genügen, daß ihr Name auf dem Titel des Werkes, unter der Zueignung oder Vorrede, oder am Schlusse des Werkes angegeben ist.

*) Vgl. § 46 des deutschen Gesetzes vom 11. Juni 1870.

Bei anonymen oder pseudonymen Werken ist der Verleger, dessen Name auf dem Werke steht, zur Wahrnehmung der dem Urheber zustehenden Rechte befugt. Derselbe gilt ohne weiteren Beweis als Rechtsnachfolger des anonymen oder pseudonymen Urhebers.*)

Art. 8. Die Bestimmungen des Art. 1 sollen auf die öffentliche Aufführung musikalischer, sowie auf die öffentliche Darstellung dramatischer oder dramatisch-musikalischer Werke gleichfalls Anwendung finden.

Art. 9. Den Originalwerken werden die in einem der beiden Länder veranstalteten Übersetzungen inländischer oder fremder Werke ausdrücklich gleichgestellt. Demzufolge sollen diese Übersetzungen, rücksichtlich ihrer unbefugten Vervielfältigung in dem anderen Lande, den im Art. 1 festgesetzten Schutz genießen.

Es ist jedoch wohlverstanden, daß der Zweck des gegenwärtigen Artikels nur dahin geht, den Übersetzer in Beziehung auf die von ihm gefertigte Übersetzung des Originalwerkes zu schützen, keineswegs aber, dem ersten Übersetzer irgend eines in toter oder lebender Sprache geschriebenen Werkes das ausschließliche Über

*) Vgl. hierzu Art. 11 Abs. 3 der Berner Übereinkunft vom 9. September 1886.

setzungsrecht zu übertragen, außer in dem im folgenden Artikel vorgesehenen Falle und Umfange.

Art. 10. Den Urhebern in jedem der beiden Länder soll in dem anderen Lande während zehn Jahren nach dem Erscheinen der mit ihrer Genehmigung veranstalteten Übersetzung ihres Werkes das ausschließliche Übersetzungsrecht zustehen.*)

Die Übersetzung muß in einem der beiden Länder erschienen sein.

(Behufs des Genusses des oben gedachten ausschließlichen Rechtes ist es erforderlich, daß die genehmigte Übersetzung innerhalb eines Zeitraumes von drei Jahren, von der Veröffentlichung des Originalwerkes an gerechnet, vollständig erschienen sei.

Bei den in Lieferungen erscheinenden Werken soll der Lauf der in dem vorstehenden Absatz festgesetzten dreijährigen Frist erst von der Veröffentlichung der letzten Lieferung des Originalwerkes an beginnen.)*)

Falls die Übersetzung eines Werkes lieferungsweise erscheint, soll die im ersten Absatz festgesetzte zehnjährige Frist gleichfalls erst von dem Erscheinen der letzten Lieferung der Übersetzung an zu laufen anfangen.

Indessen soll bei Werken, welche aus mehreren in Zwischenräumen erscheinenden Bänden bestehen, sowie bei fortlaufenden Berichten oder Heften, welche von litterarischen oder wissenschaftlichen Gesellschaften oder von Privatpersonen veröffentlicht werden, jeder Band, jeder Bericht oder jedes Heft, bezüglich der zehnjährigen (und der dreijährigen)**) Frist, als ein besonderes Werk angesehen werden.

Die Urheber dramatischer oder dramatisch-musikalischer Werke sollen, während der Dauer ihres ausschließlichen Übersetzungsrechtes, gegenseitig gegen die nicht genehmigte öffentliche Darstellung der Übersetzung ihrer Werke geschützt werden.

Art. 11. Wenn der Urheber eines musikalischen oder drama-

*) Nach Art. 5 Abs. 1 der Berner Übereinkunft vom 9. September 1886 läuft die zehnjährige Frist von der Veröffentlichung des Originalwerkes an. Trotzdem bleibt die Bestimmung des Art. 10 Abs. 1, wonach die zehnjährige Frist von dem Erscheinen der rechtmäßigen Übersetzung an läuft, bestehen, weil dadurch den Urhebern ein weitergehendes Recht, d. h. eine längere Frist, als ihnen durch die Berner Übereinkunft gewährt ist, eingeräumt wird.

*) Abs. 3 und 4 des Art. 10 sind durch Art. 5 der Berner Übereinkunft, welcher das Erfordernis der Vollendung der Übersetzung innerhalb der dreijährigen Frist nicht aufstellt, beseitigt.

**) Vgl. die vorhergehende Anmerkung.

tisch-musikalischen Werkes sein Vervielfältigungsrecht an einen Verleger für eines der beiden Länder mit Ausschluß des anderen Landes abgetreten hat, so dürfen die demgemäß hergestellten Exemplare oder Ausgaben dieses Werkes in dem letzteren Lande nicht verkauft werden; vielmehr soll die Einführung dieser Exemplare oder Ausgaben daselbst als Verbreitung von Nachdruck angesehen und behandelt werden.

Die Werke, auf welche vorstehende Bestimmung sich bezieht, müssen auf ihrem Titel und auf ihrem Umschlag den Vermerk tragen: „In Deutschland (in Frankreich) verbotene Ausgabe."

Übrigens sollen diese Werke in beiden Ländern zur Durchfuhr nach einem dritten Lande unbehindert zugelassen werden.

Die Bestimmungen des gegenwärtigen Artikels finden auf andere als musikalische oder dramatisch-musikalische Werke keine Anwendung.

Art. 12. Die Einfuhr, die Ausfuhr, die Verbreitung, der Verkauf und das Feilhalten von Nachdruck oder unbefugten Nachbildungen ist in jedem der beiden Länder verboten, gleichviel, ob dieser Nachdruck oder diese Nachbildungen aus einem der beiden Länder oder aus irgend einem dritten Lande herrühren.

Art. 13. Jede Zuwiderhandlung gegen die Bestimmungen der gegenwärtigen Übereinkunft soll die Beschlagnahme, Einziehung und Verurteilung zu Strafe und Schadenersatz nach Maßgabe der betreffenden Gesetzgebungen in gleicher Weise zur Folge haben, wie wenn die Zuwiderhandlung ein Werk oder Erzeugnis inländischen Ursprungs betroffen hätte.

Die Merkmale, aus welchen der Thatbestand des Nachdrucks oder der unbefugten Nachbildung sich ergiebt, sind durch die betreffenden Gerichte nach Maßgabe der in jedem der beiden Länder geltenden Gesetzgebung festzustellen.

Art. 14. Die Bestimmungen der gegenwärtigen Übereinkunft sollen in keiner Beziehung das einem jeden der beiden hohen vertragschließenden Teile zustehende Recht beeinträchtigen, durch Maßregeln der Gesetzgebung oder inneren Verwaltung die Verbreitung, die Darstellung oder das Feilbieten eines jeden Werkes oder Erzeugnisses zu überwachen oder zu untersagen, in betreff dessen die zuständige Behörde dieses Recht auszuüben haben würde.

Ebenso beschränkt die gegenwärtige Übereinkunft in keiner Weise das Recht des einen oder des anderen der beiden hohen vertragschließenden Teile, die Einfuhr solcher Bücher nach seinem Gebiete zu verhindern, welche nach seinen inneren Gesetzen oder in Gemäßheit seiner mit anderen Mächten getroffenen Abkommen für Nachdruck erklärt sind oder erklärt werden.

Art. 15. Die in der gegenwärtigen Übereinkunft enthaltenen Bestimmungen sollen auf die vor deren Inkrafttreten vorhandenen Werke mit den Maßgaben und unter den Bedingungen Anwendung finden, welche das der Übereinkunft angeheftete Protokoll vorschreibt.

Art. 16. Die hohen vertragschließenden Teile sind darüber einverstanden, daß jeder weitergehende Vorteil oder Vorzug, welcher künftighin von seiten eines derselben einer dritten Macht in bezug auf die in der gegenwärtigen Übereinkunft vereinbarten Punkte eingeräumt wird, unter der Voraussetzung der Reziprozität, den Urhebern des anderen Landes oder deren Rechtsnachfolgern ohne weiteres zu statten kommen soll.

Sie behalten sich übrigens das Recht vor, im Wege der Verständigung an der gegenwärtigen Übereinkunft jede Verbesserung oder Veränderung vorzunehmen, deren Nützlichkeit sich durch die Erfahrung herausstellen sollte.

Art. 17. Die gegenwärtige Übereinkunft tritt an die Stelle der früher zwischen Frankreich und den einzelnen deutschen Staaten abgeschlossenen Litterarkonventionen.

Sie soll während sechs Jahren von dem Tage ihres Inkrafttretens an in Geltung bleiben, und ihre Wirksamkeit soll alsdann so lange, bis sie von dem einen oder anderen der hohen vertragschließenden Teile gekündigt wird, und noch ein Jahr nach erfolgter Kündigung fortdauern.

Art. 18. Die gegenwärtige Übereinkunft soll ratifiziert und die Ratifikationsurkunden sollen sobald als möglich in Berlin ausgewechselt werden.

Sie soll in beiden Ländern drei Monate nach der Auswechselung der Ratifikationen in Kraft treten.*)

Zu Urkund dessen rc.

Die Rechte, welche der Art. 15 der Übereinkunft vom 19. April 1883 den Urhebern der vor deren Inkrafttreten vorhandenen Werke beilegt, sind in dem

Protokoll vom 19. April 1883

näher bestimmt und geregelt worden.

Dasselbe lautet:

1. Die Wohlthat der Bestimmungen der Übereinkunft vom heutigen Tage wird denjenigen

*) Die Auswechselung der Ratifikationsurkunden hat am 6. August 1883 stattgefunden.

vor deren Inkrafttreten vorhandenen Werken der Litteratur und Kunst zu teil, welche etwa einen gesetzlichen Schutz gegen Nachdruck, gegen Nachbildung, gegen unerlaubte öffentliche Aufführung oder Darstellung oder gegen unerlaubte Übersetzung nicht genießen, oder diesen Schutz infolge der Nichterfüllung vorgeschriebener Förmlichkeiten verloren haben.

Der Druck der Exemplare, deren Herstellung beim Inkrafttreten der gegenwärtigen Übereinkunft erlaubterweise im Gange ist, soll vollendet werden dürfen; die Exemplare sollen ebenso wie diejenigen, welche zu dem gleichen Zeitpunkt erlaubterweise bereits hergestellt sind, ohne Rücksicht auf die Bestimmungen der Übereinkunft, verbreitet und verkauft werden dürfen, vorausgesetzt, daß innerhalb dreier Monate, in Gemäßheit der von den betreffenden Regierungen erlassenen Anordnungen, die bei dem Inkrafttreten angefangenen oder fertig gestellten Exemplare mit einem besonderen Stempel versehen werden.

Ebenso sollen die beim Inkrafttreten der gegenwärtigen Übereinkunft vorhandenen Vorrichtungen, wie Stereotypen, Holzstücke und gestochene Platten aller Art, sowie lithographische Steine, während eines Zeitraumes von vier Jahren von diesem Inkrafttreten an benutzt werden dürfen, nachdem sie mit einem besonderen Stempel versehen worden sind.

Auf Anordnung der betreffenden Regierungen soll ein Inventar der Exemplare von Werken und der Vorrichtungen, welche im Sinne dieses Artikels erlaubt sind, aufgenommen werden.

2. Was die dramatischen oder dramatisch-musikalischen Werke anlangt, welche in einem der beiden Länder erschienen und in dem anderen Lande vor dem Inkrafttreten der gegenwärtigen Übereinkunft im Original oder in Übersetzung öffentlich aufgeführt worden sind, so sollen dieselben den gesetzlichen Schutz gegen unerlaubte Aufführung nur insoweit genießen, als sie nach der früher zwischen Frankreich und den einzelnen deutschen Staaten abgeschlossenen Übereinkunft geschützt waren.

3. Die Wohlthat der Bestimmungen gegenwärtiger Übereinkunft soll auch denjenigen Werken, welche weniger als drei Monate vor dem Inkrafttreten erschienen sind und bezüglich deren daher die gesetzliche Frist für die in einigen der früheren Übereinkommen zwischen Frankreich und den einzelnen deutschen Staaten vorgeschriebenen Eintragung noch nicht abgelaufen ist, zu statten kommen, und zwar ohne daß die Urheber zur Erfüllung jener Förmlichkeiten gehalten wären.

4. Anlangend das Übersetzungs-

recht, sowie die öffentliche Aufführung der Übersetzungen von Werken, welche beim Inkrafttreten der gegenwärtigen Übereinkunft noch nach den früheren Übereinkommen geschützt sind, so soll die in den letzteren auf fünf Jahre bemessene Dauer jenes Rechtes unter der Voraussetzung auf zehn Jahre verlängert werden, daß entweder die fünfjährige Frist beim Inkrafttreten der gegenwärtigen Übereinkunft noch nicht abgelaufen ist, oder aber, im Falle des schon erfolgten Ablaufes, seitdem keine Übersetzung erschienen ist, bezw. keine Aufführung stattgefunden hat.

Ebenso sollen die Urheber bezüglich des Übersetzungsrechts an ihren Werken, sowie der öffentlichen Aufführung von Übersetzungen dramatischer oder dramatisch-musikalischer Werke, insoweit es sich um die durch die früheren Übereinkommen für den Beginn oder für die Vollendungen der Übersetzungen festgesetzten Fristen handelt, unter den im vorstehenden Absatze vorgesehenen Voraussetzungen, die durch die gegenwärtige Übereinkunft gewährten Vorteile genießen.

Das gegenwärtige Protokoll soll, als integrierender Teil der Übereinkunft vom heutigen Tage, mit derselben ratifiziert werden und gleiche Kraft, Geltung und Dauer wie diese Übereinkunft haben.

Zu Urkund dessen &c.

In dem

Schlußprotokoll vom 19. April 1883

sind endlich noch die nachstehenden Erklärungen und Vorbehalte festgesetzt:

1. Da nach den Bestimmungen der deutschen Reichsgesetzgebung die Dauer des gesetzlichen Schutzes gegen Nachdruck und Nachbildung bei anonymen und pseudonymen Werken in Deutschland auf dreißig Jahre nach dem Erscheinen beschränkt ist, es sei denn, daß jene Werke innerhalb dieser dreißig Jahre unter dem wahren Namen des Urhebers eingetragen werden, so wird verabredet, daß es den Urhebern der in einem der beiden Länder erschienenen anonymen oder pseudonymen Werke, oder deren gesetzlich berechtigten Rechtsnachfolgern freistehen soll, sich in dem anderen Lande die Wohlthat der normalen Dauer des Rechtes auf Schutz dadurch zu sichern, daß sie während der oben erwähnten dreißigjährigen Frist ihre Werke unter ihrem wahren Namen in dem Ursprungslande nach Maßgabe der daselbst geltenden gesetzlichen oder reglementarischen Vorschrif-

ten eintragen oder deponieren lassen.

2. Die zur Einfuhr erlaubten Bücher, welche aus einem der beiden Länder kommen, sollen in dem anderen Lande auch fernerhin, sowohl zum Eingange als auch zur unmittelbaren Durchfuhr oder zur Niederlage, bei allen Zahlstellen abgefertigt werden, welche für diesen Zweck gegenwärtig bestimmt sind oder künftig bestimmt werden.

3. Mit Rücksicht darauf, daß nach der deutschen Reichsgesetzgebung photographische Werke nicht denjenigen Werken beigezählt werden können, auf welche die gedachte Übereinkunft Anwendung findet, behalten die beiden Regierungen sich eine spätere Verständigung vor, um durch ein besonderes Abkommen in beiden Ländern gegenseitig den Schutz der photographischen Werke sicher zu stellen.

Zu Urkund dessen rc.

Die Übereinkunft zwischen Deutschland und Belgien, betreffend den Schutz an Werken der Litteratur und Kunst vom 12. Dezember 1883.

An Stelle der früher zwischen Belgien und einzelnen deutschen Staaten abgeschlossenen Litterarkonventionen ist seit dem 11. November 1884*) die Übereinkunft zwischen Deutschland und Belgien, betreffend den Schutz an Werken der Litteratur und Kunst, vom 12. Dezember 1883 getreten.

Dieselbe entspricht durchaus wörtlich der Übereinkunft zwischen Deutschland und Frankreich vom 19. April 1883, so daß von einer besonderen Wiedergabe derselben hier abgesehen werden kann.

Auch das

Protokoll vom 12. Dezember 1883,

in welchem die Rechte, welche der Art. 15 der Übereinkunft den Urhebern der vor dem Inkrafttreten der letzteren vorhandenen Werke beilegt, näher bestimmt

*) Art. 18 der Übereinkunft vom 12. Dezember 1883 bestimmt, daß die letztere in beiden Ländern drei Monate nach der Auswechselung der Ratifikationen in Kraft treten soll. Die Auswechselung der Ratifikationsurkunden hat zu Berlin am 11. August 1884 stattgefunden; die Übereinkunft vom 12. Dezember 1883 ist also am 11. November 1884 in Kraft getreten.

und geregelt werden, ist in den Ziff. 1, 3 und 4 mit dem deutsch-französischen Protokoll vom 19. April 1883 wörtlich übereinstimmend. Dagegen enthält Ziff. 2 des Protokolls folgende Vereinbarung:

„Was die öffentliche Aufführung der musikalischen, dramatischen oder dramatisch-musikalischen Werke anlangt, so findet die rückwirkende Kraft der gegenwärtigen Übereinkunft nur auf die seit dem 20. August 1863 vorhandenen Werke Anwendung.

Jedoch sollen diejenigen dramatischen oder dramatisch-musikalischen Werke, welche nach jenem Tage in einem der beiden Länder veröffentlicht oder aufgeführt und in dem anderen Lande vor dem Inkrafttreten der gegenwärtigen Übereinkunft, im Original oder Übersetzung, öffentlich aufgeführt worden sind, den gesetzlichen Schutz gegen unbefugte Aufführung nur insoweit genießen, als sie nach dem bisherigen Vertragsrecht geschützt waren."

Das **Schlußprotokoll vom 12. Dezember 1883** enthält endlich nur die in Ziff. 1 und 3 des deutsch-französischen Schlußprotokolls vom 19. April 1883 verlautbarten Erklärungen und Vorbehalte, ohne eine besondere Bestimmung über die Zollabfertigung der zur Einfuhr erlaubten Bücher zu treffen.

Die Übereinkunft zwischen Deutschland und Italien, betreffend den Schutz an Werken der Litteratur und Kunst, vom 20. Juni 1884.

An die Stelle der früher zwischen Italien einerseits und dem Norddeutschen Bunde, den Königreichen Bayern und Württemberg, dem Großherzogtum Baden und dem Großherzogtum Hessen andererseits abgeschlossenen Litterarkonventionen ist seit dem 23. November 1884*) die Überein-

*) Nach Art. 18 der Übereinkunft vom 20. Juni 1884 soll die letztere in beiden Ländern drei Monate nach der Auswechslung der Ratifikationen in Kraft treten. Die Auswechselung der Ratifikationsurkunden hat zu Berlin am 23 August 1884 stattgefunden; die Übereinkunft vom 20. Juni 1884 ist

kunft zwischen Deutschland und Italien, betreffend den Schutz an Werken der Litteratur und Kunst vom 30. Juni 1884 getreten.

Auch diese Übereinkunft entspricht mit wenigen Änderungen ihrem Wortlaute nach der Übereinkunft zwischen Deutschland und Frankreich vom 19. April 1883.

Abweichungen von dem Texte dieses letzteren Vertrages finden sich nur in den Art. 6, 7 und 8 der Übereinkunft vom 20. Juni 1884.

Der Art. 6 lautet:

„Das Recht auf Schutz der musikalischen Werke begreift in sich die Unzulässigkeit der sogenannten musikalischen Arrangements und anderer Stücke, welche entweder nach Motiven aus fremden Kompositionen ohne Genehmigung des Urhebers gearbeitet sind oder das Originalwerk mit Veränderungen, Abkürzungen oder Zusätzen wiedergeben.

„Den betreffenden Gerichten ꝛc." (wie in der deutsch-französischen Übereinkunft vom 19. April 1883).

Dem Art. 7 ist als dritter Absatz folgende Bestimmung hinzugefügt:

„Der Genuß des im Art. 1 festgestellten Rechtes ist jedoch dadurch bedingt, daß in dem Ursprungslande die Förmlichkeiten erfüllt sind, welche die daselbst geltenden Gesetze oder Reglements bezüglich des Werkes, wofür der Schutz in Anspruch genommen wird, vorschreiben,"

und der Art. 8 der deutsch-französischen Übereinkunft hat in der deutsch-italienischen Übereinkunft vom 20. Juni 1884 folgende Fassung erhalten:

„Der im Art. 1 vereinbarte Schutz soll sich auf die öffentliche Darstellung dramatischer oder dramatisch-musikalischer Werke erstrecken, gleichviel ob diese Werke veröffentlicht sind oder nicht.

Die Bestimmungen des Art. 4 sollen auch auf die öffentliche Aufführung von musikalischen Werken Anwendung finden, wenn dieselben nicht veröffentlicht sind oder wenn bei ihrer Veröffentlichung der Urheber auf dem Titelblatte oder an der Spitze des Werkes ausdrücklich erklärt hat, daß er die öffentliche Aufführung desselben untersage."

Das

Protokoll vom 20. Juni 1884,

in welchem die Rechte, welche die zwischen Deutschland und Italien abgeschlossene Litterarkonvention den Urhebern der vor deren Zu-

---

sonach am 23. November 1884 in Kraft getreten.

krafttreten vorhandenen Werke beilegt, näher bestimmt und geregelt werden, entspricht inhaltlich ebenfalls dem deutsch-französischen Protokoll vom 19. April 1883; nur ist hinsichtlich der musikalischen Werke noch folgende Vereinbarung getroffen:

„3. Was die musikalischen Werke betrifft, welche in einem der beiden Länder vor dem Inkrafttreten der Übereinkunft veröffentlicht, aber vor diesem Zeitpunkte in dem anderen Lande nicht öffentlich aufgeführt worden sind, so sollen sie den in den Art. 8 und 15 vereinbarten Schutz selbst dann genießen, wenn der Urheber sich das Aufführungsrecht nicht ausdrücklich vorbehalten hat, wie er dies, in Gemäßheit des Art. 8, hinsichtlich der nach dem Inkrafttreten der Übereinkunft veröffentlichten Werke behufs Wahrung jenes Rechtes zu thun verpflichtet ist."

In dem

Schlußprotokoll vom 20. Juni 1884

sind die in den Ziff. 1 und 3 des deutsch-französischen Schlußprotokolls vom 19. April 1883 verlautbarten Erklärungen und Vorbehalte ebenfalls aufgenommen. Dagegen enthält das deutsch-italienische Schlußprotokoll keine Bestimmung über die Zollabfertigung der zur Einfuhr erlaubten Bücher, verlautbart aber hinsichtlich der öffentlichen Aufführung choreographischer Werke und des Präventivschutzes gegen unbefugte Darstellung oder Aufführung eines für die öffentliche Darstellung berechneten Werkes folgende Erklärungen:

„2. Auf den von dem italienischen Bevollmächtigten im Namen seiner Regierung zu erkennen gegebenen Wunsch, die choreographischen Werke den nach Art. 8 der Übereinkunft gegen öffentliche Aufführung zu schützenden Werken ausdrücklich beizuzählen, hat der deutsche Bevollmächtigte erklärt, daß er diesem Wunsche nicht zu entsprechen vermöge, da es nach dem Geiste der deutschen Gesetzgebung, welche die choreographischen Werke nicht erwähnt, den Gerichten überlassen bleiben muß, eintretenden Falls zu beurteilen, ob der den dramatischen oder dramatisch-musikalischen Werken gegen unerlaubte Aufführung gewährte Schutz sich auch auf die choreographischen Werke erstreckt oder nicht."

„3. Um in der Praxis das Verbot der unerlaubten Darstellung oder Aufführung eines für die öffentliche Darstellung berechneten Werkes, eines choreographischen Erzeugnisses oder einer musikalischen Komposition noch wirksamer zu machen, gewährt die Gesetzgebung des Königreichs Italien diesen Werken außer demjenigen Schutze, welcher auf die Verurteilung wegen erfolgter Verletzung jenes Rechtes des Urhebers abzielt und auf welchen sich die Bestimmung des Art. 8 der Übereinkunft bezieht noch einen Präventivschutz, indem die Verwaltungsbehörde berufen ist, die Darstellung oder Aufführung des Werkes zu untersagen, falls man ihr nicht die schriftliche Einwilligung des Urhebers oder seiner Rechtsnachfolger vorlegt.

Obwohl ein analoger Präventivschutz den italienischen Urhebern in Deutschland nach der zur Zeit in Kraft befindlichen Gesetzgebung nicht gewährt werden kann, ist vereinbart worden, daß die deutschen Urheber und deren Rechtsnachfolger in Italien die oben gedachten besonderen Vergünstigungen genießen sollen, unter der Bedingung jedoch, daß sie die im Art. 14 des italienischen Gesetzes vom 19. September 1882, sowie in den Art. 2, 3 und 14 des Reglements vom gleichen Datum erforderten Förmlichkeiten erfüllen und die ebendaselbst vorgesehenen Gebühren zahlen.*)

Die beiden Regierungen werden sich vor dem Inkrafttreten der Übereinkunft über die Art und Weise verständigen, um den deutschen Interessenten, sowohl für die Zukunft als auch hinsichtlich der vor diesem Inkrafttreten erschienenen Werke, die Erfüllung der vorerwähnten Vorschriften zu erleichtern.

Übrigens haben die Unterzeichneten verabredet, daß, falls früher oder später die Reichsgesetzgebung den inländischen Urhebern einen Präventivschutz, analog dem obengedachten, gewähren sollte, dies den italienischen Urhebern und deren Rechtsnachfolgern von Rechts wegen zu statten kommen soll, jedoch unter der Bedingung, sich den für die Inländer etwa vorgeschriebenen Förmlichkeiten und Gebühren zu unterwerfen."

*) Siehe Seite 51 dieses Bandes.

Die zwischen einzelnen deutschen Staaten bezw. dem Deutschen Reiche und Großbritannien abgeschlossenen Verträge zum gegenseitigen Schutz der Rechte an Werken der Litteratur und Kunst.

(siehe Band 1 Seite 128) sind durch die Berner Konvention außer Kraft gesetzt worden. Siehe Seite 39, zweite Spalte in diesem Bande.

Übereinkunft zwischen der Schweiz und Belgien zum gegenseitigen Schutze des litterarischen und künstlerischen Eigentums.

Abgeschlossen den 25. April 1867.

Art. 1. Die Verfasser von Büchern, Flugschriften oder andern Schriften, musikalischen Kompositionen oder Bearbeitungen, Zeichnungen, Gemälden, Bildhauereien, Stichen, Lithographien und allen andern derartigen Erzeugnissen aus dem Gebiete der Litteratur oder der Künste, welche zum ersten Male in der Schweiz veröffentlicht werden, genießen in Belgien die Vorteile, welche daselbst durch das Gesetz dem Eigentume litterarischer und künstlerischer Werke eingeräumt sind oder künftig eingeräumt werden mögen, und es kommt ihnen gegen jedweden Eingriff in ihre Rechte der nämliche Schutz und die nämliche gesetzliche Rechtshilfe zu statten, wie wenn dieser Eingriff gegenüber den Verfassern von Werken begangen worden wäre, welche zum ersten Male auf dem Gebiete des Königreichs Belgien veröffentlicht wurden.

Indessen sind diese Vorteile den Urhebern solcher Werke nur für so lange, als ihre Rechte im eigenen Lande fortbestehen, zugesichert, und es kann der Genuß derselben in Belgien nicht auf eine längere als die in der Schweiz eingeräumte Frist beansprucht werden.*)

*) Nach den Grundsätzen der Reziprozität (siehe 1. Band, Seite 85) kommt im internationalen Verkehr stets die kürzere Schutzfrist zur Anwendung; im obigen Falle also die der Schweiz.

Art. 2. Es ist gestattet, in Belgien Auszüge oder ganze Stücke aus Werken zu veröffentlichen, welche zum ersten Mal in der Schweiz erschienen sind, wofern solche Veröffentlichungen speziell für den Unterricht oder zum Studium bearbeitet und mit erläuternden Anmerkungen, oder Interlinear- oder Randübersetzungen versehen sind.

Art. 3. Der Genuß der durch Art. 1 gebotenen Vorteile ist an die in der Schweiz erfolgte gesetzliche Erwerbung des Eigentums litterarischer oder künstlerischer Werke gebunden.

Für die zum ersten Male in der Schweiz veröffentlichten Bücher, Karten, Kupferstiche und Stiche anderer Art, Lithographien oder musikalischen Werke ist die Ausübung des Eigentumsrechtes in Belgien überdies an die daselbst vorgängig zu erfüllende Formalität der Einschreibung geknüpft, welche in Brüssel beim Ministerium des Innern zu geschehen hat. Diese Einschreibung erfolgt auf die schriftliche Anmeldung der Beteiligten, und es kann die letztere entweder an besagtes Ministerium oder an die belgische Gesandtschaft in Bern gerichtet werden.

Die Anmeldung muß spätestens drei Monate nachdem das Werk in der Schweiz erschienen ist, erfolgen.

Für die Werke, welche lieferungsweise erscheinen, beginnt die dreimonatliche Frist erst von der Herausgabe der letzten Lieferung an zu laufen, wofern nicht der Verfasser gemäß den Vorschriften des Art. 6 erklärt hat, daß er sich das Übersetzungsrecht vorbehalte, in welchem Falle jede Lieferung als ein besonderes Werk betrachtet wird.

Die Einschreibung in besondere, eigens zu diesem Zwecke gehaltene Bücher hat ohne Erhebung irgend welcher Gebühren stattzufinden.

Die Beteiligten erhalten auf gestelltes Begehren eine, die geschehene Einschreibung beurkundende Bescheinigung, welche nicht mehr als fünfzig Centimen kosten darf.

Dieses Zeugnis soll genau das Datum tragen, an welchem die Anmeldung erfolgt ist; dasselbe hat Beweiskraft im ganzen Gebiete des Königreichs und verleiht das ausschließliche Recht des Eigentums und der Reproduktion für so lange, als nicht ein anderer sein Recht vor Gericht geltend gemacht haben wird.

Art. 4. Die Bestimmungen des Art. 1 finden ebenfalls Anwendung auf die Darstellung oder Aufführung dramatischer oder musikalischer Werke, welche nach dem Inkrafttreten gegenwärtiger Übereinkunft zum ersten Male in der Schweiz veröffentlicht, aufgeführt oder dargestellt werden, nicht aber auch auf die Reproduktion von

Musikstücken mittelst Musikdosen oder ähnlicher Instrumente, indem die Fabrikation und der Verkauf solcher Instrumente zwischen den beiden Staaten keiner Einschränkung oder Reserve auf Grund dieser Übereinkunft oder eines sachbezüglichen Gesetzes unterworfen werden darf.

Art. 5. Die Übersetzungen einheimischer oder fremder Werke sind den Originalwerken ausdrücklich gleichgestellt. Demgemäß genießen solche Übersetzungen hinsichtlich ihres unbefugten Nachdruckes in Belgien den im Art. 1 zugesagten Schutz. Indessen ist, wohl verstanden, der Zweck gegenwärtigen Artikels nur der, den Übersetzer bei der Übersetzung, die er von dem Originalwerke gegeben hat, zu schützen, und nicht etwa, das ausschließliche Übersetzungsrecht dem ersten Übersetzer irgend eines in toter oder lebender Sprache geschriebenen Werkes zu gewähren, mit Vorbehalt des im nachfolgenden Artikel vorgesehenen Falles und Umfanges.

Art. 6. Der Verfasser eines jeden in der Schweiz veröffentlichten Werkes, welcher sich das Recht auf die Übersetzung vorbehalten will, genießt, unter den nachfolgenden nähern Bedingungen, die Vergünstigung, daß fünf Jahre lang, vom ersten Erscheinen der von ihm gestatteten Übersetzung seines Werkes an gerechnet, keine von ihm nicht autorisierte Übersetzung desselben im andern Lande herausgegeben werden darf:

1. Das Originalwerk muß in Belgien, auf die binnen drei Monaten nach dem Tage des ersten Erscheinens in der Schweiz erfolgte Anmeldung, gemäß den Bestimmungen des Art. 3 eingeschrieben werden.
2. Der Verfasser muß an der Spitze seines Werkes erklären, daß er sich das Recht der Übersetzung vorbehalte.
3. Die betreffende, von ihm autorisierte Übersetzung muß innerhalb Jahresfrist, vom Tage der in soeben vorgeschriebener Weise bewerkstelligten Anmeldung des Originals an gerechnet, wenigstens zum Teil, und binnen drei Jahren nach besagter Anmeldung vollständig erschienen sein.
4. Die Übersetzung muß in einem der beiden Länder veröffentlicht und überdies gemäß den Bestimmungen des Art. 3 eingeschrieben sein.

Bei den in Lieferungen erscheinenden Werken genügt es, wenn die Erklärung des Verfassers, daß er sich das Recht der Reproduktion vorbehalte, auf der ersten Lieferung ausgedrückt ist.

In bezug auf die für die Ausübung des ausschließlichen Übersetzungsrechtes in diesem Artikel eingeräumte fünfjährige Frist soll jedoch jede Lieferung als ein besonderes Werk angesehen werden; jede derselben soll in Belgien, auf die innerhalb dreier Monate nach ihrem ersten Erscheinen in der Schweiz erfolgte Anmeldung, eingeschrieben werden.

Was die Übersetzung von dramatischen Werken oder die Aufführung dieser Übersetzungen betrifft, so hat der Verfasser, welcher sich das in den Artikeln 4 und 6 stipulierte ausschließliche Recht vorbehalten will, die Übersetzung drei Monate nach der Einschreibung des Originalwerkes erscheinen oder aufführen zu lassen.

Die durch gegenwärtigen Artikel gewährten Rechte sind an die Bedingungen geknüpft, welche durch die Art. 1 und 3 der gegenwärtigen Übereinkunft dem Verfasser eines Originalwerkes auferlegt sind.

Art. 7. Wenn der belgische Verfasser eines der im Art. 1 aufgezählten Werke sein Publikations- oder Reproduktionsrecht einem schweizerischen Verleger mit dem Vorbehalte abgetreten hat, daß die Exemplare oder Ausgaben dieses also veröffentlichten oder reproduzierten Werkes in Belgien nicht verkauft werden dürfen, so sind diese Exemplare oder Ausgaben in letzterem Lande als unbefugte Reproduktion zu betrachten und zu behandeln.

Art. 8. Die gesetzlichen Vertreter oder Rechtsnachfolger der Verfasser, Übersetzer, Komponisten, Zeichner, Maler, Bildhauer, Kupferstecher, Lithographen 2c. genießen in jeder Hinsicht die nämlichen Rechte, welche die gegenwärtige Übereinkunft den Verfassern, Übersetzern, Komponisten, Zeichnern, Malern, Bildhauern, Kupferstechern und Lithographen selbst gewährt.

Art. 9. In Einschränkung der in den Artikeln 1 und 5 gegenwärtiger Übereinkunft enthaltenen Bestimmungen dürfen Artikel, welche den in der Schweiz erscheinenden Tagesblättern oder Sammelwerken entnommen sind, in den Tagesblättern oder periodischen Sammelwerken Belgiens abgedruckt oder übersetzt gegeben werden, vorausgesetzt, daß die Quelle, aus der sie geschöpft sind, dabei angegeben wird.

Diese Befugnis erstreckt sich jedoch nicht auf den Wiederabdruck von Artikeln der in der Schweiz erscheinenden Tagesblätter oder periodischen Sammelwerke, wenn die Verfasser in der Zeitung oder dem Sammelwerk selbst, wo die Artikel erschienen sind, ausdrücklich erklärt haben, daß sie deren Abdruck untersagen. In keinem Falle soll aber diese Untersagung auf Artikel politischen Inhalts Anwendung finden.

Art. 10. Der Verkauf, Umsatz und Verlag von unbefugterweise reproduzierten Werken und Gegenständen, wie sie in den Artikeln

1, 4, 5 und 6 näher bezeichnet sind, ist in Belgien verboten, mögen nun diese unbefugten Reproduktionen aus der Schweiz oder aus irgend einem fremden Lande herkommen.

Art. 11. Eine Zuwiderhandlung gegen die Bestimmungen vorstehender Artikel hat die Beschlagnahme der nachgemachten Gegenstände zur Folge, und es werden die Gerichte die gesetzlichen Strafen in gleicher Weise zur Anwendung bringen, wie wenn die Übertretung ein belgisches Werk oder Erzeugnis betroffen hätte.

Die Merkmale, durch welche eine Nachmachung bedingt ist, werden von den belgischen Gerichten an der Hand der auf dem Gebiete des Königreiches in Kraft bestehenden Gesetzgebung festgestellt werden.

Art. 12. Die Bestimmungen der vorstehenden Artikel 2, 3, 5, 6, 7, 8, 9 und 11 werden ebenfalls für den Schutz des in Belgien gehörig erworbenen Eigentums an litterarischen oder künstlerischen Erzeugnissen gegenrechtlich in der Schweiz Anwendung finden.

Art. 13. Die Gerichte, die in der Schweiz, sei es für die Zivilentschädigung, sei es für die Bestrafung der Vergehen zuständig sind, werden auf dem ganzen Gebiete der Eidgenossenschaft die Bestimmungen des vorstehenden Artikels 12, sowie der nachfolgenden Artikel 14 bis 30 zu gunsten der belgischen Eigentümer litterarischer und künstlerischer Werke in Anwendung bringen.

Man ist, jedoch mit Vorbehalt der im Art. 30 stipulierten Gewährleistungen einverstanden, daß diese Bestimmungen durch gesetzgeberische Vorschriften ersetzt werden können, welche die zuständigen Behörden der Schweiz, immerhin unter Gleichstellung der Ausländer mit den Einheimischen, in bezug auf das litterarische oder künstlerische Eigentum erlassen mögen.

Art. 14. Die im Art. 3 vorgeschriebene Einschreibung von litterarischen oder künstlerischen Erzeugnissen hat für Werke, die in Belgien zum ersten Male veröffentlicht werden, innerhalb der in besagtem Artikel angesetzten Fristen bei dem eidgenössischen Departement des Innern in Bern, oder beim schweizerischen Konsulat in Brüssel zu erfolgen.

Art. 15. Den Verfassern von Büchern, Flugschriften oder andern Schriften, musikalischen Kompositionen oder Bearbeitungen, Zeichnungen, Gemälden, Bildhauereien, Stichen, Lithographien und allen andern derartigen Erzeugnissen aus dem Gebiete der Litteratur oder der Künste, welche zum ersten Male in Belgien veröffentlicht werden, kommen in der Schweiz, zum Schutze ihrer Eigentumsrechte, die in den nachfolgenden Artikeln angeführten Gewährleistungen zu gut.

Art. 16. Die Verfasser von dramatischen oder musikalischen Werken, welche in Belgien zum ersten Male veröffentlicht oder aufgeführt werden, genießen in der Schweiz in bezug auf die Darstellung oder Aufführung ihrer Werke den nämlichen Schutz, welchen die Gesetze des letztern Staates den schweizerischen Verfassern oder Komponisten für die Darstellung oder Aufführung ihrer Werke gewähren, oder künftighin gewähren werden.

Art. 17. Das in der Schweiz gemäß den Bestimmungen der vorhergehenden Artikel erworbene Eigentumsrecht an den im Art. 15 erwähnten litterarischen oder künstlerischen Werken dauert für den Verfasser auf Lebenszeit; sofern dieser aber vor Ablauf des dreißigsten Jahres, vom Zeitpunkte der ersten Veröffentlichung an gerechnet, stirbt, so dauert dasselbe für den Rest dieses Zeitraums noch zu gunsten seiner Rechtsnachfolger fort. Wenn die Veröffentlichung nicht bei Lebzeiten des Verfassers stattfand, so haben seine Erben oder Rechtsnachfolger während den sechs Jahren, welche auf den Tod des Verfassers folgen, das ausschließliche Recht zur Veröffentlichung des Werkes. Machen sie davon Gebrauch, so dauert die Schutzfrist dreißig Jahre, von diesem Todfalle an gerechnet.*)

Die Dauer des Eigentumsrechtes auf Übersetzungen hingegen ist gemäß den Bestimmungen des Art. 6 auf fünf Jahre beschränkt.

Art. 18. Jede Ausgabe eines in der Kategorie des Art. 15 fallenden litterarischen oder künstlerischen Werkes, welches den Bestimmungen der gegenwärtigen Übereinkunft zuwider gedruckt oder gestochen ist, soll als Nachdruck bestraft werden.

Art. 19. Wer auf schweizerischem Gebiete Gegenstände, von denen er weiß, daß sie Nachmachungen sind, verkauft, zum Verkauf auslegt oder einführt, verwirkt die auf den Nachdruck gesetzten Strafen.

Art. 20. Der Nachdrucker ist mit einer Buße von wenigstens hundert Franken bis auf höchstens zweitausend Franken, der Verkäufer hinwieder mit einer solchen von wenigstens fünfundzwanzig Franken bis auf höchstens fünfhundert Franken zu bestrafen; überdies sind dieselben zur Schadenersatzleistung an den Eigentümer für den ihm verursachten Nachteil anzuhalten.

Die Konfiskation der Nachdrucksausgabe ist sowohl gegen den Nachdrucker als gegen den Introduzenten und den Verkäufer zu

---

*) Jetzt sind (vergl. Art. 13 Abs. 2 dieser Konvention) die durch das Bundesgesetz vom 23. April 1883 festgesetzten Schutzfristen giltig.

erkennen. In jedem Falle können die Gerichte auf Verlangen der Zivilpartei verfügen, daß derselben die nachgemachten Gegenstände, auf Abschlag der ihr zugesprochenen Schadenersatzsumme, zugestellt werden.

Art. 21. In den durch die vorigen Artikel vorgesehenen Fällen ist der Erlös der konfiszierten Gegenstände dem Eigentümer, auf Abschlag der ihm gebührenden Schadenvergütung, zuzustellen; was ihm darüber hinaus an Entschädigung trifft, ist auf dem gewöhnlichen Rechtswege zu regeln.

Art. 22. Der Eigentümer eines litterarischen oder künstlerischen Werkes kann, mittelst Verfügung der zuständigen Behörde, mit oder ohne Beschlagnahme, ein detailliertes Verzeichnis der Erzeugnisse aufnehmen lassen, von denen er behauptet, sie seien, entgegen den Bestimmungen gegenwärtiger Übereinkunft, zu seinem Schaden nachgemacht worden.

Diese Verordnung ist auf einfaches Begehren und Vorweis des die Hinterlegung des litterarischen oder künstlerischen Werkes beurkundenden Verbalprozesses zu erlassen. Erforderlichenfalls ist in derselben ein Sachverständiger zu bezeichnen.

Wird die Beschlagnahme begehrt, so kann der Richter dem Kläger eine zum Voraus zu erlegende Kaution abverlangen.

Dem Inhaber der inventarisierten oder konfiszierten Gegenstände ist eine Abschrift der Verfügung und eventuell der Bescheinigung über Kautionserlegung zuzustellen; alles bei Strafe der Nichtigkeit und der Entschädigungspflicht.

Art. 23. Unterläßt der Kläger, innerhalb vierzehn Tagen den Rechtsweg zu betreten, so fällt die Inventarisierung oder Beschlagnahme von Rechtes wegen dahin, unbeschadet der Entschädigung, welche allfällig verlangt werden möchte.

Art. 24. Die Verfolgung der in gegenwärtiger Übereinkunft bezeichneten Vergehen vor den schweizerischen Gerichten findet nur auf Begehren des geschädigten Teiles oder seiner Rechtsnachfolger statt.

Art. 25. Die Klagen wegen Nachmachung litterarischer oder künstlerischer Werke sind in der Schweiz bei dem Gerichte des Bezirkes anzubringen, in welchem die unbefugte Nachbildung oder der Verkauf stattgefunden hat.

Die Zivilklagen sind summarisch abzuwandeln.

Art. 26. Die durch gegenwärtige Übereinkunft festgesetzten Strafen dürfen nicht kumuliert werden. Es hat demnach für alle der ersten Strafeinleitung vorangegangenen Handlungen einzig je die schwerste Strafe in Anwendung zu kommen.

Art. 27. Das Gericht kann den Anschlag des Urteils an den von ihm zu bestimmenden Orten und seine vollständige oder auszugsweise Einrückung in die von ihm zu bezeichnenden Zeitungen anordnen; alles auf Kosten des Verurteilten.

Art. 28. Die in den obigen Artikeln bezeichneten Strafen können bei Rückfällen verdoppelt werden. Ein Rückfall ist vorhanden, wenn in den fünf vorangegangenen Jahren eine Verurteilung des Angeklagten wegen eines gleichartigen Vergehens erfolgt ist.

Art 29. Bei mildernden Umständen können die Gerichte die gegen die Schuldigen ausgesprochenen Strafen auch unter das vorgeschriebene Minimum ermäßigen, in keinem Falle jedoch unter die einfachen Polizeistrafen herabgehen.

Art. 30. Die hohen vertragschließenden Teile haben sich dahin verständigt, die gegenwärtige Übereinkunft einer Revision zu unterwerfen, wenn dieselbe wegen etwaiger Neugestaltung der hierher gehörigen Gesetzgebung im einen oder andern, oder in beiden Staaten wünschenswert erscheinen sollte, wobei jedoch die Bestimmungen der gegenwärtigen Übereinkunft für beide Länder so lange verbindlich bleiben, bis sie in beiderseitigem Einverständnis abgeändert sind.

Sollten die gegenwärtig in Belgien zum Schutze des litterarischen und künstlerischen Eigentums eingeräumten Garantien während der Dauer der gegenwärtigen Übereinkunft Änderungen erleiden, so ist die schweizerische Regierung berechtigt, die Bestimmungen dieses Vertrages durch die neuen, von der belgischen Gesetzgebung aufgestellten Vorschriften zu ersetzen.

Art. 31. Die gegenwärtige Übereinkunft ist zu ratifizieren, und die Ratifikationsurkunden sind innerhalb sechs Monaten, oder früher wenn möglich, in Bern auszuwechseln.

Sie tritt mit dem Zeitpunkte des Austausches der Ratifikationen in Kraft, und zwar für so lange, als der am 11. Dezember 1862 zwischen der schweizerischen Eidgenossenschaft und Seiner Majestät dem König der Belgier abgeschlossene Freundschafts-, Niederlassungs- und Handelsvertrag fortdauert.*)

*) Die Auswechslung der Ratifikationen der vorstehenden Übereinkunft hat zwischen dem Bundespräsidenten, Herrn Constant Fornerod, und dem belgischen Geschäftsträger bei der schweizerischen Eidgenossenschaft, Herrn Emile de Borchgrave, am 9. August 1867 in Bern stattgefunden.

Übereinkunft zwischen der Schweiz und Italien zum gegenseitigen Schutze des litterarischen und künstlerischen Eigentums.*)

Abgeschlossen den 22. Juli 1868.

Art. 1 und 2 gleich Art. 1 und 2 (oben).

Art. 3 gleich Art. 3, jedoch mit Weglassung des ersten Absatzes. Statt Ministerium des Innern heißt es hier: „Ministerium des Ackerbaus, der Industrie und des Handels".

Art. 4 und 5 gleich Art. 4 und 5.

In Art. 6 heißt es statt „fünf Jahre lang": „zehn Jahre lang" und ebenso in Abs. 3 „zehnjährige Frist".

Die sämtlichen folgenden Artikel 7 bis 30 sind gleichlautend. Nur in Art. 17 am Ende heißt es statt auf fünf: „auf zehn Jahre beschränkt".

Art. 31. Die gegenwärtige Übereinkunft ist zu ratifizieren, und die Ratifikationsurkunden sind innerhalb sechs Monaten, oder früher wenn möglich, gleichzeitig mit denen des Handelsvertrages in Bern auszuwechseln.

Sie tritt mit dem Zeitpunkte des Austausches der Ratifikationen in Kraft, und zwar so lange, als der am heutigen Tage abgeschlossene Handelsvertrag fortdauert.

Übereinkunft zwischen der Schweiz und Frankreich zum gegenseitigen Schutze des litterarischen und künstlerischen Eigentums.

Abgeschlossen den 23. Februar 1882.

In Frankreich anzuwendende Bestimmungen.

Art. 1. Die Verfasser, beziehungsweise Urheber von Büchern, Flugschriften, dramatischen Werken oder andern Schriften, von musikalischen Kompositionen oder Bearbeitungen (arrangements),

*) Da der Wortlaut dieser Konvention mit einigen wenigen Modifikationen wörtlich gleichlautend ist dem schweizerisch-belgischen Staatsvertrag.

Zeichnungen, Illustrationen, Gemälden, Werken der Skulptur, Stichen, Lithographien, Photographien und allen andern derartigen Erzeugnissen aus dem Gebiete der Litteratur oder Kunst, welche zum ersten Mal in der Schweiz veröffentlicht werden, genießen in Frankreich die Vorteile, welche daselbst durch Gesetz dem Eigentümer litterarischer oder künstlerischer Werke eingeräumt sind oder künftig eingeräumt werden, und es kommt ihnen gegen jeden Eingriff in ihre Rechte der nämliche Schutz und die nämliche gesetzliche Rechtshülfe zu statten, wie wenn dieser Eingriff gegenüber den Verfassern von Werken begangen worden wäre, welche zum ersten Mal auf dem Gebiete der französischen Republik veröffentlicht wurden.

Indessen sind diese Vorteile den Verfassern solcher Werke nur für so lange zugesichert, als ihre Rechte im eigenen Lande geschützt sind, und es kann der Genuß derselben in Frankreich nicht auf eine längere Zeitdauer beansprucht werden, als solche in der Schweiz besteht.

Das Eigentum an musikalischen Werken erstreckt sich auch auf die sogenannten Arrangements von Motiven, welche aus diesen Werken selbst entnommen sind.

Jedes Vorrecht oder jeder Vorteil, welche bezüglich des Eigentums an Werken der Litteratur und Kunst, wie solche in diesem Artikel bezeichnet sind von Frankreich einem andern Lande gewährt sind, oder in Zukunft noch gewährt werden, stehen von Rechts wegen auch den Schweizerbürgern zu.

Art. 2. Es ist gestattet, in Frankreich Auszüge oder ganze Stücke aus Werken zu veröffentlichen, welche zum ersten Mal in der Schweiz erschienen sind, insofern solche Veröffentlichungen speziell für den Unterricht eingerichtet sind.

Art. 3. Der Genuß, der durch Art. 1 gebotenen Vorteile ist an die in der Schweiz erfolgte gesetzliche Erwerbung des Eigentums an litterarischen oder künstlerischen Werken gebunden.

Für Bücher, Broschüren oder andere Schriften, dramatische Werke, Illustrationen, Karten, Kupferstiche und Stiche anderer Art, Lithographien, Photographien, musikalische Werke oder andere analoge litterarische oder künstlerische Erzeugnisse, welche in der Schweiz zum ersten Mal veröf-

---

so drucken wir ihn hier nicht wieder in extenso ab, sondern geben blos die Überschrift, die wenigen Abänderungen und den Schluß. Selbstverständlich heißt es aber hier überall statt „Belgien", „belgischer Verfasser" u. s. f. „Italien", „der italienische Verfasser", „die italienischen Gerichte" u. s. f. Ferner statt „Brüssel": „Florenz" (jetzt Rom).

fentlicht oder herausgegeben worden ist die Ausübung des Eigentumsrechtes in Frankreich überdies an die daselbst vorgängig zu erfüllende Formalität der Einregistrierung geknüpft, welche in Paris beim Ministerium des Innern zu geschehen hat. Diese Einschreibung erfolgt auf die schriftliche Anmeldung der Beteiligten oder ihrer Bevollmächtigten, und es ist diese an das genannte Ministerium oder an die Kanzlei der Gesandtschaft der französischen Republik in Bern zu richten.

Die Anmeldung muß innerhalb dreier Monate nach der Veröffentlichung des Werkes in der Schweiz erfolgen.

Für Werke, welche lieferungsweise erscheinen, beginnt diese dreimonatliche Frist erst mit der Herausgabe der letzten Lieferung.

Die Einschreibung in besondere, eigens zu diesem Zweck gehaltene Bücher hat ohne Erhebung irgend welcher Gebühren stattzufinden.

Die Beteiligten erhalten eine Bescheinigung der geschehenen Einschreibung; die Bescheinigung ist, vorbehältlich etwaiger Stempelgebühren, unentgeltlich auszustellen.

Dieses Zeugnis soll genau das Datum tragen, an welchem die Anmeldung erfolgt ist; dasselbe hat Beweiskraft im ganzen Gebiet der Republik, und verleiht das ausschließliche Recht des Eigentums und der Reproduktion für so lange, als nicht ein anderer sein Recht vor Gericht nachgewiesen haben wird.

Art. 4. Die Bestimmungen des Art. 1 finden ebenfalls Anwendung auf die Darstellung oder Aufführung, sei es in der Originalsprache oder in einer Übersetzung, dramatischer oder musikalischer Werke, welche zum ersten Mal in der Schweiz veröffentlicht, aufgeführt oder dargestellt werden.

Art. 5. Die Übersetzungen einheimischer oder fremder Werke sind den Originalwerken ausdrücklich gleichgestellt. Demgemäß genießen solche Übersetzungen, hinsichtlich ihrer unbefugten Reproduktion in Frankreich, den im Art. 1 zugesagten Schutz. Immerhin aber ist der Zweck des gegenwärtigen Artikels selbstverständlich nur der, den Übersetzer bei der Übersetzung, die er von dem Originalwerke gegeben hat, zu schützen, und nicht etwa, das ausschließliche Übersetzungsrecht dem ersten Übersetzer irgend eines in toter oder lebender Sprache geschriebenen Werkes zu gewähren, mit Vorbehalt des im nachfolgenden Artikel vorgesehenen Falles und Umfanges.

Art. 6. Der Verfasser eines jeden in der Schweiz veröffentlichten Werkes genießt allein die Vergünstigung, daß 10 Jahre lang keine von ihm nicht autorisierte Übersetzung des nämlichen Werkes im andern Lande herausgegeben werden darf. Diese Frist läuft von dem Tage an, an welchem die Anmeldung zur Einschreibung gemäß Art. 3 erfolgt ist, und zwar unter den nachfolgenden Bedingungen:

1. das Originalwerk muß in Frankreich auf die binnen drei Monaten nach dem Tage des ersten Erscheinens in der Schweiz erfolgte Anmeldung gemäß den Bestimmungen des Art. 3 eingeschrieben werden;
2. der Verfasser muß an der Spitze seines Werkes erklären, daß er sich das Recht der Übersetzung vorbehalte;
3. die betreffende, von ihm autorisierte Übersetzung muß binnen drei Jahren, vom Tage der in soeben vorgeschriebener Weise bewerkstelligten Anmeldung des Originals an gerechnet, vollständig erschienen sein;
4. die Übersetzung muß in einem der beiden Länder veröffentlicht und überdies gemäß den Bestimmungen des Art. 3 eingeschrieben sein.

Bei den in Lieferungen erscheinenden Werken genügt es, wenn die Erklärung des Verfassers, daß er sich das Recht der Reproduktion vorbehalte, in der ersten Lieferung enthalten ist.

Was die Veröffentlichung und Aufführung von Übersetzungen dramatischer Werke betrifft, so hat der Verfasser, welcher sich das im Art. 4 und im gegenwärtigen Artikel stipulierte ausschließliche Recht vorbehalten will, die Übersetzung innerhalb dreier Jahre nach der Veröffentlichung oder Aufführung des Originalwerkes erscheinen oder aufführen zu lassen.

Die schweizerischen Autoren genießen in Frankreich bezüglich des Übersetzungsrechtes diejenigen Vorteile, welche zu gunsten der Einheimischen festgestellt sind oder künftig noch festgestellt werden.

Die hohen vertragschließenden Teile kommen außerdem überein, daß die schweizerischen Autoren oder ihre Rechtsnachfolger in allen Fällen die Befugnis haben sollen, in bezug auf das Übersetzungsrecht ihrer Werke und das Aufführungsrecht von Übersetzungen dramatischer Werke das Vorrecht einer gleichen Behandlung mit der meistbegünstigten Nation zu beanspruchen.

Die durch gegenwärtigen Artikel gewährten Rechte sind an die Bedingungen geknüpft, welche durch Art. 1 und 3 der gegenwärtigen Übereinkunft dem Verfasser eines Originalwerkes auferlegt sind.

Art. 7. Wenn der französische Verfasser eines der im Art. 1 aufgezählten Werke sein Publikations- oder Reproduktionsrecht einem schweizerischen Verleger mit dem Vorbehalte abgetreten hat, daß die Exemplare oder Ausgaben dieses also veröffentlichten oder reproduzierten Werkes in Frankreich nicht verkauft werden dürfen, so sind diese Exemplare oder Ausgaben in letzterem Lande, wenn sie daselbst eingeführt werden, als unbefugte Reproduktion zu betrachten und zu behandeln.

Die Werke, auf welche diese Bestimmung anwendbar ist, sollen auf ihrem Titelblatt und Umschlag die Worte tragen: „In Frankreich (in der Schweiz) verbotene, und für die Schweiz (für Frankreich) und das Ausland autorisierte Ausgabe".

Art. 8. Die gesetzlichen Vertreter oder Rechtsnachfolger der Verfasser, Übersetzer, Komponisten, Zeichner, Maler, Bildhauer, Kupferstecher, Lithographen, Photographen ꝛc. genießen in jeder Hinsicht die nämlichen Rechte, welche die gegenwärtige Übereinkunft den Verfassern, Übersetzern, Komponisten, Zeichnern, Malern, Bildhauern, Kupferstechern, Lithographen und Photographen selbst gewährt.

Art. 9. In Einschränkung der in den Artikeln 1 und 5 gegenwärtiger Übereinkunft enthaltenen Bestimmungen dürfen Artikel, welche den in der Schweiz erscheinenden Tagesblättern oder Sammelwerken entnommen sind, in den Tagesblättern oder periodischen Sammelwerken Frankreichs abgedruckt oder übersetzt werden, vorausgesetzt, daß die Quelle, aus der sie geschöpft sind, dabei angegeben wird.

Diese Befugnis erstreckt sich jedoch nicht auf die Reproduktion von Artikeln der in der Schweiz erscheinenden Tagesblätter oder periodischen Sammelwerke, wenn die Verfasser in der Zeitung oder dem Sammelwerk selbst, wo die Artikel erschienen sind, ausdrücklich erklärt haben, daß sie deren Reproduktion untersagen. In keinem Falle darf aber diese Untersagung auf Artikel politischen Inhalts Anwendung finden.

Art. 10. Einfuhr, Ausfuhr, Verkauf, Umsatz und Verlag von unbefugterweise reproduzierten Werken und Gegenständen, wie sie in den Artikeln 1, 4, 5 und 6 näher bezeichnet werden, sind, mit Vorbehalt der Bestimmungen des Art. 11, in Frankreich verboten, mögen nun diese unbefugten Reproduktionen aus der Schweiz, oder aus irgend einem fremden Lande herkommen.

Art. 11. Die französische Regierung wird auf dem Wege administrativer Verordnung die erforderlichen Maßnahmen treffen, um allen Anständen vorzubeugen, welche den französischen Verlegern, Druckern oder Buchhändlern aus dem Besitz und Verkauf von Neuauflagen solcher Werke erwachsen mögen, welche — wiewohl Eigentum schweizerischer Bürger und noch nicht zum Gemeingut geworden — von ersteren vor dem Inkrafttreten der gegenwärtigen Übereinkunft veröffentlicht oder gedruckt worden sind.

Art. 12. Die aus der Schweiz erlaubterweise eingeführten Bücher sollen in Frankreich sowohl zum Eingang als zur direkten Durchfuhr oder zur Niederlage bei allen Zollstätten, welche denselben gegenwärtig geöffnet sind oder in Zukunft werden können, angenommen werden.*)

Wenn die Beteiligten es wünschen, so sind die zur Einfuhr deklarierten Bücher direkt dem Ministerium des Innern in Paris zuzusenden, um daselbst die vorgeschriebenen Verifikationen zu bestehen, welche längstens binnen vierzehn Tagen erfolgen sollen.**)

Art. 13. Durch die Bestimmungen gegenwärtiger Übereinkunft soll der französischen Regierung in keiner Weise das Recht geschmälert werden, durch Verfügungen gesetzgeberischer Natur oder innerer Polizei die Zirkulation, Aufführung oder Ausstellung von Werken oder Produktionen jeder Art zu gestatten, zu überwachen oder zu verbieten, bezüglich welcher der zuständigen Behörde die Handhabung dieses Rechtes zukommen sollte.

Die gegenwärtige Übereinkunft läßt das Recht der französischen Regierung intakt, die Einfuhr von solchen Büchern in ihre Staaten zu verbieten, welche durch die innere Gesetzgebung oder durch Bestimmungen, die mit andern Mächten vereinbart wurden, als Nachmachungen erklärt sind oder es noch werden sollten.

Art. 14. Die Fabrikation und der Verkauf von Instrumenten, welche dazu dienen, auf mechanischem Wege musikalische Melodien, die Privateigentum sind, zu reproduzieren, werden in Frankreich nicht als Nachbildung von musikalischen Werken angesehen.

Art. 15. Eine Zuwiderhandlung gegen die Bestimmungen vorstehender Artikel hat die Beschlagnahme der nachgemachten Gegenstände zur Folge, und es werden die Gerichte die gesetzlichen Strafen in gleicher Weise zur Anwendung bringen, wie wenn die Übertretung ein französisches Werk oder Erzeugnis betroffen hätte.

Die Merkmale, durch welche eine Nachmachung bedingt ist, werden von den französischen Gerichten an der Hand der auf dem Gebiete der Republik in Kraft bestehenden Gesetzgebung festgestellt werden.

In der Schweiz anzuwendende Bestimmungen.

Art. 16. Die Bestimmungen

*) Siehe die Liste der gegenwärtig geöffneten Zollämter, Fußnote auf Seite 183.

**) Gegenwärtig werden diese Verifikationen vom Hauptzollamte in Paris vorgenommen.

der vorstehenden Artikel 1, 2, 3, 5, 6, 7, 8, 9, 11, 13, 14 und 15 werden ebenfalls für den Schutz des in Frankreich gehörig erworbenen Eigentums an litterarischen Erzeugnissen gegenrechtlich in der Schweiz Anwendung finden, jedoch unter Vorbehalt der Bestimmungen des nachfolgenden Art. 18.

Art. 17. Die Gerichte, die in der Schweiz, sei es für die Zivilentschädigung, sei es für die Bestrafung der Vergehen, zuständig sind, werden auf dem ganzen Gebiete der Eidgenossenschaft die Bestimmungen des vorstehenden Art. 16, sowie der nachfolgenden Art. 18 bis 34 zu gunsten der französischen Eigentümer litterarischer oder künstlerischer Werke oder ihrer Rechtsnachfolger in Anwendung bringen.

Man ist, jedoch mit Vorbehalt der im Art. 34 vereinbarten Garantien, damit einverstanden, daß diese Bestimmungen durch gesetzgeberische Vorschriften ersetzt werden können, welche die schweizerischen Bundesbehörden, immerhin unter Gleichstellung der Ausländer mit den Einheimischen, in bezug auf das litterarische und künstlerische Eigentum erlassen mögen.*)

Art. 18. Um in der Schweiz allen litterarischen und künstlerischen Werken, sowie den autorisierten Übersetzungen den im Art. 1 vereinbarten Schutz zu garan-

---

*) Es ist noch zweifelhaft, ob die in der Schweiz anzuwendenden Bestimmungen dieser Konvention noch rechtskräftig sind. Es ist mehrfach behauptet worden, daß diese Bestimmungen durch das Bundesgesetz vom 23. April 1883 ersetzt worden sind. Dem widerspricht Darras (Du droit des auteurs dans les rapports internationaux Paris 1887 pag. 313). In einem Streitfalle, in dem das Genfer Handelsgericht entschieden hatte, daß in bezug der öffentlichen Aufführung einer von einem französischen Autor herrührenden musikalischen Komposition die §§ 7, 11 und 12 des Bundesgesetzes anzuwenden seien, wurde das Urteil durch die höhere Instanz aufgehoben. Diese entschied (am 23. Mai 1889), daß die Artikel 18 und Folge der französisch-schweizer Konvention noch volle Rechtskraft besitzen. Wir geben nachstehend einen Auszug aus dem Urteile:

„Le négociateurs du traité ont, il est vrai, stipulé à l'article 17, et sous réserves des garanties stipulées à l'article 34, que ces dispositions pourraient être remplacées par celles de la législation que les autorités suisses viendraient à consacrer en matière de propriété littéraire et artistique sur la base de l'assimilation des étrangers aux nationaux, et depuis lors une loi suisse sur la propriété littéraire et artistique a été promulguée; mais la Confédération na point usé de la faculté qui lui était réservée à l'article 34, pour le cas où sa législation viendrait à être modifiée, et n'a jusqu'ici pas dénoncé le traité. Cette dénonciation suivie d'un délai de douze mois, étant la condition absolue mise par l'article 17 au remplacement des dispositions de la loi française par celle de la loi suisse, on ne peut admettre que le traité de 1883 ait subi une modification quelconque, par suite de l'entrée en vigueur de la loi fédérale du 23 avril 1883."

tieren, und den Urhebern oder Herausgebern dieser Werke behufs Verfolgung der Nachahmer den schweizerischen Gerichtsstand zu sichern, genügt es, in Abänderung der Bestimmungen der vorstehenden Art. 3 und 6, daß die benannten Urheber oder Herausgeber nachweisen, daß ihnen in Frankreich das Eigentumsrecht zustehe. Dies geschieht dadurch, daß durch eine von der schweizerischen Gesandtschaft in Paris legalisierte Bescheinigung des Büreau für Drucksachen (librairie) im Ministerium des Innern dargethan wird, daß das fragliche Werk in Frankreich den gesetzlichen Schutz gegen Nachbildung oder unerlaubte Reproduktion genieße.

Art. 19. Den Urhebern von Büchern, Flugschriften, dramatischen Werken oder andern Schriften, musikalischen Kompositionen oder Arrangements, Zeichnungen, Illustrationen, Gemälden, Werken der Bildhauerei, Stichen, Lithographien, Photographien und allen anderen derartigen Erzeugnissen aus dem Gebiete der Litteratur oder der Künste, welche zum ersten Male in Frankreich veröffentlicht werden, kommen in der Schweiz, zum Schutze ihrer Eigentumsrechte, die in den nachfolgenden Artikeln angeführten Garantien zu gut.

Art. 20. Die Verfasser von dramatischen oder musikalischen Werken, welche in Frankreich zum ersten Male veröffentlicht oder aufgeführt werden, genießen in der Schweiz in bezug auf die Darstellung oder Aufführung ihrer Werke, sei es in der Originalsprache oder in Übersetzung, den nämlichen Schutz, welchen die Gesetze in Frankreich den schweizerischen Verfassern oder Komponisten für die Darstellung oder Aufführung ihrer Werke gewähren oder künftighin gewähren werden.

Das Recht der Autoren dramatischer Werke oder der Komponisten richtet sich nach den Grundsätzen, welche zwischen den beteiligten Parteien vereinbart werden.

Art. 21. Das in der Schweiz gemäß den Bestimmungen der vorhergehenden Artikel erworbene Eigentumsrecht an den im Art. 19 erwähnten litterarischen oder künstlerischen Werken dauert für den Verfasser auf Lebenszeit. Wenn dieser vor Ablauf des dreißigsten Jahres, vom Zeitpunkte der ersten Veröffentlichung an gerechnet, stirbt, so dauert dasselbe für den Rest dieses Zeitraums noch zu gunsten seiner Rechtsnachfolger fort.

Wenn die Veröffentlichung nicht bei Lebzeiten des Verfassers stattfand, so haben seine Erben oder Rechtsnachfolger während der sechs Jahre, welche auf den Tod des Verfassers folgen, das ausschließliche Recht zur Veröffentlichung des Werkes. Machen sie davon Gebrauch, so dauert die Schutzfrist dreißig Jahre, von diesem Todfalle an gerechnet. Die Dauer des Eigentumsrechtes auf Übersetzungen hingegen ist gemäß den Bestimmungen des Art. 6 auf zehn Jahre beschränkt.

Art. 22. Jede Ausgabe eines in die Kategorie des Art. 19 fallenden litterarischen oder künstlerischen Werkes, welches den Bestimmungen der gegenwärtigen Übereinkunft zuwider gedruckt oder gestochen ist, soll als Nachdruck bestraft werden.

Art. 23. Wer auf schweizerischem Gebiete Gegenstände, von denen er weiß, daß sie Nachmachungen sind, gleichviel, aus welchem Lande sie stammen, verkauft, zum Verkauf auslegt oder einführt, verfällt in die auf den Nachdruck gesetzten Strafen.

Art. 24. Der Nachdrucker ist mit einer Buße von wenigstens hundert Franken bis auf höchstens zweitausend Franken, der Verkäufer hinwieder mit einer solchen von wenigstens fünfundzwanzig Franken bis auf höchstens fünfhundert Franken zu bestrafen; überdies sind dieselben zur Schadenersatzleistung an den Eigentümer für den ihm verursachten Nachteil zu verfällen.

Die Konfiskation der Nachdruckausgabe ist sowohl gegen den Nachdrucker als gegen den Introduzenten und den Verkäufer zu erkennen. In jedem Falle können die Gerichte auf Verlangen der Zivilpartei verfügen, daß derselben die nachgemachten Gegenstände — auf Abschlag der ihr zugesprochenen Schadenersatzsumme — zugestellt werden.

Art. 25. In den durch die vorigen Artikel vorgesehenen Fällen ist der Erlös der konfiszierten Gegenstände dem Eigentümer — auf Abschlag der ihm gebührenden Schadenvergütung — zuzustellen; was es ihm darüber hinaus an Entschädigung trifft, ist auf dem gewöhnlichen Rechtswege zu bereinigen.

Art. 26. Der Eigentümer eines litterarischen oder künstlerischen Werkes kann, mittelst Verfügung der zuständigen Behörde, mit oder ohne Beschlagnahme, ein detailliertes Verzeichnis oder eine genaue Beschreibung derjenigen Erzeugnisse aufnehmen lassen, von denen er behauptet, daß sie, entgegen den Bestimmungen gegenwärtiger Übereinkunft, zu seinem Schaden nachgemacht worden seien.

Diese Verfügung ist auf einfaches Begehren und Vorweis des die Hinterlegung des litterarischen oder künstlerischen Werkes beurkundenden Verbalprozesses zu erlassen. Erforderlichenfalls hat sie die Bezeichnung eines Sachverständigen zu enthalten.

Wird die Beschlagnahme begehrt, so kann der Richter vom Kläger eine zum voraus zu erlegende Kaution verlangen.

Dem Inhaber der inventarisierten oder konfiszierten Gegenstände ist eine Abschrift der Verfügung und eventuell der Bescheinigung über Kautionserlegung zuzustellen, alles bei Strafe der Nichtigkeit und der Entschädigungspflicht.

Art. 27. Unterläßt der Kläger, innerhalb vierzehn Tagen den Rechtsweg zu betreten, so fällt die Inventarisierung oder Beschlagnahme von Rechtes wegen dahin, unbeschadet der Entschädigung, welche allfällig verlangt werden möchte.

Art. 28. Die Verfolgung der in gegenwärtiger Übereinkunft bezeichneten Vergehen vor den schweizerischen Gerichten findet nur auf Begehren des geschädigten Teiles oder seiner Rechtsnachfolger statt.

Art. 29. Die Klagen wegen Nachmachung litterarischer oder künstlerischer Werke sind in der Schweiz bei dem Gerichte desjenigen Bezirkes anzubringen, in welchem die unbefugte Nachbildung oder der Verkauf stattgefunden hat.

Die Zivilklagen sind summarisch abzuwandeln.

Art. 30. Die durch gegenwärtige Übereinkunft festgesetzten Strafen dürfen nicht kumuliert werden. Es hat demnach für alle der ersten Strafeinleitung vorangegangenen Handlungen einzig je die schwerste Strafe in Anwendung zu kommen.

Art. 31. Das Gericht kann den Anschlag des Urteils an den von ihm zu bestimmenden Orten und seine vollständige oder auszugsweise Einrückung in die von ihm zu bezeichnenden Zeitungen anordnen, alles auf Kosten des Verurteilten.

Art. 32. Die in den obigen Artikeln bezeichneten Strafen können bei Rückfällen verdoppelt werden. Ein Rückfall ist vorhanden, wenn in den fünf vorangegangenen Jahren eine Verurteilung des Angeklagten wegen eines gleichartigen Vergehens erfolgt ist.

Art. 33. Bei milderden Umständen können die Gerichte die gegen die Schuldigen ausgesprochenen Strafen auch unter das vorgeschriebene Minimum ermäßigen und selbst die Gefängnisstrafe in eine Geldbuße umwandeln, in keinem Falle jedoch unter die einfachen Polizeistrafen herabgehen.

Art. 34. Die gegenwärtige Übereinkunft tritt mit dem 16. Mai 1882 in Kraft und bleibt vollziehbar bis zum 1. Februar 1892. Für den Fall, daß keiner der hohen vertragschließenden Teile ein Jahr vor Ablauf dieser Frist seine Absicht kundgegeben hat, von der Übereinkunft zurückzutreten, bleibt diese von dem Tage ab, an welchem einer der vertragsschließenden Teile sie gekündigt hat, noch ein weiteres Jahr lang verbindlich.

Jedoch behält sich jeder der hohen vertragschließenden Teile das Recht vor, falls in seinem Lande die Gesetzgebung derart geändert werden sollte, daß eine Revision wünschenswert erscheinen möchte, die gegenwärtige Übereinkunft vor dem 1. Februar 1892 zu künden; die Wirkungen einer solchen Kündigung kommen aber erst 12 Monate nach dem Datum ihrer Bekanntmachung zur Geltung.

Art. 35. Die gegenwärtige Übereinkunft ist zu ratifizieren, und die Ratifikationsurkunden sind vor dem 12. Mai 1882 gleichzeitig mit denjenigen des unter dem heutigen Datum zwischen den beiden hohen vertragschließenden Teilen abgeschlossenen Handelsvertrags in Paris auszuwechseln.*)

*) Die Auswechslung der Ratifikationen hat zwischen dem schweizerischen Gesandten in Paris, Herrn D. Kern, und dem Conseil-Präsidenten und Minister der auswärtigen Angelegenheiten Frankreichs, Herrn C. de Freycinet, am 12. Mai 1882 in Paris stattgefunden.

Staatsvertrag zwischen Österreich und Sardinien, rücksichtlich dem Königreiche Italien.†)

Vertrag, geschlossen zu Wien am 22. Mai 1840, Nr. 441 J. G. S.

Art. 1. Die Werke oder Produkte des menschlichen Geistes oder der Kunst, die in einem der kontrahierenden Staaten veröffentlicht werden, bilden ein Eigentum, welches den Verfassern oder Urhebern derselben zusteht, um es durch ihre ganze Lebenszeit**) zu genießen oder darüber zu verfügen. Nur sie selbst oder ihr Rechtsnachfolger haben das Recht, die Veröffentlichung jener Werke zu gestatten.

Art. 2. Die Werke der dramatischen Kunst sind gleichfalls ein Eigentum ihrer Verfasser

†) Dieser Konvention sind laut Hofkanzleidekret vom 26. November 1840, Nr. 484 J. G. S., die Regierungen des Kirchenstaates von Modena und Lucca, dann laut Hofkanzleidekret vom 30. Dezember 1840, Nr. 488 J. G. S., jene von Toskana und Parma dem ganzen Inhalte nach beigetreten. Dieselbe ist durch Art. XVII des Züricher Friedens vom 10. November 1859, Nr. 214 R. G. B., aufrecht erhalten und gilt daher gegenwärtig für das ganze Königreich Italien. Im Art. XXVI des Handelsvertrages vom 27. Dezember 1878, Nr. 11 R. G. B. f. 1879, ist ein neuer Vertrag diesfalls in Aussicht gestellt.

**) Siehe Art. 18 des Vertrages. Vgl. Österr. Patent vom 19. Oktober 1846 § 13. (Band 1, Seite 171, zweite Spalte.)

und daher in Rücksicht ihrer Veröffentlichung und Vervielfältigung durch den Druck in den Bestimmungen des Art. 1 begriffen. Dramatische Werke dürfen ohne Bewilligung ihrer Verfasser oder deren Rechtsnachfolger nicht aufgeführt werden, unbeschadet übrigens der für die öffentlichen Vorstellungen theatralischer Werke in den respektiven Staaten geltenden oder noch zu erlassenden Normen.*)

Art. 3. Die in einem der kontrahierenden Staaten verfaßten Übersetzungen von Manuskripten oder Werken, welche in einer fremden Sprache außerhalb des Gebietes der gedachten Staaten erschienen sind, werden gleichfalls als Originalprodukte betrachtet, auf welche der Art. 1 seine Anwendung findet. Ebenso sind in diesem Art. 1 die in einem der kontrahierenden Staaten erschienenen Übersetzungen von Werken, die in dem anderen erschienen sind, begriffen. Ausgenommen ist jedoch der Fall, wenn der Verfasser, Unterthan eines der kontrahierenden Staaten, in dem Werke selbst ankündigt, in einem dieser Staaten eine Übersetzung erscheinen lassen zu wollen und er dieses Vorhaben in dem Zeitraume von sechs Monaten wirklich ausführt, wo ihm dann auch für diese Übersetzung sein Eigentumsrecht vorbehalten bleiben soll.*)

Art. 4. Ungeachtet der in Art. 1 vorkommenden Bestimmungen sollen in Journalen und in periodischen Schriften die Artikel anderer Journale oder periodischer Schriften ohne Anstand nachgedruckt werden dürfen, sobald diese Artikel nicht drei Druckbogen**) ihrer ersten Veröffentlichung übersteigen und deren Quelle angegeben wird.

Art. 5. Bei anonymen und pseudonymen Werken werden deren Herausgeber insolange als die Verfasser angesehen, als nicht diese selbst oder ihre Rechtsnachfolger ihr eigenes Recht dargethan haben.

Art. 6. Jede Nachbildung (Nachdruck) von Werken, Kunstprodukten, dann musikalischen und theatralischen Kompositionen, wie sie in den Art. 1, 2 und 3 erwähnt worden, ist in den beiden kontrahierenden Staaten untersagt.

Art. 7. Die Nachbildung (der Nachdruck) ist die Handlung, durch

---

* Siehe Österr. Patent vom 19. Oktober 1846 § 22 (Band 1, Seite 179, zweite Spalte). Der von Italien gewährte längere Schutz des Aufführungsrechtes (siehe in diesem Bande Seite 51) kommt im internationalen Verkehre zwischen Österreich und Italien nicht zur Anwendung. Siehe Reziprozität, Band 1, Seite 85.

*) Vergl. Österr. Patent § 5 c (Band 1, Seite 169, erste Spalte).

**) Jetzt nur noch 2 Druckbogen. Siehe Österr. Patent § 5 b (Band 1, Seite 168, erste Spalte).

welche ein Werk, es sei im ganzen oder in seinen einzelnen Teilen, durch mechanische Mittel ohne Zustimmung des Verfassers oder der Rechtsnachfolger desselben neuerdings hervorgebracht wird.

Art. 8. Es ist im Sinne des vorigen Artikels nicht allein dann ein Nachdruck vorhanden, wenn zwischen dem Originalwerke und dessen Nachbildung eine vollkommene Ähnlichkeit sich darstellt, sondern auch, wenn unter dem nämlichen Titel, oder auch unter einem verschiedenen, der gleiche Gegenstand in derselben Ideenfolge und mit der nämlichen Einteilung der Materie behandelt wird. Das spätere Werk ist in diesem Falle als ein Nachdruck anzusehen, wenn es auch bedeutend vermehrt oder vermindert worden wäre.

Art. 9. Versetzungen für verschiedene Instrumente, Auszüge und andere Bearbeitungen musikalischer Kompositionen, wenn sie für sich als selbständige Erzeugnisse des menschlichen Geistes angesehen werden können, sollen nicht als Nachdruck behandelt werden.

Art. 10. Rücksichtlich des Nachdruckes ist jeder Artikel eines encyklopädischen oder periodischen Werkes, welcher die Zahl von drei Druckbogen überschreitet, als ein für sich bestehendes Werk zu betrachten.

Art. 11. Der Verfasser eines litterarischen oder wissenschaftlichen Werkes ist befugt, die Usurpierung des von ihm gewählten Titels zu verhindern, wenn dieselbe das Publikum über die scheinbare Identität des Werkes in Irrtum führen könnte;*) in einem solchen Falle ist jedoch kein Nachdruck vorhanden, und der Verfasser hat nur das Recht auf einen dem erlittenen Schaden angemessenen Ersatz. Dessenungeachtet begründet die Wahl eines allgemeinen Titels, als: Diktionär, Wörterbuch, Abhandlung, Kommentar, und die Einteilung eines Werkes nach alphabetischer Ordnung für den Verfasser kein Recht, zu verhindern, daß auch ein anderer denselben Gegenstand unter demselben Titel und nach derselben Einteilung behandle.

Art. 12. Kupferstiche, Lithographien, Medaillen, dann plastische Werke und Formen erfreuen sich des im ersten Artikel den Kunstwerken überhaupt eingeräumten Privilegiums. Die Nachbildung dieser Gegenstände ist sonach untersagt; in diesem Falle hat jedoch eine Nachbildung nur dann statt, wenn die Vervielfältigung mit denselben mechanischen Mitteln, wie selbe bei dem Originalwerke angewendet worden, und mit Beibehaltung

*) Vergl. Österr. Patent § 5 d, Band 1, Seite 169, erste Spalte

desselben Größenmaßstabes geschieht. Gemälde, Bildhauerarbeiten, Zeichnungen sind gleichfalls in den Bestimmungen des Art. 1 begriffen. Jedoch sollen Kopien, welche hiervon mit freier Hand ohne Verheimlichung und ohne Einsprache von seiten des Eigentümers des Kunstwerkes genommen werden, keine verbotene Nachbildung begründen, außer der Kopist hätte mit böser Absicht versucht, das Publikum hinsichtlich der Identität der Kopie mit dem Urbilde irre zu leiten.

Art. 13. Die Verfertiger von Zeichnungen, Gemälden, Bildhauer- und anderen Kunstwerken oder deren Rechtsvertreter können, ohne ihr Eigentumsrecht auf diese Werke zu verlieren, das ihnen ausschließend zustehende Recht der Vervielfältigung derselben durch den Stich, den Guß oder ein anderes mechanisches Mittel an andere abtreten, unbeschadet jedoch der Bestimmungen des vorhergehenden Artikels. Wenn sie aber das Original veräußern, so geht dieses Recht auf den neuen Erwerber über, der es durch die ganze Zeit, als der Künstler oder dessen Erben davon hätte Gebrauch machen können, zu genießen hat; ausgenommen, es wäre das Gegenteil ausdrücklich verabredet worden.

Art. 14 enthält eine Übergangsbestimmung.

Art. 15. Jene, zu deren Nachteil ein Nachdruck stattgefunden, haben ein Recht auf Ersatz des dadurch erlittenen Schadens.

Art. 16. Außer den von den Gesetzen der kontrahierenden Staaten gegen den Nachdruck ausgesprochenen Strafen soll die Beschlagnahme und die Zerstörung der Exemplare oder nachgebildeten Gegenstände, und so auch der Formen, Stempel, Platten, Steine und anderer Gegenstände verhängt werden, welche zur Ausführung des Nachdruckes gedient haben. Jedenfalls kann der Beschädigte die Überlassung dieser Gegenstände ganz oder zum teil auf Abschlag seiner Ersatzforderung begehren.

Art. 17. Der Verkauf nachgebildeter Werke ist in beiden Staaten, unter den im vorigen Artikel angedrohten Folgen durchaus untersagt, welches auch in den Fällen zu gelten hat, wo die Nachbildung im Auslande bewerkstelligt sein sollte.

Art. 18. Das Recht der Verfasser und ihrer Rechtsnehmer geht auf ihre gesetzlichen oder letztwilligen Erben in Gemäßheit der in den respektiven Staaten bestehenden Gesetze über. Dieses Recht kann jedoch nie im Wege der Erbschaft an den Fiskus gelangen, und soll in den kontrahierenden Staaten durch dreißig Jahre nach dem Tode des Verfassers anerkannt und beschützt werden.

Art. 19. Für Werke, die nach

dem Tode des Verfassers erscheinen, wird diese Frist auf vierzig Jahre, von dem Tage ihres Erscheinens angefangen, ausgedehnt*)

Art. 20. Für Werke, die von gelehrten Instituten oder litterarischen Vereinen herausgegeben werden, wird jene Frist auf fünfzig Jahre erweitert.**)

Art. 21. Bei Werken von mehreren Bänden, und solchen die in einzelnen Lieferungen herausgegeben werden, sollen die oben erwähnten drei Termine für das ganze Werk erst von dem Erscheinen des letzten Bandes oder der letzten Lieferung an gerechnet werden, jedoch unter der Bedingung, daß zwischen den einzelnen Veröffentlichungen nicht mehr als drei Jahre verstreichen.

Bei Sammlungen von mehreren einzelnen Werken oder Memoiren sollen die obgedachten Termine nur von der Herausgabe jedes einzelnen Bandes an gerechnet werden, unbeschadet jedoch dessen, was im ersten Absatze des gegenwärtigen Artikels für den Fall angeordnet wurde, als das Werk oder das Memoire, welches einen Teil der ganzen Sammlung ausmacht, selbst in mehrere einzelne Bände zerfiele.

Art. 22. Für Werke, deren Herausgabe von dem Verfasser begonnen und von dessen Erben beendet wird, soll die Frist von vierzig Jahren gelten, wie bei ganz posthumen Werken.*)

Art. 23. Wenn der Verfasser vor Ablauf des Zeitraumes, für welchen er allenfalls seine Rechte abgetreten haben sollte, stürbe, so gebührt seinen Erben nach Verlauf dieser Zeitfrist der Genuß ihrer Rechte noch für die ganze ihnen infolge der vorhergehenden Artikel eingeräumte Zeit.

Art. 24. Nach Ablauf der in den Art. 18, 19, 20, 21 und 22 bestimmten Termine werden die Erzeugnisse der Wissenschaft und der Kunst ein Gemeingut des Publikums. Die von den kontrahierenden Regierungen selbst veröffentlichten Aktenstücke, und die von denselben unmittelbar oder auf deren Befehl herausgegebenen Werke, wenn dieser Umstand aus dem Werke selbst ersichtlich ist, sollen auch in der Folge nach den in den respektiven Staaten diesfalls geltenden Bestimmungen behandelt werden.

Art. 25—28 enthalten Übergangsbestimmungen.

---

*) Jetzt nur 30 Jahre. Siehe Österr. Patent § 14 d, e. (Band 1, Seite 172, erste Spalte.)

**) Hier macht das Österr. Gesetz einen Unterschied in der Schutzfrist, je nachdem ob die betreffenden Institute oder Vereine unter dem Schutze des Staates stehen oder nicht. Siehe Österr. Patent § 15 (Band 1, Seite 172, erste Spalte).

*) Siehe die vorhergehende Fußnote.

Staatsvertrag zwischen Österreich und Frankreich.

a) Staatsvertrag vom 11. Dezember 1866, Nr. 169 R. G. B.†)

Art. 1. Die Urheber von Büchern, Broschüren oder anderen Schriften, von musikalischen Kompositionen oder Arrangements, von Werken der Zeichenkunst, der Malerei, der Bildhauerei, des Kupferstiches, der Lithographie und allen anderen ähnlichen Erzeugnissen aus dem Gebiete der Litteratur oder Kunst, sollen in jedem der beiden Staaten gegenseitig sich der Vorteile zu erfreuen haben, welche daselbst dem Eigentum an Werken der Litteratur oder Kunst gesetzlich eingeräumt sind oder werden, und denselben Schutz, sowie dieselbe Rechtshilfe gegen jede Beeinträchtigung ihrer Rechte genießen, als wenn diese Beeinträchtigung gegen die Urheber solcher Werke begangen wäre, welche zum erstenmal in dem Lande selbst veröffentlicht worden sind.

Es sollen ihnen jedoch diese Vorteile gegenseitig nur so lange zustehen, als ihre Rechte in dem Lande, in welchem die ursprüngliche Veröffentlichung erfolgt ist, in Kraft sind und sie sollen in dem anderen Lande nicht über die Frist hinaus dauern, welche für den Schutz der einheimischen Autoren gesetzlich festgestellt ist.

Art. 2. Der Genuß, der durch Art. 1 zugestandenen Begünstigung ist dadurch bedingt, daß in dem Ursprungslande die zum Schutze des Eigentums an Werken der Litteratur oder Kunst gesetzlich vorgeschriebenen Förmlichkeiten erfüllt sind. Für die Bücher, Karten, Kupferstiche, Stiche anderer Art, Lithographien oder musikalischen Werke, welche zum erstenmal in dem einen der beiden Staaten veröffentlicht sind, soll die Ausübung des Eigentumsrechtes in dem anderen Staate außerdem dadurch bedingt sein, daß in dem letzteren vorher noch die Förmlichkeit der Eintragung auf folgende Weise erfüllt ist:

Wenn das Werk zum erstenmal in Österreich erschienen ist, so muß es zu Paris auf dem Ministerium des Innern eingetragen sein. Wenn das Werk zum erstenmal in Frankreich erschienen ist, so muß es zu Wien auf dem Ministerium der auswärtigen Angelegenheiten eingetragen sein.

Die Eintragung soll beiderseits auf die schriftliche Anmeldung der

†) Auch für Ungarn bindend. Siehe Seite 186.

12*

Beteiligten erfolgen, welche beziehungsweise an die genannten Ministerien oder an die Gesandtschaften der beiden Länder gerichtet werden kann.

In allen Fällen muß die Anmeldung bei Werken, welche nach dem Eintritte der Wirksamkeit der gegenwärtigen Konvention erschienen sind, binnen drei Monaten nach dem Erscheinen des Werkes im anderen Lande, und bei den früher erschienenen Werken, binnen drei Monaten nach dem Eintritte jener Wirksamkeit eingereicht werden. Für die in Lieferungen erscheinenden Werke soll die dreimonatliche Frist erst mit dem Erscheinen der letzten Lieferung beginnen, es wäre denn, daß der Autor in Gemäßheit der Bestimmungen des Art. 5 die Absicht zu erkennen gegeben hätte, sich das Recht der Übersetzung vorzubehalten, in welchem Falle jede Lieferung als ein besonderes Werk angesehen werden soll. Die Förmlichkeiten der Eintragung, welche letztere in besondere, zu diesem Zwecke geführte Register stattfindet, soll weder auf der einen noch auf der anderen Seite Anlaß zur Erhebung irgend einer Gebühr geben.

Die Beteiligten erhalten eine authentische Bescheinigung über die Eintragung; diese Bescheinigung wird kostenfrei ausgestellt werden, vorbehaltlich der etwaigen gesetzlichen Stempelabgabe. Die Bescheinigung soll das genaue Datum der Anmeldung enthalten, ferner den Titel des Werkes, den Namen des Autors und jenen des Verlegers, sowie alle zur Konstatierung der Identität des Werkes erforderlichen Angaben; sie soll in der ganzen Ausdehnung der beiderseitigen Gebiete vollen Glauben haben und das ausschließende Recht des Eigentums und der Vervielfältigung so lange beweisen, als nicht ein anderer ein besser begründetes Recht vor Gericht erwirkt haben wird.

Art. 3. Die Bestimmungen des Art. 1 sollen gleiche Anwendung auf die Darstellung oder Aufführung dramatischer oder musikalischer Werke finden, welche nach Eintritt der Wirksamkeit der gegenwärtigen Konvention zum erstenmal in einem der beiden Länder veröffentlicht, aufgeführt oder dargestellt werden.

Art. 4. Den Originalwerken werden die in einem der beiden Staaten veranstalteten Übersetzungen inländischer oder fremder Werke ausdrücklich gleichgestellt. Demzufolge sollen diese Übersetzungen rücksichtlich ihrer unbefugten Vervielfältigung in dem anderen Staate den im Art. 1 festgesetzten Schutz genießen. Es ist indeß wohlverstanden, daß der Zweck des gegenwärtigen Artikels nur dahin geht, den Übersetzer bezüglich seiner eigenen Übersetzung des Originalwerkes zu schützen, nicht aber, dem ersten Übersetzer irgend eines in toter oder lebender Sprache geschriebenen Werkes das ausschließende Übersetzungsrecht zu übertragen, ausgenommen in dem im folgenden Artikel vorgesehenen Falle und Umfange.

Art. 5. Der Autor eines jeden in einem der beiden Länder erschienenen Werkes soll gegen die Veröffentlichung jeder ohne seine Ermächtigung veranstalteten Übersetzung desselben Werkes in dem anderen Lande den gleichen Schutz, wie die inländischen Autoren genießen, unter der Bedingung jedoch, daß er an der Spitze seines Werkes seine Absicht, sich das Recht der Übersetzung vorzubehalten, angezeigt habe. Bei den in Lieferungen erscheinenden Werken soll es genügen, wenn die Erklärung des Autors, daß er sich das Recht der Übersetzung vorbehalte, auf der ersten Lieferung jedes Bandes ausgedrückt ist. Die Autoren dramatischer Werke genießen beiderseits die gleichen Rechte bezüglich der Übersetzung oder der Aufführung der Übersetzungen ihrer Werke.

Art. 6. Wenn der Urheber eines im Art. 1 bezeichneten Werkes das Recht zur Herausgabe oder Vervielfältigung einem Verleger im Gebiete des einen oder des anderen der hohen vertragenden Teile mit dem Vorbehalte übertragen hat, daß die Exemplare oder Ausgaben des solchergestalt herausgegebenen oder vervielfältigten Werkes in dem anderen Lande nicht verkauft werden dürfen, so sollen diese Exemplare oder Ausgaben beiderseits als unbefugte Vervielfältigung angesehen werden.

Die Werke, auf welche der Art. 6 Anwendung findet, sollen der freien Zulassung in beiden Ländern zum Behufe ihrer Durchfuhr nach einem dritten Lande genießen.

Art. 7. Die gesetzlichen Vertreter oder Rechtsnachfolger der Autoren, Übersetzer, Komponisten, Zeichner, Maler, Bildhauer, Kupferstecher, Lithographen u. s. w. sollen beiderseitig und in allen Beziehungen derselben Rechte teilhaftig sein, welche die gegenwärtige Übereinkunft den Autoren, Übersetzern, Komponisten, Zeichnern, Malern, Bildhauern, Kupferstechern und Lithographen selbst bewilligt.

Art. 8. Ungeachtet der in den Art. 1 und 4 der gegenwärtigen Konvention enthaltenen Bestimmungen dürfen Artikel, welche aus den in einem der beiden Länder erscheinenden Journalen oder periodischen Sammelwerken entnommen sind, in den Journalen oder periodischen Sammelwerken des anderen Landes abgedruckt oder übersetzt werden, wenn nur die Quelle, aus der diese Artikel geschöpft worden sind, dabei angegeben wird. Diese Befugnis soll jedoch auf den Abdruck oder die Übersetzung von Artikeln aus Journalen oder periodischen Sammelwerken, welche in dem anderen Lande erschienen sind, in dem Falle keine Anwendung finden, wenn die Autoren in dem Journale oder in dem Sammelwerk selbst, in welchem sie dieselben haben erscheinen lassen, förmlich erklärt haben, daß sie deren Abdruck oder Übersetzung untersagen. In keinem Falle soll diese Untersagung bei Artikeln politischen Inhaltes Platz greifen können.

Art. 9. Der Verkauf und das Feilbieten von Werken oder Gegenständen, welche im Sinne der Art. 1, 2, 4 und 5 auf unbefugte Weise vervielfältigt sind, ist, vorbehaltlich der im Art. 11 enthaltenen Bestimmung, in jedem der beiden Staaten verboten, sei es, daß die unbefugte Vervielfältigung in einem der beiden Länder oder in irgend einem fremden Lande stattgefunden hat.

Art. 10. Im Falle von Zuwiderhandlungen gegen die Bestimmungen der voranstehenden Artikel soll mit Beschlagnahme der nachgebildeten Gegenstände verfahren werden, und die Gerichte sollen auf die durch die beiderseitigen Gesetzgebungen bestimmten Strafen in derselben Weise erkennen, als wenn die Zuwiderhandlung gegen ein Werk oder Erzeugnis inländischen Ursprungs gerichtet wäre. Die Merkmale, welche die unbefugte Nachbildung begründen, sollen durch die Gerichte des einen oder des anderen Landes nach der in jedem der beiden Staaten bestehenden Gesetzgebung bestimmt werden.

Art. 11. Beide Regierungen werden durch Administrativ-Verordnungen die nötigen Maßregeln zur Verhütung aller Schwierigkeiten und Verwickelungen treffen, in welche die Verleger, Buchdrucker und Buchhändler des einen oder des anderen Landes durch den den Besitz oder Verkauf solcher Vervielfältigungen der, im Eigentume von Unterthanen des anderen Landes befindlichen, noch nicht zum Gemeingut gewordenen Werke geraten könnten, welche sie vor dem Eintritte der Wirksamkeit der gegenwärtigen Konvention veranstaltet oder eingeführt haben, oder deren Anfertigung und Wiederabdruck ohne Ermächtigung des Berechtigten zur Zeit des Eintrittes der Wirksamkeit der gegenwärtigen Konvention im Zuge ist. Diese Anordnungen sollen sich auch auf Klischee, Holzstöcke und gestochene Platten jeder Art, sowie auf lithographische Steine erstrecken, welche sich in den Magazinen bei den österreichischen oder französischen Verlegern oder Druckern befinden und österreichischen oder französischen Originalen ohne Ermächtigung des Berechtigten nachgebildet sind.

Indessen sollen die Klischee, Holzstöcke und gestochenen Platten aller Art, sowie die lithographischen Steine nur innerhalb vier Jahren, vom Beginne der Wirksamkeit der gegenwärtigen Konvention an gerechnet, benützt werden können.

Art. 12. Während der Dauer der gegenwärtigen Konvention sollen die folgenden Gegenstände, nämlich: Bücher in allen Sprachen, Kupferstiche, Stiche anderer Art und Holzschnitte, Lithographien und Photographien, geographische oder Seekarten, Musikalien, gestochene Kupfer- oder Stahlplatten, geschnittene Holzstöcke, sowie lithographische Steine mit Zeichnungen, Stichen oder Schrift zum Gebrauche für den Umdruck auf Papier, Gemälde und Zeichnungen, gegenseitig ohne Ursprungszeugnisse zollfrei zugelassen werden.

Art. 13. Die zur Einfuhr erlaubten Bücher, welche aus Österreich kommen, werden in Frankreich sowohl zum Eingange, als auch zur unmittelbaren Durchfuhr oder auch zur Niederlage, bei folgenden Zollämtern abgefertigt werden, nämlich:

1. Bücher in französischer Sprache bei allen Zollämtern in Forbach, Weißenburg, Straßburg, Pontarlier, Bellegarde, Pont de la Caille, St. Jean de Maurienne, Chambery, Nizza, Marseille, Bayonne, Saint Nazaire, Havre, Lille, Valenciennes, Thionville und Bastia.

2. Bücher in anderer als französischer Sprache bei den nämlichen Zollämtern und außerdem in Saargemünd, St. Louis, Verrieres de Joux, Perpignan (über le Perthus), le Perthus, Behobie, Bordeaux, Nantes, St. Malo, Caen, Rouen, Dieppe, Boulogne, Calais, Dünkirchen, Apach und Ajaccio.

Es bleibt jedoch vorbehalten, in Zukunft noch andere Zollämter dafür zu bestimmen.*)

In Österreich sollen die zur Einfuhr erlaubten Bücher, welche aus Frankreich kommen, über alle Hauptzollämter und über die Nebenzollämter erster Klasse zugelassen werden.

Art. 14. Die Bestimmungen

---

*) Gegenwärtig sind zur Einfuhr und für den Transitverkehr für die aus Österreich kommenden Bücher folgende Zollämter geöffnet: Dunkerque, Lille, Tourcoing, Baisieux, Valenciennes, Feignies, Jeumont, Anor (Nord); Givet (Ardennes); Longwy, Batilly, Pagny-sur-Moselle, Avricourt (Meurthe-et-Moselle); Belfort (Haut-Rhin); Besançon, Villers, Pontarlier (Doubs); Bellegarde (Ain); Annecy (Haute-Savoie); Modane (Savoie); Vintimille; Nice (Alpes-Maritimes); Marseille (Bouches-du-Rhône); Bastia, Ajaccio (Corse); Cerbère (Pyrénées-Orientales); Hendaye, Bayonne (Basses-Pyrénées); Bordeaux (Gironde); Nantes, Saint-Nazaire (Loire-Inférieure); Saint-Malo (Ille-et-Vilaine); Granville (Manche); Le Havre, Rouen, Dieppe (Seine-Inférieure); Boulogne, Calais (Pas-de-Calais); Paris (Seine).

der gegenwärtigen Konvention sollen in keiner Beziehung das jedem der beiden hohen vertragenden Teile zustehende Recht beeinträchtigen, durch Maßregeln der Gesetzgebung oder inneren Verwaltung den Betrieb die Darstellung oder das Feilbieten eines jeden Werkes oder Erzeugnisses, in betreff dessen die kompetente Behörde dies Recht auszuüben haben würde, zu gestatten, zu überwachen oder zu untersagen.

Die gegenwärtige Konvention soll in keiner Weise das Recht des einen oder des anderen der hohen vertragenden Teile beschränken, die Einfuhr solcher Bücher nach seinen eigenen Staaten zu verbieten, welche nach seinen inneren Gesetzen oder in Gemäßheit seiner Verabredungen mit anderen Mächten für Nachdrücke erklärt sind oder erklärt werden.

Art. 15. Gegenwärtige Konvention soll gleichzeitig mit dem am heutigen Tage zwischen den hohen vertragenden Teilen abgeschlossenen Handelsvertrage in Wirksamkeit treten und mit demselben gleiche Dauer haben.*)

---

b) Ministerialverordnung vom 9. Jänner 1867, Nr. 11 R. G. B.

„Zum Vollzuge des zwischen Österreich und Frankreich wegen gegenseitigen Schutzes des Autorrechtes an den Werken der Litteratur und Kunst unterm 11. Dezember 1866 abgeschlossenen und mit 1. Jänner 1867 in Kraft getretenen Staatsvertrages werden hiermit nachstehende Anordnungen kund gemacht:

1. Auf Grund des Art. 2 des genannten Staatsvertrages wird bei dem Ministerium der auswärtigen Angelegenheiten die kostenfreie Eintragung derjenigen zum erstenmal in Frankreich erscheinenden Bücher, Karten, Kupferstiche, Stiche anderer Art, Lithographien und musikalischen Werke vorgenommen werden, welche zu diesem Zwecke von den französischen Autoren, deren gesetzlichen Vertretern oder Rechtsnachfolgern entweder bei dem benannten Ministerium oder bei der österreichischen Botschaft in Paris angemeldet werden.

2. Diese Anmeldung hat mit vollkommener Genauigkeit nachfolgende Angaben zu enthalten:

---

*) Dieser Vertrag wurde durch Erklärung der beiden Regierungen vom 5. Jänner 1879 Nr. 24 R. G. B., bis zum Abschlusse eines neuen Handelsvertrages oder bis zur Kündigung verlängert. Ein Zusatzartikel vom 18. Februar 1884 machte die Litterarkonvention unabhängig vom Handelsvertrage. Diese Konvention ist bis auf weiteres in Kraft und auf ein Jahr kündbar.

a) bei Büchern und musikalischen Werken:

den Titel des Werkes, den Namen des Autors oder Übersetzers (insofern selbe genannt sind), den Namen des Verlegers, den Ort und die Zeit des Erscheinens, die Anzahl der Bände und deren Bogenzahl, das Format, die Zahl der etwa beigegebenen Tafeln, sowie den ebenfalls beigefügten Vorbehalt des Übersetzungsrechtes;

b) bei Karten und Kupferstichen, dann Stichen anderer Art und Lithographien:

die Bezeichnung des Gegenstandes, der Darstellungs- und Reproduktionsart, des Urhebers des Originalwerkes und der Reproduktion, des Druckers und Verlegers, des Ortes und der Zeit des Erscheinens, sowie der Dimensionen des Formates. — Bei Werken, welche nach dem 1. Jänner 1867 in Frankreich erschienen sind, hat die Anmeldung längstens binnen drei Monaten, vom Tage des Erscheinens an gerechnet, zu erfolgen, bei den früher erschienenen Werken bis zum 31. März 1867.

3. Die Beteiligten erhalten eine authentische Bescheinigung über die Eintragung, wofür außer der Stempelabgabe für amtliche Bestätigungen von 1 fl. öst. Währ. (2 Franks 50 Cent.) pr. Bogen der Bestätigung keine weitere Gebühr zu entrichten ist.

4. Die über Anmeldung französischer Autoren, deren gesetzlichen Vertreter oder Rechtsnachfolger eingetragenen Werke werden im Amtsblatte der Wiener Zeitung bekannt gegeben werden.

5—7 enthält Übergangsbestimmungen.

8. Nicht autorisierte Vervielfältigungen von in Österreich erschienenen Werken, wenn sie gleich in Frankreich mit dem Stempel versehen worden sind, dürfen nur dann in Österreich in Verkehr gesetzt werden, wenn die beteiligten österreichischen Urheber und Verleger dieses Werkes ihre Zustimmung dazu gegeben haben, oder nachdem das Werk zum Gemeingut geworden ist.

Österreich und Deutschland

siehe den Artikel Österreich im 1. Bande Seite 71.

Handelsvertrag zwischen Österreich und Großbritannien vom 16. Dezember 1865 Nr. 2 R. G. B. für 1866.

Art. 10. Die kontrahierenden Mächte behalten sich vor, nachträglich durch eine besondere Übereinkunft die Mittel zu bestimmen, um den Autorsrechten an Werken der Litteratur und der schönen Künste innerhalb ihrer Gebiete den gegenseitigen Schutz angedeihen zu lassen.*)

Gesetz vom 27. Juni 1878 Nr. 62 R. G. B. wegen Vereinbarung eines Zoll- und Handelsbündnisses zwischen den Ländern der österreichischen und der ungarischen Krone.

Art. 19. Der gegenseitige Schutz des geistigen und artistischen Eigentums in beiden Ländergebieten wird im Wege der beiderseitigen Gesetzgebungen vereinbart werden.**)

Ungarn.

Die von Österreich geschlossenen Litterarkonventionen sind auch für Ungarn bindend. Als das ungarische Gesetz über das Autorrecht (im Jahre 1884) promulgiert wurde, gab der § 79 dieses Gesetzes (siehe Band 1, Seite 210) in Frankreich Anlaß zu Zweifel, ob die zwischen Österreich-Ungarn und Frankreich geschlossene Litterarkonvention vom 11. Dezember 1866 (deren Fortbestand durch einen Zusatzartikel vom 18. Februar 1884 erklärt wurde) noch für Ungarn bindend sei. Eugène Plon, Vorsitzender des Syndikats zum Schutze des Eigentums an Werken der Litteratur und Kunst, richtete eine diesbezügliche Anfrage an das Ministerium des Äußern, worauf folgende, im Journal général de l'imprimerie et la librairie, 1885, Nr. 6, veröffentlichte Antwort einlief.

*) Diese Übereinkunft ist noch nicht veröffentlicht worden.
**) Siehe der österr.-ung. Litterarvertrag Band 1, Seite 232.

Paris le 4 février 1885.

Monsieur.

Vous m'avez exprimé le désir de savoir si, dans l'opinion du gouvernement de la République les dispositions de l'article 79 de la nouvelle loi Hongroise sur la propriété litteraire et artistique ne doivent pas être considérées comme ne portant aucune atteinte à la situation de nos auteurs en Autriche-Hongrie, telle qu'elle est déterminée par la convention du 11 décembre 1866.

J'ai l'honneur de vous informer, Monsieur, que les dispositions de cet article ne sauraient porter aucune atteinte aux stipulations de la convention littéraire conclue le 11 décembre 1866, entre Autriche-Hongrie, et la France, et actuellement en vigueur. Je me suis assuré que telle est également l'opinion du Gouvernement austro-hongrois.

Recevez, etc.

Signé: Jules Ferry.

Paris den 4. Februar 1885.

Mein Herr.

Sie drückten den Wunsch aus, wissen zu wollen, ob nach Ansicht der Regierung der Republik durch die Bestimmungen des § 79 des neuen ungarischen Gesetzes über das litterarische und künstlerische Eigentum, die durch die Konvention vom 11. Dezember 1866 geschaffene Stellung unserer Autoren in Österreich-Ungarn nicht verschlechtert werde.

Ich habe die Ehre Ihnen mitzuteilen mein Herr, daß die Bestimmungen dieses Paragraphen die Bedingungen der am 11. Dezember 1866 zwischen Österreich-Ungarn und Frankreich geschlossenen und gegenwärtig rechtskräftigen Litterarkonvention auf keine Weise verletzen. Ich habe mich überzeugt, daß dies auch die Ansicht der österreichisch-ungarischen Regierung ist.

Genehmigen Sie ꝛc.

Gez.: Jules Ferry.

Skandinavisch-deutscher Schutzverein wider den Nachdruck von Musikalien.†)

Geschlossen im Herbst des Jahres 1882.

Die am Schlusse dieser Zeilen verzeichneten nordischen Musikalienverleger einerseits, sowie der unterzeichnete „Verein der Deutschen Musikalienhändler“ andererseits haben in der Überzeugung, daß es dringend wünschenswert sei, das geistige Eigentum durch Staatsverträge in den beiderseitigen Ländern zu schützen, sich verbunden, für den Abschluß eines Schutzvertrages der musikalischen Eigentumsrechte zwischen den nordischen Ländern und dem Deutschen Reiche jeder in seinem Lande zu wirken.**)

Damit aber schon jetzt vor Eintritt eines staatlichen Rechtsschutzes durch Selbsthilfe der anständig denkenden Verleger dem bisherigen unwürdigen Zustande des Nachdruckwesens ein Ende bereitet werde, haben sich die unten genannten angesehenen skandinavischen Firmen durch, in die Hand des Sekretärs des deutschen Musikalienhändlervereins niedergelegte schriftliche Erklärung aus freien Stücken verpflichtet, von jetzt ab vom Nachdrucke solcher Werke, welche von den Autoren mit ausschließlichem Rechte an Originalmusikverleger in Deutschland übertragen worden sind, abzusehen, nur mit dem Vorbehalte, im Falle Werke zu drucken, welche bereits von einem Konkurrenten in Skandinavien als unerlaubte Nachdrucke ausgegeben worden sind.

Der Ausschuß des Vereins der deutschen Musikalienhändler trat, obgleich sich seine Mitglieder schon

---

†) Abgedruckt aus den in Leipzig herausgegebenen „Mitteilungen des Vereins der deutschen Musikalienhändler“ Nr. 7 vom 8. Juli 1888.

**) In der im Jahre 1889 abgehaltenen Hauptversammlung des Vereins der deutschen Musikalienhändler wurde beschlossen, einen Schutzvertrag mit den russischen Musikalienverlegern abzuschließen. Seit langen Jahren gehört der namhafte russische Verleger D. Rahter (A. Büttner) in St. Petersburg zugleich dem Vereine der deutschen Musikalienhändler an, dessen Verlagseigentum er respektiert, ebenso wie J. Deubner in Riga und Jul. Heinrich Zimmermann in St. Petersburg und Moskau. Auch erklärte P. Jürgenson in Moskau seine Bereitwilligkeit, einen privaten Schutzvertrag in der Weise des oben abgedruckten skandinavisch-deutschen Vertrages mit den deutschen Musikalienverlegern einzugehen und bei den russischen Verlegern zu befürworten. Bisher ist jedoch ein solcher russisch-deutscher Vertrag noch nicht zustande gekommen.

bisher des derartigen Nachdrucks skandinavischer Werke enthalten hatten, doch noch ausdrücklich diesem Beschlusse bei.

(Folgen die Unterschriften, welche wir nicht mit abdrucken, da dieses Firmenverzeichnis vielfachen Veränderungen unterworfen ist. Interessenten erteilt der Verein der deutschen Musikalienhändler in Leipzig jede gewünschte Auskunft.)

Die Staaten von Südamerika.

Wenn die Anerkennung des internationalen Urheberrechtes in Europa bereits eine so große Verbreitung gefunden hat, daß wohl in nicht zu ferner Zeit fast alle europäischen Staaten einen Bund bilden werden, der die Hochhaltung dieses Rechtes zum Zwecke haben wird, so läßt dafür Amerika in dieser Hinsicht noch sehr viel zu wünschen übrig. Das einheimische Urheberrecht ist in vielen Staaten Amerikas gesetzlich geregelt, während das ausländische geistige Eigentum für vogelfrei erklärt ist. Es wird immer noch an dem Grundsatze festgehalten, daß durch Plünderung der fremden Geistesschätze die einheimische Litteratur gefördert wird, während, wie schon oft bewiesen wurde, gerade das Gegenteil der Fall ist. Um so größere Aufmerksamkeit verdient eine Bewegung, welche sich in den südamerikanischen Staaten bemerkbar macht, und die geeignet erscheint, in erster Linie dem herrschenden Plünderungssystem in Amerika selbst ein Ende zu machen, wonach dann auch leicht bezüglich des internationalen Urheberrechtes eine Verständigung mit Europa erzielt werden kann.

Unter Führung der argentinischen Republik und Uruguay ist im Jahre 1888 in Montevideo ein Kongreß zur Beratung des internationalen Rechtes abgehalten worden. Unter anderm wurde auch das Projekt einer Konvention zum Schutze von Werken der Litteratur und Kunst ausgearbeitet, welches am 11. Januar 1889 die Delegierten von sieben südamerikanischen Staaten unterzeichnet haben. Die sieben Staaten sind: Argentinische Republik, Bolivia, Brasilien, Chile, Paraguay, Peru und Uruguay. Obwohl diese Konvention noch Projekt ist, so verdient sie doch ihrer Eigenartigkeit wegen besondere Beachtung. Nach § 13 tritt sie in Kraft zwischen den Staaten, welche sie ratifizieren, und wenn es auch nur zwei Staaten sein sollten. Auch können nach § 16 andere Länder der Konvention beitreten. In Berücksichtigung des Umstandes, daß die unterzeichneten Staaten eine Gesamtbevölkerung von mehr als 24 Millionen Einwohner haben, und daß Konventionen auch die Ausgestaltung der Landesgesetzgebung, wo diese noch fehlt, herbeiführen, erscheint das Projekt von mehr als nur historischer Wichtigkeit. Die Ratifikation kann ja in den beteiligten Staaten täglich erfolgen, wir geben deshalb nachstehend eine Übersetzung dieser projektierten Konvention.

Projekt des Vertrages von Montevideo, unterzeichnet von den Delegierten der sieben südamerikanischen Staaten Argentinische Republik, Bolivia, Brasilien, Chile, Paraguay, Peru, Uruguay.

Am 11. Januar 1889.

§ 1. Die unterzeichneten Staaten verpflichten sich das Eigentumsrecht an Werken der Litteratur und Kunst nach Maßgabe der Bedingungen dieses Vertrages anzuerkennen und zu schützen.

§ 2. Der Urheber eines Werkes der Litteratur oder Kunst und seine Rechtsnachfolger genießen in den unterzeichneten Staaten alle Rechte, welche ihnen das Gesetz jenes Staates gewährt, wo die erste Veröffentlichung oder Herstellung des Werkes stattgefunden hat.

§ 3. Das Eigentumsrecht an Werken der Litteratur und Kunst gewährt dem Autor die Möglichkeit, über das Werk zu verfügen, es zu veröffentlichen und zu veräußern, es zu übersetzen oder einem andern die Übersetzung zu gestatten und es unter einer beliebigen Form zu vervielfältigen.

§ 4. Kein Staat ist verpflichtet, das Eigentumsrecht an Werken der Litteratur und Kunst länger anzuerkennen, als die Frist währt, welche für Autoren, die im Lande direkt dieses Recht erworben haben, angesetzt ist.

Diese Frist kann auf den im Ursprungslande angesetzten Zeitraum beschränkt werden, wenn dieser Zeitraum kürzer ist.

§ 5. Der Ausdruck „Werke der Litteratur und Kunst" umfaßt Bücher, Broschüren und alle andern Schriftwerke, dramatische, dramatisch-musikalische und choreographische Werke, musikalische Kompositionen mit oder ohne Text, Werke der zeichnenden Kunst, der Malerei und der Bildhauerei,

Stiche, Photographien, Lithographien, geographische Karten, geographische, topographische, architektonische oder sonstige wissenschaftliche Pläne, Skizzen und Darstellungen plastischer Art, überhaupt jedes Erzeugnis aus dem Bereiche der Litteratur und Kunst, welches im Wege des Druckes oder sonstiger Vervielfältigung veröffentlicht werden kann.

§ 6. Die Übersetzer von Werken, deren Eigentumsrecht nicht geschützt oder bereits erloschen ist, genießen in bezug auf ihre Übersetzung den im Paragraph 3 festgesetzten Schutz, ohne jedoch die Veröffentlichung anderer Übersetzungen desselben Werkes verhindern zu können.

§ 7. Zeitungsartikel dürfen nachgedruckt werden unter der Bedingung, daß die Publikation, aus welcher sie abgedruckt worden sind, genannt wird. Ausgenommen sind hiervon Artikel über Kunst und Wissenschaft, wenn deren Nachdruck von den Autoren ausdrücklich verboten worden ist.

§ 8. Die bei den Beratungen der gesetzgebenden Körperschaften, vor den Gerichtsbehörden oder in öffentlichen Versammlungen gehaltenen oder vorgelesenen Reden und Vorträge können von der periodischen Presse, ohne daß eine Ermächtigung hierzu nötig ist, veröffentlicht werden.

§ 9. Als unerlaubte Vervielfältigung gilt auch diejenige nicht genehmigte indirekte Aneignung eines Werkes der Litteratur oder Kunst, welche mit verschiedenen Namen wie „Adaptationen, Arrangements ꝛc." bezeichnet wird, sofern dieselbe lediglich die Wiedergabe eines solchen Werkes ist, ohne die Eigenschaften eines Originalwerkes zu besitzen.

§ 10. Die Urheberrechte werden bis zum Beweise des Gegenteils zu gunsten jener Personen anerkannt, deren Namen oder Pseudonym in dem Werke der Litteratur oder Kunst bezeichnet ist.

Wenn die Autoren ihren Namen geheim halten wollen, so müssen die Verleger bekannt geben, daß das Urheberrecht ihnen zugehört.

§ 11. Die Verantwortlichkeiten, welche durch Aneignung der Eigentumsrechte an Werken der Litteratur und Kunst entstehen, werden durch die Gerichte festgestellt und abgeurteilt, nach Maßgabe der Gesetze jenes Landes, wo das Vergehen begangen wurde.

§ 12. Die Anerkennung des Eigentumsrechtes an Werken der Litteratur oder Kunst verhindert die unterzeichneten Staaten nicht, nach den Bestimmungen ihrer Gesetze die Vervielfältigung, Veröffentlichung, Verbreitung, Aufführung und Ausstellung solcher Werke zu verbieten, welche der Moral oder den guten Sitten zuwiderlaufen.

§ 13. Damit dieser Vertrag in

Kraft trete ist es nicht nötig, daß er von den unterzeichneten Staaten gleichzeitig ratifiziert werde. Diejenige Nation, die den Vertrag genehmigt, zeige es den Regierungen der Republiken Argentinien und Uruguay an, damit diese es den andern vertragschließenden Nationen bekannt machen können.

Dieses Vorgehen vertritt die Stelle des Austausches der Ratifikationen.

§ 14. Ist der Austausch in der im vorstehenden Paragraphen angezeigten Form geschehen, so bleibt dieser Vertrag auf unbestimmte Zeit in Kraft.

§ 15. Wünscht eine der unterzeichneten Nationen von diesem Vertrage entbunden zu sein oder ihn zu ändern, so muß sie die anderen Nationen davon verständigen; sie wird jedoch erst zwei Jahre nach der Kündigung aus dem Vertragsverhältnisse entlassen, während welcher Zeit aber eine neue Einigung zu erzielen gesucht werden soll.

§ 16. Der Paragraph 13 kann auf Nationen ausgedehnt werden, welche am Kongresse nicht teilgenommen haben und diesem Vertrage beizutreten wünschen.

Urkund dessen haben die Bevollmächtigten der genannten Staaten den Vertrag in sieben Exemplaren gezeichnet und gesiegelt zu Montevideo am elften Januar 1889.

13*